Solteirões convictos

Obras da autora publicadas pela Record

Acidente
Agora e sempre
A águia solitária
Álbum de família
Amar de novo
Um amor conquistado
Amor sem igual
O anel de noivado
O anjo da guarda
O apelo do amor
Ânsia de viver
Asas
O beijo
O brilho da estrela
O brilho de sua luz
Caleidoscópio
Casa forte
A casa na rua Esperança
O casamento
O chalé
Cinco dias em Paris
Desaparecido
Um desconhecido
Desencontros
Doces momentos
Ecos
Entrega especial
O fantasma
Final de verão
Forças irresistíveis
Galope de amor
Honra silenciosa
Imagem no espelho
Impossível
Jogo do namoro
A jornada
Jóias
Klone e eu
Maldade
Meio amargo
Mergulho no escuro
Momentos de paixão
Passageiros da ilusão
Pôr-do-sol em Saint-Tropez
Porto seguro
Preces atendidas
O preço do amor
O rancho
Recomeços
Relembrança
Resgate
O segredo de uma promessa
Segredos de amor
Segredos do passado
Segunda chance
Tudo pela vida
Um mundo que mudou
Uma só vez na vida
Vale a pena viver
A ventura de amar
Zoya

DANIELLE STEEL

Solteirões convictos

Tradução de
MICHELE GERHARDT

EDITORA RECORD
RIO DE JANEIRO • SÃO PAULO
2011

CIP-BRASIL. CATALOGAÇÃO-NA-FONTE
SINDICATO NACIONAL DOS EDITORES DE LIVROS, RJ

Steel, Danielle, 1948-
S826s Solteirões convictos / Danielle Steel; tradução Michele Gerhardt. – Rio de Janeiro: Record, 2011.

Tradução de: Toxic bachelors
ISBN 978-85-01-07500-0

1. Romance americano. I. Gerhardt, Michele. II. Título.

10-5985 CDD: 813
CDU: 821.111(73)-3

Título original em inglês:
TOXIC BACHELORS

Texto revisado segundo o novo Acordo Ortográfico da Língua Portuguesa.

Impresso no Brasil

ISBN: 978-85-01-07500-0

Seja um leitor preferencial Record.
Cadastre-se e receba informações sobre nossos lançamentos e nossas promoções.

Atendimento e venda direta ao leitor:
mdireto@record.com.br ou (21) 2585-2002.

Para meus filhos tão maravilhosos,
Beatrix, Trevor, Todd, Nick, Samantha,
Victoria, Vanessa, Maxx e Zara, cujo
amor, riso, bondade e alegria iluminam
minha vida.

A Sebastian, o melhor presente de Natal de todos.

Para mim, vocês são os melhores presentes de Deus, e agradeço a Ele todos os dias, com reverência, pela maravilha que é o amor de vocês.

Com todo o meu amor.
d.s.

Ele disse/Ela disse

Ele disse que sempre gostaria de mim.
Ela disse que me amaria para sempre.

Ele disse que seria meu companheiro.
Ela disse que seria minha melhor amiga.

Ele disse que escutaria minhas histórias.
Ela disse que riria das minhas piadas.

Ele disse que sempre me escutaria.
Ela disse que sempre conversaria comigo.

Ele disse que sempre me abraçaria.
Ela disse que sempre seguraria a minha mão.

Ele disse que sempre dormiria comigo.
Ela disse que sempre me daria um beijo de boa-noite.

Ele disse que sempre me amaria.
Ela disse que nunca me deixaria.

Donna Rosenthal — Artista

Capítulo 1

O SOL BRILHAVA E QUEIMAVA o deque do iate *Blue Moon*, que tinha 240 pés e um design notável. Piscina, heliporto, seis elegantes cabines para convidados, uma suíte principal que parecia saída de um filme e uma tripulação impecavelmente treinada formada por 16 membros. O *Blue Moon* e seu dono já tinham aparecido em todas as revistas do ramo no mundo desde que fora comprado de um príncipe saudita, seis anos antes. Charles Sumner Harrington adquirira seu primeiro iate, um veleiro de 75 pés, quando tinha 22 anos. Era chamado *Dream*, e, 24 anos depois, ele continuava a curtir a vida no iate tanto quanto naquela época.

Aos 46 anos, Charles Sumner Harrington sabia que era um homem de sorte. Em muitos aspectos, aparentemente, a vida fora fácil para ele. Aos 21, herdara uma enorme fortuna que administrava com responsabilidade havia 25 anos. Fizera carreira gerenciando seus próprios investimentos e administrando a fundação da família. Charlie tinha plena consciência de que poucas pessoas no mundo eram tão abençoadas quanto ele e fizera muito para melhorar a vida dos menos afortunados, tanto por meio da fundação como com seus próprios recursos. Conhecia sua responsabilidade e, mesmo quando jovem, sempre pensava nos outros primeiro. Tinha um desejo de ajudar principalmente crianças e jovens de poucos recursos. A fundação realizava um trabalho impressionante em educação, fornecia assistência médica aos indigentes, sobretudo para países em desenvolvimento, e se dedicava à prevenção de abuso infantil em bairros de baixa renda. Charles Harrington era um líder na comunidade, fazendo seu trabalho filantropo discretamente, por meio da fundação ou sob o anonimato, sempre que possível. Era uma pessoa humanitária e muito preocupada e consciente, mas também abria um sorriso travesso quando admitia que era mimado, e não se desculpava pela vida que levava, tinha condições financeiras para isso. Todos os anos gastava milhões pelo bem-estar dos outros, e uma boa parcela também com seu próprio bem-estar. Nunca se casara, não tinha filhos, gostava de viver bem e, quando era oportuno, tinha prazer em compartilhar seu estilo de vida com os amigos.

Todo ano, sem falta, Charlie e seus dois melhores amigos, Adam Weiss e Gray Hawk, passavam o mês de agosto no iate de Charlie, navegando pelo Mediterrâneo, parando nos lugares que escolhessem. Era uma viagem que faziam juntos havia dez anos, pela qual esperavam ansiosamente o ano todo e que não perdiam por nada. Todo ano, acontecesse o que acontecesse, no dia 1º de agosto, Adam e Gray pegavam um avião para Nice e embarcavam no *Blue Moon* para passar o mês — exatamente da mesma forma que tinham feito nos anos anteriores. Charlie geralmente passava o mês de julho no iate também, e às vezes só voltava para Nova York em meados ou final de setembro. Todos os seus negócios pessoais e da fundação podiam facilmente ser administrados de lá. Mas agosto era um mês reservado exclusivamente à diversão. E este ano não seria diferente. Estava sentado tranquilamente no deque da popa do iate tomando café da manhã enquanto o barco se mexia com suavidade, ancorado fora do porto de Saint-Tropez. A noite anterior tinha sido longa; e eles só tinham voltado para o iate às 4 horas.

Apesar de ter ido dormir tarde, Charlie acordou cedo, e suas lembranças da noite anterior eram um pouco vagas. Isso era comum acontecer quando Adam e Gray estavam presentes nessas noitadas. Eles formavam um trio espantoso, mas sua diversão era inofensiva. Não deviam satisfação a ninguém, nenhum dos três era casado, e no momento nenhum tinha namorada. Muito tempo antes, eles tinham feito um acordo de que, independentemente de suas situações, embarcariam sozinhos e passariam um mês como solteirões, vivendo entre homens, curtindo a vida. Não deviam desculpas nem explicações a ninguém, e os três trabalhavam muito, cada um à sua maneira, durante o resto do ano: Charlie como filantropo, Adam como advogado e Gray como artista. Charlie costumava dizer que tinham conquistado o mês de férias e que mereciam a viagem anual.

Dois dos três eram solteirões por escolha. Charlie insistia que não era. Seu estado civil de solteiro era uma casualidade até agora, puro azar. Dizia que queria se casar, só não encontrara ainda a mulher certa, apesar de ter passado a vida procurando. Mas continuava procurando com determinação meticulosa. Quando era mais jovem, ficou noivo quatro vezes, o que já fazia bastante tempo, e em cada uma das vezes acontecia algo que levava ao cancelamento da união, para seu desgosto e profunda tristeza.

A primeira noiva dormiu com seu melhor amigo três semanas antes do casamento, o que causou uma verdadeira turbulência em sua vida; e, claro, ele não teve alternativa a não ser cancelar tudo. Tinha 30 anos na época. Sua segunda noiva aceitou um emprego em Londres assim que ficaram noivos. Ele viajava sempre para vê-la e ficava esperando pacientemente no apartamento que tinha alugado para que pudesse passar mais tempo com ela, enquanto ela continuava a trabalhar para a *Vogue* britânica, sem nunca arrumar tempo para vê-lo. Dois meses antes do casamento, ela admitiu que queria uma carreira e não conseguia se ver abrindo mão do trabalho quando se casassem, o que era importante para ele. Charlie achava que ela deveria ficar em casa e ter filhos. Não queria uma esposa com uma carreira, então decidiram terminar, amigavelmente, claro; mas mesmo assim ele ficou muito decepcionado. Tinha 32 anos, e estava ainda mais determinado a encontrar a mulher de seus sonhos. Um ano depois, tinha certeza de que a encontrara: era uma mulher incrível e estava disposta a abandonar a faculdade de medicina para ficar com ele. Foram para a América do Sul juntos, em uma viagem financiada pela fundação, para visitar crianças em países em desenvolvimento. Tinham tudo em comum, e seis meses depois de se conhecerem, ficaram noivos. Tudo estava indo bem até Charlie perceber que sua noiva e a irmã gêmea dela eram inseparáveis, e ela esperava poder levá-la a todos os lugares com eles. Uma antipatia gratuita surgiu entre ele e a irmã desde a primeira vez em que se viram, o que se transformou em debates exaltados e discussões intermináveis sempre que se encontravam. Charlie tinha certeza de que essa antipatia estava se tornando cada vez mais preocupante. E desistiu desta vez também, e sua ex-futura noiva concordou. A irmã gêmea era importante demais em sua vida para se casar com um homem que a desprezava. Ela se casou com outra pessoa um ano depois, e a irmã foi morar com eles, o que mostrou que

Charlie tinha feito a coisa certa. Cinco anos antes, Charlie passara pelo último noivado desastroso. Ela o amava, mas mesmo depois de sessões de terapia de casal, dizia que não queria ter filhos. Por mais que o amasse, ela não estava disposta a ceder nem um pouquinho. No início, ele achou que conseguiria convencê-la, mas não conseguiu, então terminaram e ficaram amigos. Era sempre assim. Sem exceção. Charlie tinha se tornado amigo de todas as mulheres com quem saíra. Na época de Natal, ele recebia uma avalanche de cartões de mulheres de quem já gostara, com quem decidira não se unir e que tinham se casado com outros homens. Nas fotografias delas com suas famílias, todas pareciam iguais. Mulheres bonitas, louras, bem-educadas, de famílias aristocráticas, que tinham frequentado as escolas certas e se casado com as pessoas certas. Elas sorriam para ele nos cartões de Natal, com seus maridos de aparência próspera ao lado e seus filhos lourinhos amontoados ao redor. Ainda tinha contato com muitas delas, todas o adoravam e se lembravam dele com carinho.

Seus amigos Adam e Gray viviam lhe dizendo para desistir de debutantes e socialites e procurar uma mulher "de verdade", sendo que cada um a definia de forma diferente. Mas Charlie sabia exatamente o que queria: uma mulher inteligente, bem-educada, de boa família, rica, que compartilhasse seus valores, seus ideais e tivesse uma ascendência aristocrática parecida com a sua. Para ele, isso era importante. A árvore genealógica de sua família recuava ao século XV, na Inglaterra, sua fortuna existia havia gerações, e, como o pai e o avô, ele fora para Princeton. Sua mãe estudara na Mississippi Porter's School, uma escola só para meninas da elite em Connecticut, e depois fora para uma escola interna na Europa, assim como sua irmã; e ele queria se casar com uma mulher igual a elas. Era um ponto de vista arcaico, e parecia até esnobe em alguns aspectos, mas Charlie sabia o que queria, do que precisava e o que seria adequado para sua vida. Ele próprio era antiquado em muitos aspectos e tinha valores tradicionais. Sua postura política era conservadora, eminentemente respeitável, e quando tinha uma aventura romântica, tudo era feito com educação e discrição. Charlie era um cavaleiro de corpo e alma. Era atencioso, bom, generoso e charmoso. Sua educação era impecável, e as mulheres o adoravam. Havia muito tempo se transformara em um desafio para as mulheres de Nova York e dos muitos lugares para onde viajava e onde tinha amigos. Todo mundo adorava Charlie, era difícil não adorar.

Casar-se com Charlie Harrington seria uma vitória para qualquer uma. Como o príncipe encantado dos contos de fadas, ele procurara em todo o mundo, em busca da mulher certa, perfeita para ele. Mas, em vez disso, encontrara mulheres maravilhosas em todos os lugares, que pareciam encantadoras e interessantes no início, mas que sempre tinham um defeito fatal que o impedia de levá-las ao altar. Isso era tão doloroso para elas quanto para ele. Seus planos de se casar e ter filhos foram frustrados todas as vezes. Aos 46 anos, ainda estava solteiro, mas dizia que a culpa não era sua. Onde quer que a mulher certa estivesse escondida, ele estava determinado a encontrá-la, e tinha certeza de que um dia conseguiria. Só não sabia quando. Sempre conseguia detectar os defeitos fatais de todas as impostoras que se fingiam de mulher perfeita. A única coisa que o consolava era que não tinha se casado com a mulher errada. Estava determinado a não deixar isso acontecer e agradecia a Deus por ter conseguido até agora. Estava sempre atento e era incansável na procura dos defeitos fatais. Sabia que a mulher certa estava em algum lugar, só não a achara ainda. Mas tinha convicção de que um dia encontraria.

Charlie estava sentado de olhos fechados, o rosto virado para o sol, enquanto os comissários serviam seu café da manhã, enchendo sua xícara com café pela segunda vez. Na noite anterior, tomara algumas taças de champanhe e vários martínis, mas depois de nadar, antes da refeição matinal, já se sentia bem melhor. Era excelente em natação e hábil em windsurfe. Fora o capitão da equipe de natação de Princeton. Apesar de sua idade, era atlético. No inverno, esquiava avidamente e jogava squash sempre que podia; no verão, jogava tênis. Além de ser bom para a saúde, seu corpo era de um homem com metade da sua idade. Charlie era muito bonito: alto, magro, cabelo louro que escondia qualquer fio grisalho que ganhara com o passar dos anos. Tinha olhos azuis, e, depois do último mês no barco, a pele estava bronzeada. Sua aparência era surpreendente. Tinha preferência por mulheres louras, altas e aristocráticas. Nunca tinha pensado muito no assunto, mas a mãe e a irmã eram louras e altas.

A mãe tinha uma beleza espetacular, e a irmã era a principal jogadora de tênis da faculdade até desistir de tudo para cuidar dele. Seus pais morreram em um acidente de carro enquanto estavam de férias na Itália; ele tinha 16 anos. Sua irmã tinha 21, e deixou Vassar no penúltimo ano para voltar para casa e assumir as responsabilidades de estar à frente da família na ausência dos pais. Os olhos de Charlie ainda se enchiam de lágrimas quando pensava na irmã. Ellen dissera que retomaria os estudos quando ele também entrasse na faculdade, dois anos depois. Foi um sacrifício que ela estava mais do que disposta a fazer por ele. Tinha sido uma mulher extraordinária, e Charlie a adorava. Mas quando ele foi para a universidade, embora não soubesse, pois ela não dissera nada, Ellen estava doente. Tinha conseguido esconder a gravidade da doença por quase três anos.

Disse que estava ocupada demais trabalhando na fundação para voltar para a faculdade, e ele acreditou. Na verdade, ela tinha um tumor no cérebro contra o qual lutou corajosamente. Bem no início, os médicos determinaram que não podiam retirar o tumor por causa de sua localização. Ellen morreu aos 26 anos, poucos meses antes de Charlie se formar em Princeton. Charlie não tinha ninguém para ir à sua formatura. Com os pais e a irmã mortos, estava praticamente sozinho no mundo, com uma enorme fortuna e um grande senso de responsabilidade por tudo o que deixaram para ele. Comprou seu primeiro veleiro pouco depois de se formar e viajou pelo mundo durante dois anos. Não se passava um dia em que não pensasse na irmã e em tudo que ela fizera por ele. Ellen até largara a faculdade, e fez tudo que podia por ele até morrer, assim como seus pais. Sua vida familiar tinha sido sempre harmoniosa e feliz. A única coisa que dera errado no início de sua vida foi que todos que o amavam e que ele amava morreram e o deixaram sozinho. Seu pior medo era amar outra pessoa que morresse cedo também.

Quando voltou de sua viagem pelo mundo, tinha 24 anos. Foi fazer um MBA na Columbia Business School e aprendeu sobre seus investimentos e como deveria administrar a fundação. Amadurecera do dia para a noite e se tornara responsável por tudo que pertencia ao seu mundo. Charlie nunca decepcionou ninguém em sua vida. Sabia que nem Ellen nem seus pais tinham-no abandonado intencionalmente, mas ficara sozinho no mundo, sem família, muito novo. Tinha uma situação financeira privilegiada e alguns amigos muito bem escolhidos. Sabia que, até encontrar a mulher certa, estaria sozinho em aspectos importantes da vida. Não se acomodaria por nada menos do que achasse que merecia, uma mulher como sua mãe e Ellen, que ficasse ao lado do homem até o fim. O fato de elas terem-no deixado sozinho e assustado não era algo que admitia para si mesmo, não com muita frequência. Não fora culpa delas, mas simplesmente uma peça infeliz do destino. O que tornava ainda mais importante para ele encontrar a mulher certa, aquela em que ele soubesse que poderia confiar, que seria uma boa mãe para seus filhos, uma mulher que fosse quase perfeita em todos os aspectos. Isso era vital para ele. Para Charlie, valia a pena esperar por essa mulher.

— Ai, Deus — gemeram atrás dele no deque. Riu assim que escutou a voz. Abriu os olhos e viu Adam, de bermuda branca e camiseta azul-clara, sentando-se em uma cadeira em frente a ele. O comissário serviu uma xícara de café forte, e Adam tomou vários goles antes de dizer mais alguma coisa. — O que foi que eu bebi ontem à noite? Acho que alguém me envenenou.

O cabelo dele era escuro; os olhos, quase da cor de ébano, e ele não tinha se dado ao trabalho de fazer a barba. Tinha altura média e ombros fortes, uma aparência rude. Não era um homem bonito como Charlie, mas inteligente, divertido, atraente; tinha charme, e as mulheres o adoravam. A aparência de astro de cinema que lhe faltava ele compensava com cérebro, poder e dinheiro. Ganhara muito nos últimos anos.

— Acho que você bebeu rum e tequila, mas só depois da garrafa de vinho do jantar. — Eles tinham tomado Château Haut-Brion a bordo antes de desembarcarem em Saint-Tropez e irem a bares e boates. Charlie sabia que provavelmente não encontraria a mulher perfeita nesses lugares, mas até lá havia muitas outras para mantê-los ocupados. — Acho que da última vez que o vi na boate antes de sair, você estava bebendo conhaque.

— Imaginei. Acho que foi o rum que caiu mal. Eu me transformo em um alcoólatra todo ano quando entro neste barco. Se eu bebesse assim quando estou em casa, já estaria sem emprego. — Adam Weiss piscou por causa da claridade do sol, colocou os óculos escuros e sorriu. — Você é uma péssima influência para mim, Charlie, mas um excelente anfitrião. A que horas eu voltei?

— Acho que umas 5.

Charlie não se mostrou admirado nem crítico. Não julgava seus amigos. Só queria que eles se divertissem, os três, como sempre faziam. Adam e Gray eram os melhores amigos que já tivera, e o laço que os unia excedia a mera amizade. Os três sentiam como se fossem irmãos, haviam ajudado uns aos outros em muitos momentos difíceis nos últimos dez anos.

Adam conhecera Charlie logo depois do divórcio. Ele e Rachel se conheceram em Harvard, quando ambos estavam no segundo ano da faculdade de direito. Ela se formara com mérito e passara na prova da Ordem na primeira tentativa, embora nunca tenha exercido a profissão. Adam precisou fazer a prova uma segunda vez, mas era um excelente advogado e se dera bem na área. Ele se associou a uma firma especializada em representar astros do rock e atletas famosos, e adorava seu trabalho. Ele e Rachel se casaram no dia seguinte à formatura, e o casamento foi bem-vindo e muito comemorado pelas duas famílias, que se conheciam em Long Island. De alguma forma, eles só se conheceram na faculdade, embora seus pais fossem amigos. Ele nunca quis contato com as filhas dos amigos de seus pais, então a encontrou por conta própria, mesmo sabendo quem ela era no momento em que se conheceram. Ela lhe pareceu a garota perfeita.

Quando se casaram, tinham tudo em comum, e uma vida de felicidade esperando-os. Rachel engravidou na lua de mel e teve dois bebês em dois anos, Amanda e Jacob, que agora estavam com 14 e 13 anos. O casamento durou cinco anos. Adam estava sempre ocupado trabalhando, construindo sua carreira e chegando em casa às 3 da madrugada, depois de ir a shows e eventos esportivos com seus clientes e amigos. Mas apesar de todas as tentações que o cercavam — que eram muitas —, era fiel a Rachel. Ela, porém, se cansou de passar as noites sozinha e se apaixonou pelo pediatra das crianças, que conhecia desde o colégio, e teve um caso com ele enquanto o marido ganhava dinheiro. Adam se tornara sócio da firma três meses antes do divórcio, por isso Rachel acreditava que ele ficaria bem sozinho. Ela levou as crianças, os móveis, metade da poupança deles e casou-se com o médico assim que assinou o divórcio. Dez anos depois, ele ainda a odiava e mal conseguia ser civilizado com ela. A última coisa que queria na vida era se casar de novo e deixar a mesma situação se repetir. Ele quase morreu quando ela o deixou levando as crianças.

Na década que se passou desde que isso aconteceu, ele evitara qualquer risco de se envolver, e o fazia namorando mulheres que tinham metade da sua idade e um décimo do seu cérebro. No ambiente em que trabalhava, era fácil encontrá-las. Aos 41 anos, ele namorava mulheres entre 21 e 25 anos, modelos, estrelas no início de carreira, fãs, o tipo de mulheres que cercavam atletas e astros de rock. Ele geralmente nem se lembrava do nome delas, mesmo sendo sincero e generoso. Quando se conheciam, ele dizia que nunca mais se casaria de novo e que o relacionamento deles seria apenas diversão. Nunca duravam mais de um mês — quando muito. O único interesse dele era sair para jantar algumas vezes, ir para a cama e seguir em frente. Rachel levara seu coração quando o abandonara e o jogara em alguma lata de lixo no caminho. Só falava com ela quando necessário, o que vinha se tornando cada vez menos frequente, conforme os filhos ficavam mais velhos. Na maioria das vezes, mandava e-mails curtos sobre seus acordos e pedia à secretária que telefonasse para a ex-esposa. Não queria nada com ela. Nem se envolver seriamente com nenhuma outra pessoa. Adam amava sua liberdade, e nada no mundo faria com que se arriscasse de novo.

Sua mãe finalmente parara de reclamar por ele estar solteiro, ou quase, e finalmente deixara de tentar apresentar a ele "boas moças". Adam tinha exatamente o que queria: um banquete de namoradas para entretê-lo. Se quisesse alguém para conversar, ligava para os amigos. Na sua opinião, mulheres tinham sido feitas para o sexo e a diversão e para se manter a uma certa distância. Não tinha a menor intenção de se envolver o suficiente para sofrer de novo. Ao contrário de Charlie, não estava procurando a mulher perfeita. Só queria a parceira de cama perfeita pelo tempo que durasse, que esperava não ultrapassar duas semanas, e seguia sua vida assim. Adam não queria nenhum envolvimento sério. As únicas coisas que levava a sério na vida eram seus filhos, amigos e o trabalho. E, em sua opinião, as mulheres na sua vida não eram suas amigas. Rachel era sua inimiga declarada; a mãe, a cruz que tinha de carregar; a irmã, uma perturbação; e as mulheres com quem saía, geralmente, eram pouco mais que estranhas. Na maior parte do tempo, sentia-se mais feliz, mais seguro e mais à vontade com homens. Principalmente Charlie e Gray.

— Acho que me diverti ontem à noite — disse Adam com um sorriso maroto. — A última coisa de que me lembro foi de dançar com um grupo de brasileiras que não sabiam falar inglês, mas como se mexiam, cara! Eu mesmo sambei e devo ter tomado uns seiscentos drinques. Elas eram incríveis.

— Você também é. — Charlie riu alto, e os dois viraram os rostos para o sol.

Era uma sensação boa, mesmo Adam estando com dor de cabeça. Ele jogava duro no trabalho. Atualmente, era o melhor advogado no seu campo de atuação. Sempre estressado e ansioso, carregava três telefones celulares e um pager e passava a vida em reuniões ou voando em seu próprio jatinho para encontrar os clientes em algum lugar. Representava uma lista de celebridades, e todas elas pareciam se meter em encrenca com uma regularidade alarmante, mas Adam adorava o que fazia e tinha mais paciência com seus clientes do que com qualquer outra pessoa, exceto seus filhos, que eram tudo para ele; Amanda e Jacob eram o que tinha de melhor na vida.

— Acho que marquei um encontro com duas para esta noite — disse Adam, sorrindo, ao se lembrar das belas brasileiras. Mas elas não entendiam uma palavra do que eu dizia. Vamos ter que voltar hoje e ver se estão lá.

Adam estava começando a ressuscitar depois da segunda xícara de café. Nesse momento apareceu Gray, de óculos escuros e com os cabelos brancos despenteados. Geralmente ficavam assim, mas pareciam bem adequados enquanto ele resmungava e se sentava à mesa, usando sunga e uma camiseta que estava limpa mas manchada de tinta.

— Estou velho demais para essas coisas — disse, aceitando de bom grado uma xícara de café e abrindo um potinho de um remédio que sempre tomava quando estava no iate. O gosto amargo acalmou seu estômago depois dos excessos da noite anterior. Diferentemente de Charlie e Adam, ele não estava em forma. Era alto e magro e parecia, de alguma forma, desnutrido. Quando era menino, parecia-se com aquelas crianças das fotos de alerta sobre a fome no mundo. Agora parecia apenas magro demais.

Era artista e morava no West Village, onde trabalhava durante meses em quadros complexos e belos. Ele conseguia sobreviver, mas não muito bem, quando vendia dois por ano. Assim como Charlie, nunca tinha se casado nem tinha filhos. Era respeitado no mundo artístico, mas nunca tinha sido um sucesso comercial. Não se importava. Dinheiro não significava nada para ele. Como sempre dizia para seus amigos, só se importava com a integridade de suas obras. Ofereceu o remédio para Charlie e Adam; ambos fizeram uma careta e balançaram a cabeça.

— Não sei como você consegue beber essa coisa — disse Adam, fazendo cara de nojo ao sentir o cheiro. — Funciona, mas prefiro ficar de ressaca a beber isso.

— É ótimo. Resolve na hora. Talvez vocês devessem me dar injeções disso se formos continuar bebendo assim. Sempre me esqueço de como fica feio. Já estamos qualificados para o AA? — disse Gray enquanto tomava o remédio. Depois bebeu uma xícara de café e devorou um prato de ovos.

— Geralmente só na segunda semana, não na primeira — disse Charlie, feliz.

Adorava estar com seus dois amigos. Apesar dos excessos iniciais, eles geralmente se acomodavam em um ritmo mais lento depois dos primeiros dias. Não era tão mau quanto os dois faziam parecer, embora todos eles realmente tivessem bebido muito na noite anterior, se divertindo, dançando com desconhecidas, observando pessoas e apreciando a companhia um do outro. Charlie estava ansioso para passar o mês com eles. Era o ponto alto de seu ano, e do deles. Meses antes, já viviam na expectativa da viagem; e nos subsequentes, deleitavam-se com as lembranças. Tinham uma década de lembranças de viagens como esta, e riam das histórias de suas aventuras sempre que se encontravam.

— Acho que nos antecipamos este ano com uma noite como a de ontem. Meu fígado já está baleado. Posso sentir — comentou Gray, parecendo preocupado enquanto terminava os ovos e comia uma torrada para apaziguar o estômago. Sua cabeça ainda latejava, mas o remédio tinha sido bom. Adam não conseguiria encarar o café da manhã que Gray acabara de tomar. Era óbvio que o remédio amargo que ele tomava religiosamente enquanto estavam embarcados funcionava, e, por sorte, nenhum deles ficava mareado. — Sou mais velho que vocês dois. Se não diminuirmos o ritmo, isso vai me matar. Pelo menos, a dança vai. Merda, estou fora de forma.

Gray acabara de completar 50 anos e parecia realmente bem mais velho que os dois amigos. Charlie tinha aparência de garoto, parecendo ter uns cinco ou dez anos a menos que seus 40 e poucos e Adam tinha 41 e estava em plena forma. Onde quer que se encontrasse no mundo, por mais ocupado que estivesse, ia à academia todos os dias. Dizia que era o que o ajudava a lidar com o estresse. Gray nunca tinha se cuidado, dormia pouco, comia menos e vivia para o trabalho, assim como Adam. Passava longas horas de pé em frente ao cavalete, e não fazia nada além de pensar, sonhar e respirar arte. Não era tão mais velho que os outros, mas aparentava a idade que tinha, principalmente por causa dos cabelos surpreendentemente brancos. As mulheres que conhecia o achavam bonito e educado — pelo menos por um tempo, até seguirem adiante.

Diferentemente de Charlie e Adam, Gray nunca pensava em correr atrás de mulheres, e fazia poucos esforços — quando fazia — nesse sentido. Vivia absorto no mundo da arte, e, como pombos-correio, as mulheres o encontravam. Sempre fora assim. Ele era um ímã para mulheres que Adam chamava de psicopatas, e Gray não discordava. As mulheres com quem ele saía sempre tinham parado de tomar seus remédios recentemente, ou paravam assim que se envolviam com ele. Elas sempre tinham sofrido abusos de ex-maridos ou ex-namorados, que ainda as procuravam, depois de jogá-las na rua. Gray nunca deixava de ajudá-las, e, mesmo se fossem feias e problemáticas, muito antes de dormir com elas ele oferecia um lugar para morarem "só por algumas semanas até que conseguissem andar com as próprias pernas". E acabava que elas começavam a andar com as pernas dele. No final, ele estava cozinhando para elas, cuidando delas, hospedando-as, procurando médicos e terapeutas, colocando-as em programas de reabilitação ou tentando curá-las do alcoolismo. Dava dinheiro a elas, ficando ainda mais pobre do que antes de se conhecerem. Oferecia-lhes um porto seguro, bondade e conforto. Fazia praticamente tudo que precisava fazer, e tudo de que elas necessitassem, contanto que não tivessem filhos. Gray não sabia lidar com crianças. Elas sempre o aterrorizaram. Faziam com que se lembrasse de sua infância peculiar, que não era uma recordação feliz. Ter crianças e famílias à sua volta sempre reforçava a dor de lembrar como sua própria família tinha sido problemática.

No início, as mulheres com quem Gray se envolvia não pareciam más, e diziam que não queriam magoá-lo. Eram desorganizadas, problemáticas, quando não histéricas, e suas vidas eram uma confusão só. Os romances que tinha com elas costumavam durar entre um mês e um ano. Conseguia emprego e dava um jeito na vida delas, apresentando-as pessoas que podiam ajudá-las, e, no final, acontecia sempre a mesma coisa: se elas não fossem internadas em algum hospital psiquiátrico, trocavam-no por outro. Ele nunca teve vontade de se casar com nenhuma delas, mas se apegava e ficava decepcionado quando iam embora. Esperava isso. Cuidava delas e, como todo pai devotado, esperava que seus pintinhos voassem do ninho. Para seu desgosto, toda vez que uma ia embora, as partidas eram estranhas e traumáticas. Elas raramente saíam da vida de Gray de forma gentil. Roubavam coisas, jogavam as roupas dele pela janela, faziam algum tipo de escândalo que sempre o deixava constrangido e magoado. Além de começarem discussões acaloradas que faziam os vizinhos ligarem para a polícia. Se ele tivesse carro, elas furariam os pneus. Raramente agradeciam pelo tempo, esforço, dinheiro e carinho que ele lhes dispensara. E no final, era um alívio quando partiam. Ao contrário de Charlie e Adam, Gray não se sentia atraído por mulheres mais jovens. As que o atraíam costumavam ter 40 e poucos anos e eram sempre malucas. Ele dizia que gostava da vulnerabilidade e tinha pena. Adam sugerira que ele fosse trabalhar na Cruz Vermelha ou em uma clínica, o que lhe permitiria preencher essa vontade de cuidar de alguém mas sem transformar sua vida amorosa em um telefone de emergência para mulheres de meia-idade suicidas e mentalmente desequilibradas.

— Não consigo evitar — dizia Gray, constrangido. — Sempre acho que se eu não as ajudar, ninguém mais vai.

— Certo. Você tem sorte de nenhuma daquelas doidas ter tentado matá-lo enquanto dormia.

No decorrer dos anos, uma ou duas tentaram, mas, por sorte, não conseguiram. Gray tinha uma necessidade devastadora e irresistível de salvar o mundo e de salvar mulheres necessitadas. Mas, infelizmente, elas sempre necessitavam de outra pessoa, nunca de Gray. Quase todas as mulheres com quem ele namorou o deixaram para ficar com outro homem. E depois que iam embora, outra mulher em total estado de desequilíbrio aparecia e virava a rotina dele de cabeça para baixo de novo. Era uma vida na montanha-russa à qual ele se acostumara no decorrer dos anos. Nunca vivera de outra forma.

Diferentemente de Charlie e Adam, que tinham famílias tradicionais, respeitáveis e conservadoras — a de Adam em Long Island, e a de Charlie na Quinta Avenida, em Nova York —, Gray fora criado em diversas partes do globo. Os pais que o adotaram quando nasceu eram integrantes de uma das bandas de rock mais famosas do mundo. Ele fora criado, se é que se pode dizer assim, em meio aos maiores astros do rock da época, que lhe davam cigarros de maconha e garrafas de cerveja quando ele tinha apenas 8 anos. Seus pais também adotaram uma menina. Deram a ele o nome de Gray, e a ela, o de Sparrow. Quando Gray tinha 10 anos, eles "renasceram" e se aposentaram. Primeiro, se mudaram para a Índia, depois para o Nepal, se estabeleceram no Caribe e depois moraram quatro anos em um barco na Amazônia. Gray se lembrava mais de toda a pobreza que viram, dos nativos que conheceram, do que dos primeiros anos com drogas, mas também se lembrava um pouco disso. Sua irmã se tornou monja budista e voltou para a Índia, para trabalhar com o povo faminto em Calcutá. Gray abandonou o barco, literalmente, e foi para Nova York pintar. Sua família ainda tinha dinheiro nessa época, mas ele escolhera ganhar a vida sozinho. Passou algum tempo estudando em Paris quando tinha 20 e poucos anos, depois voltou para Nova York.

Seus pais, nessa época, tinham se mudado para Santa Fé, e quando Gray tinha 25 anos, adotaram um bebê indígena que batizaram de Boy. Foi um processo complicado, mas a tribo acabou concordando com a adoção. Gray achava que ele parecia um bom garoto, mas a diferença de idade entre eles era tão grande que ele mal viu o menino enquanto este crescia. Seus pais adotivos morreram quando Boy tinha 18 anos, e ele já voltara a viver com sua tribo. Isso tinha acontecido sete anos antes, e, embora Gray soubesse onde ele estava, nunca mais se falaram. Recebia uma carta de Sparrow, enviada da Índia, a cada dois anos. Nunca tinham se gostado muito, a vida que passaram juntos foi sobrevivendo às excentricidades e caprichos de seus pais adotivos. Sabia que Sparrow passara anos tentando achar seus pais verdadeiros, talvez para trazer um pouco de normalidade para sua vida. Ela os encontrou em algum lugar do Kentucky, percebeu que não tinham nada em comum e nunca mais voltou para vê-los. Gray nunca teve vontade de encontrar os seus; talvez um pouco de curiosidade, mas já tinha problemas o suficiente que herdara de seus pais adotivos para acrescentar ainda mais gente problemática à mistura. Bastava os lunáticos dos seus pais de criação. As mulheres com quem saía repetiam este mesmo padrão. Os conflitos que compartilhava com elas, e que tentava solucionar, eram exatamente o que tinha visto enquanto crescia, e se sentia à vontade neste território. Mas uma coisa sabia sem hesitação: não queria ter filhos e fazer o mesmo com eles. Ter filhos era algo que deixava para outras pessoas, como Adam, que podia educá-los de forma adequada. Gray sabia que não podia, não tinha nenhum modelo paterno para seguir, nenhuma vida familiar para imitar, nada para dar a eles; ou pelo menos era como se sentia. A única coisa que queria era pintar, e fazia isso muito bem.

Independentemente da mistura genética que carregava em sua origem, e de quem quer que fossem seus pais verdadeiros, Gray tinha muito talento, e embora sua carreira nunca tenha sido financeiramente viável, ele sempre fora respeitado como pintor. Até os críticos concordavam que ele era muito, muito bom. Só não conseguia acertar sua vida por tempo suficiente para ganhar dinheiro com o que fazia. O que seus pais ganharam enquanto fizeram sucesso eles gastaram em drogas e viagens ao redor do mundo. Gray estava acostumado a não ter dinheiro e não se incomodava com isso. O que tinha dava a quem achava que precisava mais. Para ele, dava no mesmo estar no iate de Charlie, vivendo no maior luxo, ou congelando em seu estúdio no Meatpacking District, um bairro em Nova York famoso pelo comércio de drogas e pela prostituição, mas que fora revitalizado e entrara na moda. Se havia ou não uma mulher em sua vida, não fazia muita diferença. O mais importante para ele eram o trabalho e os amigos.

Havia muito já tinha provado para si mesmo que, embora as mulheres fossem atraentes às vezes e ele gostasse de ter um corpo quente na cama para aquecê-lo nas noites frias, todas eram loucas — ou pelo menos as que ele levara para sua casa. Ninguém tinha dúvidas de que se uma mulher estava com Gray, era provavelmente doida. Era uma maldição que ele aceitava, uma atração irresistível, depois da infância que tivera. Sentia que a única forma de quebrar o feitiço, ou a maldição, que sua problemática família adotiva colocara sobre ele era se recusar a passar adiante aquele estilo de vida assustador para seus próprios filhos. Sempre dizia que seu presente para o mundo era a promessa de nunca ter filhos; uma promessa que nunca quebrara e sabia que nunca quebraria. Dizia que era alérgico a crianças, e elas também eram a ele. Ao contrário de Charlie, Gray não estava procurando a mulher perfeita, teria gostado apenas de encontrar uma, um dia, que fosse sã. Enquanto isso, as que ele achava traziam animação e humor para ele e seus amigos.

— Então, o que vamos fazer hoje? — perguntou Charlie, quando os três estavam deitados em espreguiçadeiras no deque depois do café da manhã.

O sol estava alto, já era quase meio-dia, e o tempo estava maravilhoso. Fazia um dia lindo. Adam disse que gostaria de ir a Saint-Tropez comprar presentes para os filhos. Amanda sempre adorava as coisas que ele comprava para ela, e Jacob era fácil. Ambos adoravam o pai, embora também amassem a mãe e o padrasto. Rachel e o pediatra tiveram mais dois filhos, que Adam fingia não existirem, mesmo sabendo que Amanda e Jacob gostavam deles e os amavam como se fossem irmãos de pai e mãe. Adam não queria saber deles. Nunca perdoara a traição de Rachel e nunca perdoaria. Alguns anos antes, chegara à conclusão de que, dada a oportunidade, todas as mulheres eram vagabundas. Sua mãe perturbava seu pai o tempo todo e não o respeitava. Seu pai respondia ao abuso verbal com o silêncio. Sua irmã era mais sutil que a mãe, e conseguia tudo que queria se lamuriando. Nas raras ocasiões em que não conseguia, ela colocava as garras de fora e ficava furiosa. A única forma de lidar com uma mulher, na opinião de Adam, era encontrar uma que fosse muda, mantê-la por perto o tempo todo e trocá-la logo por outra. Só parava para relaxar e abaixava a guarda quando estava no barco, com Charlie e Gray, ou com seus filhos.

— As lojas fecham para almoço à 1 da tarde — lembrou Charlie. — Podemos ir quando reabrirem.

Adam lembrou que só reabririam por volta das 15h30 ou 16 horas. E ainda era muito cedo para almoçar.

Tinham acabado de tomar café da manhã, embora Adam só tivesse tomado café e comido um pãozinho, depois dos excessos da véspera. Seu estômago era sensível, anos antes tivera uma úlcera, e raramente comia muito. Foi o preço que pagou por ter uma vida estressante. Depois de todos aqueles anos negociando contratos para atletas e astros, ainda amava o que fazia e se sentia estimulado. Pagava a fiança para eles saírem da prisão, colocava-os nos times que queriam, assinava contratos de turnês, negociava seus divórcios, pagava pensão às amantes e formulava acordos para os filhos nascidos fora do casamento. Eles o mantinham ocupado, estressado e feliz. E agora, finalmente, estava de férias. Tirava duas por ano: passava o mês de agosto no iate de Charlie, que considerava um compromisso sagrado, e uma semana no inverno, também no iate com Charlie, pelo Caribe. Gray nunca os acompanhava nesta última, pois tinha lembranças ruins do Caribe da época em que vivera lá com os pais, e dizia que nada poderia convencê-lo a voltar lá. No final de agosto, todos os anos, Adam passava uma semana viajando com os filhos em algum lugar da Europa. Como sempre, ia encontrá-los no final da viagem. Seu jato os pegava em Nova York, parava em Nice para a vez dele de embarcar, e então os três iam passar uma semana em Londres.

— O que vocês acham de baixarmos âncora por enquanto? Depois, podemos nos aproximar da praia e almoçar no Club 55 — sugeriu Charlie, e os dois amigos concordaram na mesma hora. Era o que costumavam fazer em Saint-Tropez.

A bordo, Charlie tinha todos os brinquedos apropriados para hóspedes: esquis aquáticos, jet skis, um pequeno bote, pranchas de windsurfe e equipamento de mergulho. Mas, durante a maior parte do tempo, os três preferiam ficar à toa. Gastavam o tempo juntos principalmente em almoços, jantares, mulheres, bebidas e um pouco na piscina. E muito tempo dormindo. Principalmente Adam, que sempre chegava exausto e dizia que o único lugar em que dormia direito era no barco de Charlie, em agosto. Era a única época do ano em que não tinha aborrecimentos. Ainda assim, recebia fax diariamente do escritório, e e-mails, que ele verificava sempre. Mas suas secretárias, seus assistentes e sócios sabiam que não deveriam importuná-lo mais do que o estritamente necessário em agosto. E, se o fizessem, que Deus os ajudasse. Era a única época em que Adam largava o controle e tentava não pensar em seus clientes. Qualquer um que o conhecesse bem e soubesse o quanto trabalhava tinha plena consciência de que ele realmente precisava dessas férias. Assim seria muito melhor trabalhar com ele em setembro. Durante semanas, e às vezes até meses, as lembranças dos bons momentos que passara com Charlie e Gray deixavam-no mais feliz.

Os três homens se conheceram por causa de suas tendências filantrópicas. A fundação de Charlie estava organizando um evento beneficente para financiar um abrigo no Upper West Side para mulheres e crianças vítimas de abuso. O organizador do evento tentava encontrar um astro do rock que pudesse doar o cachê de sua apresentação e entrou em contato com Adam, que representava o astro em questão. Adam e Charlie marcaram um almoço para discutir o assunto e perceberam que sentiam admiração verdadeira um pelo outro. Quando o evento aconteceu, os dois já tinham se tornado amigos.

Adam conseguiu que o astro de rock que representava doasse o cachê de uma apresentação de 1 milhão de dólares — algo raro. Um dos quadros de Gray foi leiloado no mesmo evento, e ele mesmo fez a doação, o que era um sacrifício, já que representava uma renda de seis meses para ele. Depois do evento, ele se tornara voluntário para pintar um mural no abrigo que a fundação de Charlie tinha fundado. Foi quando conheceu Charlie, e depois Adam, em um jantar que o primeiro ofereceu para agradecer a ambos. Os três não podiam ser mais diferentes, mas, apesar disso, descobriram um laço comum nas causas pelas quais se interessavam e no fato de nenhum deles ser casado ou ter compromisso na época. Adam acabara de passar pelo divórcio. Charlie estava entre noivados e convidou os dois para uma viagem no barco que tinha, para fazer-lhe companhia durante o mês de agosto, quando teria sido sua lua de mel. Ele achou que uma viagem com os dois seria uma boa distração, e acabou sendo melhor do que imaginara. A garota com quem Gray estava saindo tinha tentado o suicídio em junho e fugira com um de seus alunos de arte em julho. Em agosto, ele ficou muito aliviado em sair da cidade e estava grato pela oportunidade que Charlie estava lhe oferecendo. Gray estava ainda mais apertado financeiramente na época do que de costume. È Adam tivera uma primavera difícil, com dois atletas importantes contundidos e uma banda famosa cancelando uma turnê, o que gerara uma dúzia de processos. A viagem para a Europa no iate de Charlie tinha sido perfeita. E passou a ser as férias anuais deles desde então. Este ano não seria diferente. Saint-Tropez, Monte Carlo para algumas apostas, Portofino, Sardenha, Capri e onde mais tivessem vontade de parar. Estavam no iate havia apenas dois dias, e os três se sentiam muito felizes. Charlie apreciava demais a companhia deles, assim como eles apreciavam a sua.

E o *Blue Moon* era o local ideal para toda a diversão e travessuras que compartilhariam.

— Então, rapazes, o que vai ser? Club 55 para o almoço, depois de nadarmos um pouco? — Charlie pressionou, para que pudesse avisar ao capitão sobre seus planos.

— Ah, merda, acho que sim — disse Adam, revirando os olhos, enquanto ignorava seu celular francês que tocava. Poderia escutar o recado mais tarde. Só levava um celular consigo enquanto estava na Europa, o que era um progresso, tendo em vista a bateria de telefones e papéis que carregava em Nova York. — É um trabalho difícil, mas alguém tem que fazer.

— Alguém quer Bloody Mary? — Charlie perguntou, com uma inocência fingida, enquanto acenava para o comissário de bordo avisando que sairiam.

O tripulante, que estava por perto, um bonito jovem da Nova Zelândia, assentiu, depois desapareceu para avisar ao capitão e fazer a reserva para o almoço. Não precisava perguntar mais nada. Sabia que Charlie ia querer sair do barco para o almoço às 14h30. Na maioria das vezes, preferia comer no iate, mas o cenário em Saint-Tropez era tentador demais. E atualmente todas as celebridades almoçavam no Club 55, assim como jantavam no Spoon.

— Quero o meu Bloody Mary virgem — disse Gray, sorrindo para o comissário. — Acho que vou adiar em alguns dias minha ida para uma clínica de reabilitação.

— Quero o meu apimentado, e, aliás, com tequila — disse Adam com um enorme sorriso enquanto Charlie soltava uma gargalhada.

— Vou querer um Bellini — disse Charlie, se referindo ao drinque feito com suco de pêssego e champanhe, que era uma forma fácil de começar um dia de decadência. Charlie tinha uma queda por charutos cubanos e champanhe de boa qualidade, e havia muito de ambos no barco.

Os três ficaram sentados no deque bebendo e relaxando enquanto se afastavam do porto cuidadosamente, evitando os inúmeros barcos menores e os de turismo, que carregavam desconhecidos que tiravam fotos deles enquanto passavam. A multidão de paparazzi se amontoava na saída do cais, esperando os grandes iates se aproximarem do porto para poderem ver quem estava a bordo. Eles perseguiam as celebridades em motos, caçando-as a cada passo que davam, e tiraram uma última foto do *Blue Moon* enquanto se afastava, presumindo, corretamente, que o enorme iate voltaria à noite. Tiravam muitas fotos de Charlie enquanto passeava pela cidade, mas ele raramente dava material para os tabloides. Apesar do luxo e do tamanho de seu iate, Charlie levava uma vida relativamente tranquila e evitava escândalos a todo custo. Era apenas um homem muito rico viajando com dois amigos, de quem nenhuma pessoa que lia tabloides já tinha ouvido falar. Mesmo representando e conhecendo tantos astros, Adam ficava nos bastidores e Gray Hawk era apenas um artista faminto. Eram três solteirões e amigos fiéis viajando em busca de diversão para o mês de agosto.

Nadaram durante meia hora antes do almoço. Depois, Adam pegou um dos jet skis e passeou entre os outros barcos, gastando um pouco de sua energia, enquanto Gray cochilava no deque e Charlie fumava um charuto cubano. Era a vida perfeita. Às 14h30, saíram para almoçar no Club 55. Alain Delon estava lá, como sempre, Gerard Dépardieu também, assim como Catherine Deneuve, que se tornou o centro da conversa dos três amigos. Eles concordaram que ela continuava bonita apesar da idade. Fazia o tipo de Charlie, embora fosse consideravelmente mais velha do que as mulheres com quem ele saía, que costumavam estar na casa dos 30, ou até um pouco mais jovens. Ele deixava as mulheres de 40 para os homens de 60 ou mais velhos. E Adam gostava de mulheres mais jovens, muito mais jovens.

Gray disse que ficaria feliz com Catherine Deneuve em qualquer idade. Gostava de mulheres da sua faixa etária, ou até um pouco mais velhas, embora a Sra. Deneuve não se qualificasse para ele, já que parecia completamente normal e relaxada enquanto ria e conversava com amigos. A mulher que Gray estava procurando, ou teria notado em qualquer lugar, estaria chorando baixinho em um canto ou falando entre soluços no telefone celular, parecendo aflita. A garota que Adam tinha em mente seria apenas dez anos mais velha do que sua filha adolescente, e ele teria de pagar para ela um implante de silicone nos seios e uma plástica no nariz.

A garota dos sonhos de Charlie teria uma auréola na cabeça e estaria usando sapatinhos de cristal. Mas desta vez, no conto de fadas dele, quando a meia-noite chegasse, ela não fugiria nem desapareceria, mas ficaria no baile, prometeria nunca abandoná-lo e dançaria em seus braços para sempre. Só esperava encontrá-la algum dia.

Capítulo 2

O CAPITÃO ATRACOU o *Blue Moon* no cais de Saint-Tropez naquela tarde. Um feito e tanto, já que era difícil conseguir um espaço na doca na alta temporada. Por causa do tamanho do iate, eles tiveram de pegar o primeiro lugar, mas assim que o amarraram, Charlie se arrependeu de sua opção: teria sido melhor ir até o porto no tênder, como sempre fazia. Os paparazzi estavam do lado de fora com força total e foram atraídos na mesma hora pelo tamanho do iate. Tiraram um monte de fotografias dos três homens enquanto entravam no carro que os esperava. Charlie os ignorou, assim como Adam, mas Gray acenou.

— Coitados desses cretinos, que forma horrível de ganhar a vida — disse ele com pena, enquanto Adam resmungava. Odiava a imprensa.

— Parasitas. São todos uns sanguessugas — criticou.

A imprensa vivia criando problemas na vida daqueles para os quais ele trabalhava. Naquela tarde mesmo, recebera uma ligação do escritório. Um de seus clientes tinha sido flagrado saindo de um hotel com uma mulher que não era sua esposa; era como jogar merda no ventilador. A esposa, enfurecida, já tinha ligado para o escritório umas dez vezes e estava ameaçando pedir o divórcio. Não era a primeira vez que ele fazia isso, e ela queria um acordo substancial ou 5 milhões para continuar casada. Ótimo. Nada mais surpreendia Adam. Tudo que queria agora era encontrar aquelas brasileiras de novo e sambar até de madrugada. Poderia lidar com o problema quando voltasse para Nova York. Neste momento, não estava nem um pouco interessado em tabloides nem nas infidelidades de seus clientes. Eles já tinham feito isso antes e continuariam fazendo. Este era o seu momento, não deles. Estava de folga. Seu taxímetro estava desligado.

Foram para a cidade naquela tarde para fazer compras, tiraram uma soneca e jantaram no Spoons, no hotel Byblos, onde uma espetacular modelo russa chegou usando uma calça de seda branca e um pequeno bolero de couro branco todo aberto com nada por baixo. O restaurante inteiro viu seus seios e pareceu gostar. Charlie achou divertido; Adam riu.

— Que seios fantásticos — comentou Gray enquanto pediam o jantar e uma excelente garrafa de vinho.

— É, mas não são verdadeiros — disse Adam, com seu conhecimento clínico; estava impressionado, mas também achando divertido.

Era preciso muita coragem para se sentar em um bom restaurante com os seios à mostra, embora ele já tivesse visto isso antes. Uma alemã entrara no restaurante no ano anterior com uma blusa transparente que nem dava para enxergar, e ninguém deixou de olhar. Ela ficou sentada lá a noite inteira, nua da cintura para cima, conversando, rindo, fumando e, obviamente, curtindo a sensação que causara.

— Como sabe que não são de verdade? — perguntou Gray, interessado.

Os seios dela eram grandes e firmes, e os mamilos apontavam para cima. Teria adorado pintá-los, já estava um pouco bêbado. Eles tinham tomado algumas margaritas no barco antes de sair. Outra noite de decadência e boemia estava começando.

— Pode acreditar na minha palavra — disse Adam, autoconfiante. — Já devo ter pago uns cem pares até hoje. Na verdade, cem mais meio par. Uns dois anos atrás, uma garota com quem saí só queria um. Ela disse que o outro estava bom, só queria colocar o menor do mesmo tamanho.

— Interessante — disse Charlie, achando engraçado, enquanto provava o vinho e assentia para o sommelier. Era bom. Melhor do que bom. Era soberbo. Era de uma ótima safra bem antiga de Lynch-Bages. — Em vez de levá-las para jantar e para ir ao cinema, você as manda primeiro para um cirurgião para ganharem novos seios?

— Não, toda vez que saio com alguma atriz em ascensão, ela me pede um novo par. É mais fácil do que discutir. Elas ficam na linha depois disso, contanto que gostem do que ganharam.

— Homens costumavam comprar braceletes de pérolas ou diamantes como prêmio de consolação para as mulheres. Parece que agora compram próteses de silicone — comentou Charlie, cinicamente.

As mulheres com quem saía nunca lhe pediriam seios novos, ou qualquer outra coisa que Adam costumava pagar. Se elas já tinham feito alguma cirurgia plástica, tinham pago sozinhas e nunca comentavam. Não conseguia pensar em uma única mulher com quem já houvesse saído que tivesse feito plástica, pelo menos não que ele soubesse. As meninas de Adam, como ele e Gray as chamavam, eram totalmente remodeladas. E as mulheres de Gray precisavam de lobotomia ou sedação pesada mais do que qualquer outra coisa. Ele já tinha pago várias terapias, programas de reabilitação, psiquiatras e honorários de advogados para conseguir medidas cautelares contra os ex-maridos e namorados que as seguiam ou ameaçavam matá-las, e a ele. O que desse certo. Talvez pagar os implantes fosse mais simples, afinal de contas. Depois da cirurgia, as mulheres de Adam agradeciam a ele e desapareciam. As de Gray sempre ficavam por perto um tempo, ou ligavam quando os novos homens de suas vidas começavam a abusar delas de novo. Raramente ficavam com Gray por mais de um ano. Ele as tratava bem demais. As mulheres de Charlie sempre se tornavam suas amigas e o convidavam para seus casamentos com outros homens, depois de ele ter terminado com elas uma vez que descobria seus defeitos fatais.

— Talvez eu deva tentar isso uma hora dessas — disse Charlie, rindo com sua taça de vinho na mão.

— Tentar o quê? — perguntou Gray, parecendo confuso. Estava deslumbrado demais com a russa e seus seios.

— Pagar implantes de silicone. Podem ser um bom presente de Natal ou de casamento.

— Isso é nojento — disse Adam, balançando a cabeça. — Já é ruim suficiente eu fazer isso. As mulheres com quem você sai têm muita classe para querer que você dê peitos novos para elas de presente.

As mulheres com quem Adam saía precisavam que os seus fossem bem durinhos, já que eram aspirantes a atriz e modelo. Classe não estava entre os interesses de Adam. Seria um obstáculo para ele. Para Adam, seria uma dor de cabeça sair com mulheres como aquelas das quais Charlie gostava. Não queria um relacionamento sério. Charlie dizia que queria. Gray simplesmente seguia a maré. Não tinha nenhum plano sólido sobre qualquer coisa. Apenas vivia a vida como ela era. Adam tinha tudo planejado.

— Pelo menos seria um presente diferente. Já estou cansado de comprar pratos de porcelana.

Charlie riu, soltando fumaça do charuto pela boca.

— Fique feliz por não precisar pagar pensão alimentícia para elas e os filhos. Acredite, pratos de porcelana são muito mais baratos — disse Adam com sarcasmo.

Tinha parado de pagar pensão quando Rachel se casara de novo, mas ela ficara com metade de tudo que ele tinha, e Adam continuava pagando pensão alimentícia para os filhos, o que fazia de bom grado. Mas odiava se lembrar da parte dela no acordo. Dez anos antes, quando se divorciaram, Rachel realmente o desafiou. Ele já era sócio de sua firma, e ela ficou com muito mais do que ele achava que ela merecia. Os pais dela contrataram um excelente advogado. E Adam ainda se ressentia disso, mesmo depois desse tempo todo. Nunca superara o que ela lhe causara, e provavelmente nunca superaria. Na sua opinião, pagar próteses de silicone era legal; pensão, não. Nunca mais.

— Eu acho muito ruim termos que pagar alguma coisa para elas — comentou Gray. — Eu preferia apenas comprar um presente porque quero. E não pagar advogado, terapeuta ou plástica no nariz — disse, inocentemente.

Considerando o pouco que ele tinha sempre que se envolvia com alguém, acabava gastando uma fortuna em comparação com o que ganhava. Mas sempre queria ajudá-las. Gray era a Cruz Vermelha dos relacionamentos. Adam era o comandante e o gerente, sempre deixando os limites claros e fazendo trocas. Charlie era o eterno Príncipe Encantado, educado e romântico, embora Gray se considerasse um romântico também. Mas as mulheres com quem se envolvia simplesmente não eram, estavam sempre desesperadas e necessitadas demais para prestar atenção em romance. Mas ele gostaria de viver um romance, se algum dia conseguisse se envolver com alguma mulher sã, o que parecia pouco provável. Adam dizia que não tinha mais nenhuma célula romântica no corpo, e tinha orgulho disso. Preferia sexo fantástico a um romance ruim.

— Qual é o problema em se ter tudo? — perguntou Gray, começando sua terceira taça do excelente vinho. — Por que não sexo *e* romance, e até alguém que ame você? E que você também ame?

— Para mim, parece maravilhoso — concordou Charlie.

E, claro, no caso dele, também queria sangue azul na mistura. Admitia prontamente que, quando se tratava de mulheres, era esnobe. Adam sempre implicava com ele dizendo que não queria que sua linhagem fosse manchada por alguma caipira. Charlie tinha objeções à forma como ele colocava as coisas, mas ambos sabiam que era verdade.

— Acho que vocês dois estão vivendo no mundo da fantasia — disse Adam, com cinismo. — Romance é o que estraga tudo; todo mundo sai decepcionado e furioso. É como jogar merda no ventilador, como diz o ditado. Se os dois lados sabem que é só sexo e diversão, ninguém sofre no final.

— Então por que todas as suas namoradas sempre acabam furiosas? — perguntou Gray, simplesmente.

Ele tinha razão.

— Porque as mulheres nunca acreditam no que dizemos a elas. No momento em que você diz a ela que nunca vai se casar, se torna um desafio, e elas começam a procurar o vestido de noiva. Mas pelo menos eu sou honesto. Se elas não acreditam em mim, o problema é delas. Eu digo a verdade. Cabe a elas escutar, não posso fazer nada se não me dão ouvidos. Mas Deus é testemunha de que eu falo a verdade.

Essa também era uma das vantagens em namorar mulheres bem jovens. Garotas de 22 anos geralmente não estavam à procura de casamento, queriam só se divertir. As mulheres só costumam entrar em pânico quando chegam perto dos 30, olham em volta e se perguntam sobre o rumo de suas vidas. As mais novas queriam ir a boates, bares, comprar alguns vestidos com o dinheiro dele, ir a shows e restaurantes caros. Quando levava alguma delas a Las Vegas para passar um final de semana, quando precisava ver um de seus clientes, elas achavam que tinham morrido e ido parar no paraíso.

A família dele, porém, tinha uma postura diferente. Sua mãe sempre o acusava de namorar vadias, principalmente quando o via nos tabloides. Ele sempre a corrigia dizendo que eram atrizes e modelos, e ela garantia que dava no mesmo. Sua irmã apenas ficava constrangida quando o assunto era trazido à tona em jantares de família. Seu irmão achava engraçado, mas nos últimos anos vinha dizendo que estava na hora de ele sossegar. Adam não dava a mínima para a opinião deles. Achava que levavam uma vida extremamente chata. Vivia dizendo para si mesmo que estavam apenas com inveja porque ele estava se divertindo e eles não. Seus pais não tinham inveja, apenas não aprovavam seus princípios. E como era de esperar, levando em consideração a forma como sua mãe o desaprovava — às vezes ele achava que era apenas para irritá-lo —, ela continuara íntima de Rachel. Gostava dela e do novo marido e sempre lembrava a Adam que visitava Rachel e continuava sua amiga porque era mãe de seus netos. Independentemente do assunto ou da discussão, sua mãe sempre escolhia ficar no lado oposto ao de Adam. Ela não conseguia evitar. Era do contra e tinha necessidade de brigar. Ele desconfiava que, por trás de tudo isso, sua mãe o amava. Mas ela parecia se sentir forçada a criticá-lo e dificultar sua vida. Parecia desaprovar tudo que ele fazia.

Sua mãe ainda o culpava pelo divórcio, e dizia que ele só podia ter feito algo de terrível para levar Rachel a trocá-lo por outro. Em nenhum momento ela sentiu pena de Adam por ele ter sido traído e trocado. Tinha que ser culpa dele. Em algum lugar, escondido por trás da crítica e da desaprovação escancaradas, ele desconfiava que ela sentia orgulho de suas conquistas. Mas sua mãe nunca admitiria isso para ele.

Já passava das 23 horas quando deixaram o restaurante e andaram um pouco por Saint-Tropez. As ruas estavam cheias, havia pessoas sentadas nos cafés nas calçadas, nos restaurantes e nos bares ao ar livre. Escutavam música vindo de várias boates. Pararam para tomar um drinque no Chez Nano, e chegaram à 1 da madrugada no Les Caves du Roy, quando estava começando a ficar bom. Havia mulheres por toda a parte, de miniblusas, calças jeans apertadas e microvestidos transparentes, cabelos artisticamente despenteados e sandálias altas muito sensuais. Adam parecia uma criança em uma loja de doces, e até Charlie e Gray curtiram. Gray era muito mais tímido quando se tratava de escolher mulheres. Elas geralmente tomavam a iniciativa. Charlie era infinitamente mais seletivo, mas adorava observar a cena.

Por volta de 1h30, os três estavam dançando, e ainda relativamente sóbrios. As brasileiras não reapareceram, mas Adam não se importou. Dançou com pelo menos uma dúzia de outras mulheres, e depois ficou com uma garota alemã que disse que os pais tinham casa em Ramatuelle, uma cidade vizinha a Saint-Tropez. Ela parecia ter uns 14 anos, até começar a dançar com

Adam. Então, logo se tornou óbvio que ela sabia o que estava fazendo e o que queria, e que era bem mais velha. Ela queria Adam. Estava praticamente fazendo sexo com ele na pista de dança. Já passava das 3 da madrugada e Charlie começou a bocejar. Ele e Gray voltaram para o barco logo depois. Adam disse que voltaria sozinho, já que o iate estava ancorado na doca aquela noite. Então, Charlie deixou um rádio com ele para o caso de precisar ligar. Adam assentiu e continuou dançando com a alemã, que tinha cabelos ruivos e dizia se chamar Ushi.

Quando eles saíram ele piscou para Charlie, que sorriu. Adam estava se divertindo. E muito.

— O que vamos fazer amanhã? — perguntou Gray enquanto voltavam para o barco.

Dava para escutar a música ainda. Mas assim que entraram no *Blue Moon* e fecharam a porta, tudo estava calmo e silencioso. Charlie ofereceu um conhaque para Gray antes de irem dormir, mas ele respondeu que simplesmente não aguentava. Em vez disso, foram fumar charutos no deque, enquanto observavam as pessoas passeando pelo cais ou conversando no deque de outros iates por perto. Saint-Tropez era uma cidade de festa, onde todos pareciam ficar acordados a noite toda.

— Eu estava pensando que podíamos seguir para Portofino, ou talvez parar em Monte Carlo — respondeu Charlie.

Depois de um tempo, mesmo que poucos dias, a farra de Saint-Tropez cansava, a menos que se tivessem amigos ali, o que não era o caso. Era divertido ir aos restaurantes e às boates, mas havia muitos outros lugares que queriam visitar aquele mês, alguns deles tão animados quanto Saint-Tropez, outros mais calmos. Monte Carlo era mais elegante e sossegado, e os três gostavam de ir ao cassino.

— Adam talvez queira ficar mais uns dois dias para se encontrar com a alemã de novo — comentou Gray, pensando no amigo. Não queria estragar o prazer dele ou atrapalhar seu romance. Charlie o conhecia melhor e foi mais cínico. Se conhecia bem Adam, e se as viagens anteriores podiam ser usadas como parâmetro, uma noite com ela era suficiente.

Já eram quase 4 horas quando Charlie e Gray foram para suas respectivas cabines. Tinha sido uma noite longa e divertida. Charlie pegou no sono no mesmo instante, e nenhum dos dois escutou quando Adam chegou, às 5 horas.

Charlie e Gray estavam tomando café da manhã no deque da popa quando Adam e Ushi apareceram, sorrindo. Ela pareceu apenas um pouco constrangida quando viu os outros dois homens.

— *Boa* dia — disse ela educadamente.

Charlie pensou que, à luz do dia, ela parecia ter uns 16 anos. Não estava maquiada, mas tinha um corpo espetacular usando a calça jeans e a camiseta muito justos da noite anterior, e segurava um par de sandálias altas e douradas. Seu cabelo ruivo era cheio e comprido, e Adam estava com o braço em torno dela.

A comissária anotou o que eles queriam para o café da manhã. Ushi insistiu que só queria café e cereais. Adam pediu ovos, bacon e panquecas. Ele parecia estar de muito bom humor, e seus dois amigos tentavam não rir.

Os quatro conversaram amigavelmente, e assim que Ushi terminou seu café o comissário pediu um táxi. Adam mostrou-lhe o iate antes de ela ir embora. Quando a garota saiu do barco para pegar o táxi, que já estava à espera, seus olhos brilhavam.

— Vou te ligar — prometeu ele vagamente, e a beijou. Tinha sido uma noite inesquecível, embora seus amigos soubessem que em breve ele a esqueceria, e que dali a um ano teriam de lembrá-lo da alemã, se quisessem.

— Quando? Você vai estar na *discothèque* hoje à noite? — perguntou Ushi para Adam, que estava ao lado do táxi.

— Acho que vamos embora hoje — disse ele, respondendo à segunda pergunta, e não à primeira. Ela lhe dera seu telefone em Ramatuelle e disse que passaria todo o mês de agosto lá. Depois, voltaria para Munique com os pais. Também dera seu endereço na Alemanha quando ele dissera que às vezes ia até lá a negócios. Ela dissera que tinha 22 anos e que estudava medicina em Frankfurt. — Se ficarmos, vou à boate de novo. Mas duvido.

Ele tentava ser pelo menos um pouco honesto com as mulheres com quem dormia e não acender esperanças desnecessárias. Mas sabia que ela também não podia ter muitas ilusões. Escolhera um homem em uma boate, um completo estranho, e passara a noite com ele, tendo plena consciência de que era pouco provável que o veria de novo. Ela estava procurando o mesmo que ele e, pelo menos por uma noite, conseguira tudo que queria, assim como Adam. Ele tinha curtido a noite que passaram juntos, mas, à luz do dia, não havia como esconder o fato de que eram totalmente estranhos um para o outro e que provavelmente nunca mais se veriam. Ambos conheciam as regras.

Adam beijou-a ao colocá-la no táxi, e ela o abraçou por um momento.

— Tchau... Obrigada... — disse ela de forma sonhadora, e ele a beijou de novo.

— Obrigado *você*, Ushi — sussurrou ele, e lhe deu um tapinha no bumbum.

Ela entrou no táxi, acenou e desapareceu. Mais uma noite de diversão. Era uma forma de passar o tempo, e definitivamente tinha melhorado suas férias. O corpo dela era ainda melhor sem roupa, como Adam suspeitara.

— Essa foi uma agradável surpresa — comentou Charlie com um sorriso irônico, quando Adam voltou para se juntar a eles à mesa. — Adoro entreter hóspedes no café da manhã, principalmente mulheres bonitas. Você acha que devemos sair da cidade antes que os pais dela venham atrás de você com uma espingarda?

— Espero que não. — Adam sorriu, parecendo satisfeito consigo mesmo. Gostava de fazer essas coisas no iate de Charlie de vez em quando. — Ela tem 22 anos e estuda medicina. E não era virgem. — No entanto, até Adam tinha que admitir que ela parecia bem mais nova do que era.

— Que decepção — disse Charlie com sarcasmo, acendendo um charuto. No verão, no iate, ele às vezes até os fumava depois do café da manhã. O que os três mais gostavam, por mais solitários que fossem, era que podiam fazer tudo que queriam. Era uma das maiores vantagens de ser solteiro. Podiam comer a qualquer hora, vestir o que tivessem vontade, beber o quanto quisessem, até mesmo ficar bêbados, e passar a noite com quem bem entendessem. Não tinham ninguém para aborrecer, ferir, reclamar, ceder, se desculpar ou conviver. Só tinham uns aos outros, e por enquanto era tudo que queriam. Para os três, naquele exato momento, era a vida perfeita. — Acho que podemos tentar encontrar uma virgem para você na nossa próxima parada. Mas acho que por aqui é difícil.

— Muito engraçado. — Adam sorriu, satisfeito com sua conquista na noite anterior. — Vocês só estão com inveja. A propósito, onde será nossa próxima parada? — Adam adorava a forma como podiam ir de um lugar para o outro, como se pudessem levar sua casa ou hotel junto. Podiam viver no maior luxo, fazer seu próprio itinerário e mudar em um piscar de olhos, enquanto eram impecavelmente servidos por uma tripulação muito bem treinada. Na opinião dos três, aquele era o paraíso. Era exatamente por isso que Charlie amava ter um iate, e por que passava ali seus verões e várias semanas do inverno nele.

— Aonde vocês dois querem ir? — perguntou Charlie. — Eu estava pensando em Mônaco ou Portofino.

Depois de uma discussão rápida, decidiram por Mônaco primeiro, Portofino no dia seguinte. Monte Carlo ficava a apenas duas horas de Saint-Tropez. Para Portofino, era uma viagem de oito horas. Como Charlie desconfiava, Gray disse que para ele não fazia diferença, e Adam queria ir ao cassino em Monte Carlo.

Deixaram o porto logo depois do almoço, tendo comido um excelente bufê de frutos do mar. Eram quase 15 horas quando partiram, depois de uma parada para nadarem no caminho, e então os três cochilaram no deque enquanto seguiam para Mônaco. Estavam dormindo profundamente nas espreguiçadeiras quando chegaram, e o capitão e a tripulação docaram o *Blue Moon* com precisão no cais, usando protetores de borracha para evitar que outros barcos batessem neles. Como sempre, o porto de Monte Carlo estava cheio de iates tão grandes quanto o de Charlie e até maiores.

Charlie acordou às 18 horas, viu onde estavam e que seus dois amigos continuavam dormindo. Foi para sua cabine tomar banho e trocar de roupa; Gray e Adam acordaram às 19 horas. Compreensivelmente, Adam estava exausto depois da farra da noite anterior, e Gray não estava acostumado a ficar acordado até de madrugada, como vinha fazendo. Sempre levava alguns dias para se acostumar à vida noturna quando viajavam juntos. Mas os três já estavam descansados quando saíram para jantar naquela noite.

O comissário alugara um carro para eles e fizera uma reserva no Louis XV, onde jantaram suntuosamente, pois era um restaurante bem mais formal do que o da noite anterior em Saint-Tropez. Os três estavam de terno e gravata. Charlie vestia um terno de cor creme com camisa combinando, e Adam estava com calça jeans branca e blazer, calçando mocassins de couro de crocodilo, sem meias. Gray estava de camisa azul, calça cáqui e um blazer antigo. Com seus cabelos brancos, parecia o membro mais velho do grupo, porém tinha um quê de ousadia e rebeldia. Estava de gravata vermelha, mas, independentemente do que vestisse, sempre parecia um artista. Durante o jantar, gesticulou animadamente enquanto contava histórias de sua juventude para os amigos. Estava descrevendo uma tribo de nativos com quem vivera por um tempo na Amazônia. Agora era uma boa história para se contar, mas continuava sendo uma infância tenebrosa: enquanto outras crianças de sua idade estavam indo para o colégio, andando de bicicleta, entregando jornais e indo a festas da escola, ele andava no meio dos miseráveis na Índia, morava em um mosteiro budista no Nepal, acampava com nativos no Brasil e lia os ensinamentos do Dalai Lama. Nunca tivera oportunidade de curtir a infância.

— O que posso dizer? Meus pais eram loucos. Mas pelo menos não eram chatos.

Adam achava que sua juventude tinha sido normal demais e que nada que vivera em Long Island se comparava com as histórias de Gray. Charlie raramente falava de sua infância. Tinha sido previsível, respeitável e tradicional até seus pais morrerem, depois se tornara um sofrimento até piorar ainda mais quando a irmã morrera, cinco anos depois. Falava sobre isso com seu terapeuta, mas nunca socialmente. Ele sabia que momentos divertidos deviam ter acontecido antes da tragédia, mas não conseguia mais se lembrar deles, só das partes tristes. Era mais fácil manter o foco no presente, exceto quando seu terapeuta insistia que se recordasse. E mesmo nas sessões, era uma luta trazer as lembranças à tona e não ficar arrasado por causa delas. Todos os bens materiais e o conforto que tinha não compensavam as pessoas que tinha perdido, ou a vida familiar que desaparecera junto com elas. E por mais que tentasse, não conseguia recriá-la. A estabilidade e a segurança de uma família e alguém com quem formar esse laço pareciam sempre evitá-lo. Os dois amigos com quem estava viajando eram o que tinha de mais parecido com uma família em sua vida atual, ou nos últimos 25 anos, desde que sua irmã morrera. Foi a época mais solitária de sua vida, com a agonia de saber que estava sozinho no mundo, sem ninguém para cuidar dele nem amá-lo. Agora, pelo menos, tinha Adam e Gray. E sabia que, independentemente do que acontecesse, um deles ou os dois estariam ao seu lado quando precisasse, assim como ele estaria ao lado deles. Isso confortava os três. E criava um vínculo de confiança, amor e amizade que não podia ser desfeito e que era inestimável.

Ficaram bastante tempo conversando depois do café, fumando charutos e falando sobre suas vidas — nos casos de Adam e Gray, sobre suas infâncias. Charlie achava interessante como os dois processavam as experiências de forma diferente. Gray já tinha aceitado havia muito tempo o fato de que seus pais adotivos eram excêntricos e egoístas e, por isso, inadequados. Nunca se sentira seguro na infância, nem soubera o que era verdadeiramente um lar. Eles se mudavam de um continente para outro, sempre procurando, sempre em busca, e nunca encontrando. Ele os comparava aos israelitas que ficaram perdidos no deserto por quarenta anos, sem nenhum pilar de fogo para guiá-los. E quando eles se estabeleceram no Novo México e adotaram Boy, Gray já não estava mais com eles havia muito tempo. Vira o menino nas suas poucas visitas aos pais, mas não se deixara envolver. Não queria nada em sua vida que o ligasse aos pais. A última vez que vira Boy havia sido no funeral dos pais, e depois disso o perdera de vista de propósito. Sentia-se culpado às vezes, mas não se permitia pensar muito a respeito. Finalmente apagara os últimos vestígios de uma família que só lhe trouxera sofrimento. Para ele, a palavra "família" não evocava nada mais do que dor. De vez em quando imaginava o que se passara com Boy depois da morte dos pais. O que quer que tivesse acontecido, só podia ser melhor do que a vida que tinha com aqueles desequilibrados. Assim, Gray resistira a qualquer impulso de se sentir responsável ou apegado ao menino. Achava que devia tentar encontrá-lo um dia desses, mas esse dia ainda não havia chegado. Duvidava que chegaria. Era melhor deixar Boy continuar sendo uma lembrança distante do passado, uma parte de sua vida que não tinha a menor vontade de revisitar ou tocar de novo, embora se lembrasse de Boy como um bom menino.

Por outro lado, os sentimentos de Adam por seus pais eram amargura e raiva. Resumindo, na sua cabeça, sua mãe era uma megera e seu pai, um fraco. Tinha raiva dos dois pela contribuição em sua vida, ou pela falta dela, e pela vida familiar deprimente que levavam, na sua opinião. Ele dizia que tudo de que se lembrava da infância era a mãe reclamando de tudo e de todos, sempre o importunando porque era o mais novo, e de ser tratado como um intruso, já que chegara tarde demais na vida dos pais. Lembrava-se muito bem de que seu pai não voltava para casa depois do trabalho. Quem poderia culpá-lo? Depois que Adam saíra de casa para estudar em Harvard, nunca mais voltara a morar lá. Passar feriados com eles já era ruim demais. Dizia que o clima desagradável em sua casa tinha criado um vácuo irreparável entre os três filhos. Com os pais, só aprenderam a criticar, a desprezar um ao outro, a procurar defeitos e a ser arrogantemente condescendentes com a vida alheia.

— Não havia respeito na nossa família. Minha mãe não respeitava meu pai. Acho que ele provavelmente a odeia, embora nunca admita isso. Não existe nenhum respeito entre os filhos. Acho minha irmã uma chata patética, meu irmão é um idiota metido a besta com uma esposa igual à minha mãe, e eles acham que eu ando por aí com um bando de gente mau-caráter e prostitutas. Não respeitam nem um pouquinho o que eu faço e nem querem saber o que é. O foco deles são as mulheres com quem eu saio, e não quem sou. Hoje em dia, eu só os vejo em casamentos, funerais e nas festas de fim de ano, e gostaria de não precisar fazer nem isso. Se pudesse arranjar uma desculpa, arranjaria. Rachel leva as crianças para visitá-los, então não preciso fazer isso. E eles gostam mais dela do que de mim, sempre foi assim. Nem veem problemas no fato de ter se casado de novo com um cristão, contanto que crie meus filhos como judeus. Ela não faz nada de errado, na opinião deles, e eu não faço nada certo. Mas agora, eu não dou mais a mínima.

Ele soava amargurado ao dizer isso.

— Mas você ainda os vê — comentou Gray, interessado. — Talvez ainda se importe com eles. Talvez ainda precise da aprovação deles, ou queira. E se for esse o caso, não tem problema nenhum. Às vezes, simplesmente precisamos admitir para nós mesmos que nossos pais não são capazes, que o amor que queríamos tão desesperadamente quando crianças não estava lá. Eles não tinham para dar. Os meus não tinham, estavam ocupados se drogando quando eram jovens e depois procurando o Santo Graal. Eram completamente loucos. Acho que gostavam de mim e da minha irmã, da forma como podiam, mas não tinham a menor ideia do que era ser pai e mãe. Fiquei com pena do meu irmão Boy quando o adotaram. Deviam ter comprado um cachorro, mas acho que se sentiam sozinhos depois que os deixamos, então o adotaram.

"A coitada da minha irmã está em algum lugar da Índia, morando nas ruas junto com os pobres, como monja. Ela sempre quis fingir que era asiática, agora acha que é. Não faz a menor ideia de quem é, nem eles. Eu também não sabia quem eu era, até me afastar deles, e às vezes ainda me pergunto quem sou. Acho que esta é a chave de tudo: sabermos quem somos, no que acreditamos, o que estamos vivendo, e se esta é a vida que queremos levar. Tento me fazer essas perguntas todos os dias, e nem sempre sei as respostas. Mas pelo menos tento encontrá-las, e não estou machucando ninguém fazendo isso.

"Acho que a pior coisa no fato de pessoas como meus pais terem filhos, ou adotarem, é que ter filhos não é a deles. Isso é algo que sei sobre mim mesmo, e é por isso que não quero ter filhos, nunca quis. Mas tento dizer para mim mesmo que meus pais fizeram o melhor que podiam, embora não tenha sido o suficiente para mim. Só não quero recriar a mesma infelicidade nem machucar alguém com a minha necessidade egoísta de reproduzir. Acho que no meu caso é melhor que a linhagem e a loucura acabem aqui."

Ele sempre se sentira extremamente responsável por não ter filhos, e não se arrependia de sua decisão. Sentia-se totalmente incapaz de cuidar de uma criança ou dar o que ela precisa.

A simples ideia de se apegar a uma criança e de ela depender dele lhe parecia assustadora. Não queria decepcioná-la por não poder suprir as expectativas dela. Não queria magoar nem decepcionar ninguém, como fizeram com ele na sua infância e adolescência. Nunca lhe ocorrera que as mulheres que constantemente salvava e de quem cuidava eram, na verdade, crianças para ele, pássaros com asas quebradas. Tinha uma necessidade muito forte de cuidar de alguém, e elas preenchiam essa necessidade. Adam achava que ele teria sido um bom pai, pois era um homem generoso e inteligente, com fortes valores morais, mas Gray não concordava.

— E você, Charlie? — perguntou Adam. Era mais ousado do que Gray quando se tratava de atravessar portões sagrados e ultrapassar limites, de entrar em terrenos que os anjos temiam pisar. Adam sempre fazia perguntas dolorosas, que provocavam reflexões. — Sua família era normal quando você era criança? Gray e eu estamos competindo aqui para ver quem eram os piores pais, e não sei ainda quem vai ganhar o prêmio. Obviamente, os meus eram tradicionais, mas não tinham muito mais para dar do que os dele.

Os três já tinham bebido bastante e Adam não tinha vergonha de pedir a Charlie para se abrir com relação à sua infância. Não tinham segredos um com o outro, e Adam sempre contara tudo para eles. Gray também. Charlie tinha uma natureza mais discreta, e era bem menos expansivo sobre seu passado.

— Na verdade, eles eram perfeitos — disse ele, soltando um suspiro. — Amorosos, atenciosos, generosos, compreensivos, jamais eram grosseiros. Minha mãe era a mulher mais carinhosa e sensível do mundo. Gentil, engraçada, linda. E meu pai era um homem muito bom. Era meu herói e modelo para tudo. Eles eram maravilhosos, e a minha infância foi maravilhosa, até que morreram. Final da história. Depois de 16 anos felizes, eu e minha irmã estávamos sozinhos em uma casa enorme, com muito dinheiro e muitos empregados para cuidar de nós, e uma fundação para ela aprender a administrar. Ela largou Vassar para cuidar de mim, o que fez com maestria durante dois anos, até eu ir para a faculdade. A vida dela se resumia a mim. Acho que nem namorou nesse tempo. Então, fui para Princeton; nessa época ela já estava doente, embora eu não soubesse, e depois morreu. As três melhores pessoas do mundo estavam mortas. Ouvir vocês falando faz com que eu perceba como tive sorte, não por causa do dinheiro, mas por causa das pessoas que eles eram. Eram pais maravilhosos, e Ellen era maravilhosa. Mas as pessoas morrem, vão embora. As coisas acontecem e, de repente, o mundo todo desaba e a sua vida muda. Eu preferia muito mais ter perdido todo o dinheiro a perder um deles. Mas ninguém me deu essa escolha. Precisamos jogar com as cartas que temos. Falando nisso, alguém quer se aventurar na roleta? — perguntou ele, usando um tom jovial para mudar de assunto, e os outros dois assentiram em silêncio.

Era uma história triste, e ambos sabiam que esse era o motivo de Charlie nunca ter se envolvido duradouramente com ninguém. Era provável que ele tivesse muito medo de essa pessoa morrer ou abandoná-lo. Ele próprio sabia isso. Já discutira mil vezes o assunto com seu terapeuta. Não mudara nada. Não importava quantos anos passasse na terapia, seus pais ainda tinham morrido quando ele tinha 16 anos, e sua última parente viva, a irmã, tivera uma morte horrível quando ele tinha 21. Era difícil confiar em qualquer pessoa ou qualquer coisa depois disso. E se amasse outra pessoa e ela morresse ou o abandonasse? Era mais fácil encontrar seus defeitos fatais e abandoná-las antes que pudessem fazer isso com ele. Mesmo tendo uma família perfeita na infância, ao morrerem quando ele era tão novo seus pais e irmã o condenaram a uma vida inteira de medo. Se ousasse amar alguém de novo, essa pessoa certamente o deixaria ou morreria. E mesmo se isso não acontecesse, ou não parecesse provável, havia sempre o risco. Um risco que ainda considerava assustador, e não estava disposto a colocar seu coração na linha de fogo de novo, até saber que estava mil por cento protegido. Queria todas as garantias possíveis.

E, até agora, nenhuma mulher viera com garantia, apenas sinais de alerta, que o deixavam morrendo de medo. Então, embora o fizesse educadamente, ele as abandonava. Ainda não conhecera uma mulher pela qual valesse assumir todo esse risco, mas tinha certeza de que um dia encontraria. Adam e Gray não tinham mais tanta certeza. Para eles, parecia que Charlie ficaria sozinho para sempre. Os três se completavam perfeitamente, já que cada um deles tinha as mesmas certezas sobre si mesmos. O risco de se comprometer, não apenas temporariamente, era grande demais para os três. Era uma maldição que suas criações tinham jogado sobre eles, e que não conseguiam apagar, exorcizar ou superar.

A desconfiança e o medo com que viviam hoje era o presente final de suas famílias.

Charlie foi jogar bacará, enquanto Gray assistia a Adam jogar vinte-e-um, e depois os três apostaram na roleta. Charlie emprestou dinheiro para Gray, e ele ganhou 300 dólares jogando no preto. Devolveu os 100 dólares que Charlie lhe emprestara, mas ele insistiu que ficasse com tudo.

Já eram 2 da madrugada quando voltaram para o barco, cedo para o padrão deles. Foram para suas cabines assim que chegaram. Tinha sido um bom dia, de companheirismo fácil entre amigos. Seguiriam para Portofino no dia seguinte. Charlie deixara instruções com o capitão para sair do porto antes de eles acordarem, por volta das 7 horas. Assim, estariam em Portofino no final da tarde e teriam tempo de dar uma volta. Era sempre uma das paradas preferidas dos três na viagem de verão. Gray amava a arte e a arquitetura e tinha uma admiração especial pela igreja que ficava no alto da colina. Charlie amava a atmosfera descontraída da Itália, os restaurantes e o povo. Era um lugar que tinha uma beleza fora do comum. Adam adorava as lojas e o hotel Splendido, no alto da colina, que tinha vista para o porto.

Adorava o pequeno porto e as lindas garotas italianas que conhecia lá todos os anos, assim como as de outras nacionalidades que passeavam no local como turistas. Despertava uma certa magia em cada um deles, e ao se deitarem em suas camas naquela noite, dormiram com um sorriso no rosto, pensando que no dia seguinte estariam em Portofino. Como nos anos anteriores, o mês que passavam juntos no *Blue Moon* era um pedaço do paraíso para cada um deles.

Capítulo 3

CHEGARAM A PORTOFINO às 16 horas, quando as lojas estavam reabrindo depois do almoço. Tiveram de ancorar fora do porto, pois a quilha do *Blue Moon* era muito funda e não havia muita profundidade na água do porto. Várias pessoas estavam nadando em volta de seus barcos, assim como Charlie, Adam e Gray quando acordaram do cochilo. Por volta das 18 horas, vários outros iates tinham chegado e havia um clima de festa em volta. Era uma linda tarde dourada. Na hora do jantar, nenhum deles queria sair do barco, mas decidiram que deveriam. Estavam felizes e relaxados, curtindo o cenário, e a comida era sempre deliciosa no barco de Charlie. Mas os restaurantes da cidade também eram bons, havia muitos locais excelentes, alguns deles no porto, além das inúmeras lojas, que, em Portofino, eram ainda mais chiques do que as de Saint-Tropez: Cartier, Hermès, Vuitton, Dolce & Gabbana, Celine e muitas joalherias italianas. Embora a cidade em si fosse bem pequena, era puro luxo. Todo o movimento acontecia em volta do porto, e o campo e as colinas com vista para os barcos eram encantadores. A Igreja de San

Giorgio e o hotel Splendido ficavam no topo de colinas diferentes, um em cada lado do porto.

— Deus, eu amo este lugar — disse Adam com um sorriso enorme, olhando o movimento ao redor.

Um grupo de mulheres acabara de mergulhar na água, perto do barco, fazendo topless. Gray já tinha pego um caderno de desenho e estava fazendo rascunhos, e Charlie estava sentado no deque, com aparência jovial, fumando um charuto. Era seu porto favorito na Itália, e estava feliz por poder ficar ali por quanto tempo quisessem. Não tinha pressa alguma de ir embora. Na verdade, preferia este lugar a todos os portos franceses. Era mais fácil ficar por lá do que evitar os paparazzi em Saint-Tropez, ou abrir caminhos através das multidões nas ruas, enquanto as pessoas entravam e saíam de bares e boates. Portofino tinha um quê rústico e todo o charme, tranquilidade e beleza singular típicos da Itália. Charlie amava o lugar, assim como seus dois amigos.

Os três vestiram camiseta e calça jeans para irem à cidade jantar. Tinham reserva em um restaurante encantador perto da *piazza*, ao qual já tinham ido várias outras vezes nos anos anteriores. Os garçons os reconheceram assim que entraram, e sabiam sobre o *Blue Moon*. Ofereceram uma excelente mesa do lado de fora, de onde podiam observar as pessoas que passavam. Pediram massa, peixe e um vinho italiano simples mas muito bom. Gray estava falando da arquitetura local quando uma voz feminina os interrompeu, educadamente, da mesa ao lado.

— Século XII — foi tudo que ela disse, corrigindo o comentário de Gray. Ele dissera que o Castello di San Giorgio tinha sido construído no século XIV, e ele virou a cabeça para ver quem tinha falado. Uma mulher alta e de aparência exótica estava sentada a uma mesa perto deles. Usava uma camiseta vermelha, sandálias e uma saia de algodão branca. Seu cabelo era escuro e estava preso em uma trança que caía pelas costas. Seus olhos eram verdes, e sua pele, aveludada. Quando ele se virou para fitá-la, ela estava rindo. — Desculpe — disse ela —, foi rude da minha parte. É que sei que foi no século XII, não no XIV. Achei que deveria dizer alguma coisa. E concordo com você, é uma das minhas construções preferidas na Itália, e, na minha opinião, a vista mais bonita da Europa. O *castello* foi construído no século XII, não no XIV, e reconstruído no XVI — repetiu ela, e sorriu. — A Igreja de San Giorgio também data do século XII.

Ela olhou para a camiseta dele manchada de tinta e na mesma hora percebeu que era um artista. Ela conseguira transmitir as informações sobre o *castello* sem parecer esnobe, e sim de forma culta e engraçada, além de arrependida por ter se intrometido na conversa dos vizinhos.

— Você é historiadora de arte? — perguntou Gray, interessado.

Ela era uma mulher muito atraente, embora não muito jovem nem adequada para os parâmetros de Charlie e Adam. Parecia ter uns 45 anos, talvez menos, e estava sentada a uma grande mesa com vários europeus falando francês e italiano. Ela falava ambos os idiomas fluentemente.

— Não, não sou — respondeu ela à pergunta. — Apenas uma bisbilhoteira que vem para cá todo ano. Tenho uma galeria em Nova York. — Gray olhou com mais atenção e percebeu quem ela era. Sylvia Reynolds, muito conhecida no mundo das artes em Nova York. Lançara vários artistas contemporâneos que agora eram considerados importantes. A maior parte do que ela vendia era de vanguarda e muito diferente do trabalho de Gray. Eles nunca tinham se conhecido, mas ele já lera muito sobre a marchand, e ficou impressionado quando descobriu quem ela era. Sylvia o fitou, assim como aos outros dois homens em sua mesa, com um olhar interessado e abriu um sorriso simpático. Parecia cheia de vida, energia e animação. Estava usando vários braceletes de prata e turquesa, e tudo nela mostrava que tinha estilo. — Você é artista? Ou conseguiu manchar sua camiseta pintando as paredes de casa?

Ela era tudo, menos tímida.

— Provavelmente os dois. — Gray retribuiu o sorriso e estendeu a mão. — Sou Gray Hawk.

Ele apresentou os outros, e ela sorriu para ambos, depois para Gray. Na mesma hora, reconheceu o nome dele.

— Gosto do seu trabalho — disse ela em um tom de elogio. — Desculpe por tê-lo interrompido. Está hospedado no Splendido? — perguntou interessada, por um momento ignorando seus amigos europeus.

Havia várias mulheres atraentes no grupo, e alguns homens muito bonitos também. Uma jovem conversava em francês com o homem que estava ao seu lado. Adam a notara no momento em que se sentou, e não sabia se ele era seu pai ou seu marido. Ela parecia muito íntima dele, e aquele setor do grupo obviamente era francês. Sylvia parecia ser a única americana do grupo, o que não parecia incomodá-la de forma alguma. Mostrava-se à vontade falando francês, italiano e inglês.

— Não, estamos em um barco — explicou Gray, respondendo à pergunta sobre onde estavam hospedados.

— Sorte de vocês. Um daqueles bem grandes, presumo — disse ela, implicando com eles. Não foi realmente a intenção dela, e primeiro Gray não respondeu, só assentiu. Sabia que ela estava brincando e não queria se gabar. Ela parecia uma mulher bacana, e sua reputação confirmava o fato, apesar de seu sucesso.

— Na verdade, viemos da França para cá em um barco a remo e vamos montar uma barraca na praia esta noite — ironizou Charlie de forma agradável, e ela riu. — Meu amigo ficou constrangido em dizer. Conseguimos reunir o dinheiro para o jantar, mas não para o hotel. A história de estar em um barco foi só para impressioná-la. Ele mente muito sempre que encontra uma mulher bonita.

Ela riu, e os outros a acompanharam.

— Neste caso, fico lisonjeada. Conheço lugares piores para acampar do que Portofino. Vocês três estão viajando juntos? — perguntou para Charlie, intrigada com aqueles três homens tão atraentes.

Eles formavam um grupo interessante. Gray tinha exatamente a aparência que um artista deve ter; achou que Adam parecia ator; e Charlie parecia ser dono ou presidente de um banco. Adorava adivinhar o que as outras pessoas faziam. Em alguns aspectos, não errou feio. Adam tinha algo intenso e teatral, e era fácil imaginá-lo em um palco. Charlie parecia extremamente refinado, mesmo usando camiseta, jeans e mocassins da Hermès sem meias. Eles não lhe pareciam três playboys. Eram envolvidos por uma aura que dizia serem homens com conteúdo. Achou mais fácil interagir com Gray porque ele dera o pontapé inicial para o bate-papo. Ela estava escutando a conversa deles antes e tinha gostado do que ele falara sobre a arquitetura e a arte locais. Além do único erro que cometeu sobre a data de construção do *castello*, tudo que ele disse era preciso e demonstrava conhecimento. Ficava óbvio que era um homem bem-informado sobre arte.

Os colegas dela já tinham pago a conta e estavam prontos para ir embora, e o grupo todo se levantou. Sylvia os acompanhou, e quando deu a volta na mesa, seus três novos amigos americanos notaram que tinha pernas lindas. Os amigos dela olharam para os três homens que estavam sentados à mesa atrás deles, e Sylvia apresentou-os educadamente como se conhecesse Gray e seus amigos melhor do que realmente conhecia.

— Vocês vão voltar para o hotel? — perguntou Adam a Sylvia. A francesinha estava olhando para ele, que concluiu que o homem ao seu lado devia ser seu pai, já que ela estava flertando abertamente com Adam e não demonstrou nenhum interesse em mais ninguém.

— Mais tarde. Vamos andar por aí um pouco. As lojas ficam abertas até as 11, infelizmente. Faço muitos estragos quando venho para cá, todo ano. Nunca consigo resistir — respondeu Sylvia.

— Gostaria de tomar um drinque mais tarde? — perguntou Gray, reunindo toda a sua coragem. Não estava paquerando, apenas gostava de sua nova amiga, que era simpática, franca e animada, e queria conversar mais com ela sobre a arte local.

— Por que não vão para o Splendido depois? — sugeriu ela. — Sempre passamos metade da noite no bar. Tenho certeza de que ainda estaremos lá à hora que vocês chegarem.

— Nos veremos mais tarde — confirmou Charlie, enquanto Sylvia se apressava para encontrar o grupo.

— Ponto! — disse Adam, assim que ela saiu de seu campo de visão, e Gray balançou a cabeça.

— Acho que não. Ela só quer conversar sobre arte — corrigiu Gray, e Adam balançou a cabeça.

— Não você, eu, seu burro. Não viu a francesinha do outro lado da mesa? Estava com um velho que primeiro achei que fosse marido dela, mas agora acho que não é. Ela estava me encarando.

— Pelo amor de Deus — disse Gray, revirando os olhos. — Você já não conseguiu uma ontem à noite? Está obcecado!

— Estou sim. Ela é linda.

— Sylvia Reynolds?

Gray parecia surpreso, ela não era o padrão de Adam. Tinha o dobro da idade das garotas de quem ele gostava. Fazia mais o tipo de Gray, embora não tivesse nenhum interesse romântico nela, apenas artístico, e ela era um contato para ele, por ser uma pessoa extremamente importante no mundo da arte de Nova York. Charlie disse que não a reconheceu logo, mas agora sabia exatamente quem era.

— Não, a mais nova — corrigiu Adam de novo. — É uma coisinha linda. Parece uma bailarina, mas, na Europa, nunca se sabe. Toda vez que conheço uma menina bonitinha, acabo descobrindo que está na faculdade de medicina, de direito, de engenharia, ou que quer ser uma cientista nuclear.

— Bem, é melhor se comportar. Ela pode muito bem ser filha de Sylvia.

Embora isso não fosse nenhum obstáculo para Adam. Quando se tratava de mulheres, ele era destemido, não sentia consciência pesada nem remorso; até certo ponto, claro. Mas ele achava que não tinha problema se envolver com ninguém, a não ser que ela fosse casada. Esse era seu único limite.

Como todas as outras pessoas no pequeno porto, eles passearam pela praça e pelas lojas depois do jantar, e quando já era quase meia-noite subiram para o hotel. Exatamente como Sylvia tinha previsto, o grupo inteiro estava sentado no bar. Estavam rindo, conversando e fumando, e quando ela viu os três homens entrarem, acenou com um enorme sorriso. Apresentou-os para seus amigos de novo, e, convenientemente, a cadeira ao lado da garota que Adam tinha achado bonita estava vazia, e ele perguntou se podia se sentar. Ela sorriu e apontou para a cadeira. Quando respondeu, mostrou que falava inglês perfeitamente, embora ele pudesse perceber que tinha sotaque francês. Sylvia explicou para Gray que a jovem com quem Adam estava conversando era sua sobrinha. Charlie se sentou entre dois homens. Um era italiano, e o outro, francês, e poucos minutos depois os três estavam conversando animadamente sobre política americana e a situação no Oriente Médio. Era uma daquelas conversas tipicamente europeias em que se vai ao âmago da questão, sem enrolação, em que todo mundo expressa suas fortes opiniões. Charlie adorava esse tipo de troca, e poucos minutos depois Gray e Sylvia trocavam ideias sobre arte. Ele descobriu que ela tinha estudado arquitetura e morado em Paris por vinte anos. Fora casada com um francês e já estava divorciada dele havia dez anos.

— Quando nos divorciamos, eu não fazia ideia do que fazer, nem mesmo de onde morar. Ele era artista, e eu não tinha um tostão. Queria ir para casa, mas percebi que não tinha mais um lar. Fui criada em Cleveland, e meus pais já tinham morrido nessa época, e eu não morava lá desde o ensino médio, então peguei meus dois filhos e me mudei para Nova York. Consegui um emprego em uma galeria no SoHo, e assim que tive condições abri a minha própria galeria, com o pouco dinheiro que tinha, e, para minha surpresa, deu certo. Então aqui estou eu, dez anos depois que voltei, ainda administrando minha galeria. Minha filha está estudando em Florença, e meu filho está fazendo mestrado em Oxford. E agora eu fico me perguntando o que estou fazendo em Nova York. — Ela respirou e sorriu para ele. — Fale-me sobre seu trabalho.

Gray explicou a direção que vinha tomando nos últimos dez anos e as motivações que o conduziram a isso. Ela compreendeu exatamente o que ele quis dizer quando contou sobre as influências por trás de seus quadros. Para ela, fazia total sentido, embora não fosse o tipo de arte que expusesse, mas respeitava muito o que ele dizia e o que vira do trabalho dele anos antes. Ele disse que seu estilo tinha mudado consideravelmente desde então, mas ela ficara impressionada com o trabalho que vira. Eles descobriram que tinham morado a poucos quarteirões um do outro em Paris praticamente na mesma época. E sem nenhum constrangimento, Sylvia disse que tinha 49 anos, embora parecesse ter uns 42. Ela tinha um charme e uma sensualidade únicos. Não parecia americana, nem francesa, mas com seus cabelos presos para trás e seus grandes olhos verdes, passava uma impressão muito exótica, talvez sul-americana. Mostrava-se muito à vontade em ser quem era e como era. Era apenas um ano mais nova que Gray, e suas vidas tinham corrido paralelamente em diversas épocas. Ela também adorava pintar, mas disse que não era muito boa. Fazia-o apenas como passatempo. Amava e respeitava arte profundamente.

Todos ficaram ali conversando até umas 3 horas, quando finalmente os três amigos do *Blue Moon* se levantaram.

— É melhor voltarmos — disse Charlie.

Tinha sido uma noite agradável para todos. Conversara com os outros homens por muitas horas. Gray e Sylvia não pararam de falar a noite toda, e apesar de a sobrinha de Sylvia ser inegavelmente uma garota linda, Adam se envolvera em uma conversa com um advogado de Roma e curtira o debate acalorado, ainda mais do que o flerte com a jovem. Tinha sido uma noite excelente para todos, e seus anfitriões se levantaram com pena de eles irem embora.

— Vocês gostariam de passar o dia no barco amanhã? — Charlie convidou, e todos sorriram e assentiram.

— Todos nós em um barco a remo? — implicou Sylvia. — Acho que podemos nos revezar.

— Vou tentar arranjar algo mais adequado até amanhã — prometeu Charlie. — Pegamos vocês no porto às 11.

Ele anotou o número do telefone da embarcação para ela, no caso de alguma coisa mudar. Saíram poucos minutos depois, e os três pareciam satisfeitos quando desceram a colina para pegar o tênder que os esperava no porto. Era exatamente o que adoravam em suas viagens juntos. Iam a lugares divertidos e conheciam pessoas interessantes. Os três concordaram que a noite que tinham passado com o grupo tinha sido uma das melhores.

— Sylvia é uma mulher fantástica — comentou Gray, mostrando admiração, e Adam riu.

— Bem, pelo menos eu sei que você não está atraído por ela — disse Adam quando chegaram ao porto.

Dois membros da tripulação esperavam por eles no tênder. Eles ficavam de plantão o tempo todo, sempre que Charlie e seus amigos estavam no barco.

— Como sabe que não me sinto atraído por ela? — perguntou Gray, achando engraçado. — Na verdade, não estou mesmo. Mas gosto dela. Adorei conversar com ela. Sylvia é incrivelmente honesta e perceptiva com relação ao cenário artístico de Nova York. É o tipo de pessoa direta.

— Eu sei. Pude ver isso enquanto ela conversava com você. E sei que você não está interessado porque ela não é doida. Parece bem normal, até. Ninguém está ameaçando a vida dela, não parece que tenha sofrido abusos, e também parece que não toma nenhum medicamento antidepressivo controlado cuja receita expirou. Acho que não existe a menor chance de você se apaixonar por ela, Gray — implicou Adam.

Ela realmente não tinha nada em comum com as mulheres com quem Gray costumava se envolver. Parecia totalmente equilibrada, competente e sã. Mais sã do que a maioria das pessoas, diga-se de passagem.

— Nunca se sabe — disse Charlie, filosoficamente. — Coisas mágicas acontecem em Portofino, é um lugar muito romântico.

— Não tão romântico — discordou Adam — a não ser que ela tenha um colapso nervoso amanhã às 11.

— Acho que ele tem razão — disse Gray, sendo honesto. — Meu fraco são as mulheres que precisam de ajuda. Quando o marido a abandonou para ficar com outra, ela pegou os filhos e se mudou para Nova York sem um tostão. Dois anos depois, tinha sua própria galeria, que agora é uma das mais bem-sucedidas de Nova York. Mulheres assim não precisam ser salvas.

Ele se conhecia bem, assim como seus amigos, mas Charlie ainda tinha esperanças. Sempre tinha, até em relação a si próprio.

— Poderia ser uma mudança bem-vinda — sugeriu Charlie, sorrindo para o amigo.

— Prefiro ser amigo dela — disse Gray, sendo sensato. — Dura mais.

Charlie e Adam concordaram enquanto voltavam para o barco, se despediam e voltavam para suas cabines. Tinha sido uma noite ótima.

Na manhã seguinte, o grupo inteiro embarcou quando os três amigos estavam terminando o café da manhã. Charlie mostrou o iate enquanto saíam para mar aberto e todos ficaram muito impressionados. Era um barco e tanto.

— Charlie me disse que vocês viajam juntos durante um mês todo ano. Que coisa fabulosa de se fazer — disse Sylvia, sorrindo para Gray, enquanto os dois tomavam Bloody Mary sem álcool.

Gray decidira que seria muito mais divertido conversar sóbrio com Sylvia. Nenhum deles tinha problema com bebida, mas os três concordavam prontamente que bebiam demais quando estavam no barco, como adolescentes rebeldes que fugiram dos pais. Com Sylvia por perto, era um desafio parecer adulto. Ela era tão brilhante e tão culta em todos os assuntos que ele não queria estar tonto enquanto conversavam. Os dois estavam engajados em um bate-papo sobre afrescos na Renascença italiana quando o barco parou e lançou âncora.

Poucos minutos depois, todos estavam com suas roupas de banho, mergulhando no mar. Pulavam como crianças. Dois amigos de Sylvia esquiaram na água e Gray notou que Adam estava andando de jet ski com a sobrinha de Sylvia grudada nele por trás.

Eles nadaram e brincaram até quase 14 horas, quando a tripulação serviu um bufê fabuloso de frutos do mar e massa. Todos se sentaram em volta de uma enorme mesa, tomando vinho italiano, e às 16 horas todos ainda estavam ali, envolvidos em um papo animado. Até Adam foi forçado a ser inteligente com a sobrinha de Sylvia, que estudava ciências políticas em Paris e planejava fazer doutorado. Como a tia, ela não era para ser levada na brincadeira. Seu pai era ministro da Cultura, e sua mãe, cirurgiã. Seus dois irmãos eram médicos, ela falava cinco idiomas e estava pensando em se formar em direito depois que conseguisse seu doutorado em ciências políticas. Pensava em seguir carreira política. Esse não era o tipo de garota que queria uma prótese de silicone de presente. Ela queria ter conversas inteligentes, o que foi um choque para Adam. Não estava acostumado que mulheres da idade dela fossem tão diretas ou levassem tão a sério os estudos. Charlie riu para ele quando passou e viu que ela estava discutindo sobre mercados financeiros estrangeiros e que Adam parecia nervoso. Ela o deixava ansioso e vulnerável, como admitiu mais tarde. Não era páreo para ela, apesar da idade.

Sylvia e Gray passaram a tarde envolvidos em intermináveis discussões sobre arte, para alegria dos dois. Iam de um período da história para outro, traçando paralelos entre política e arte. Charlie os observava com prazer paternal, certificando-se que seus amigos estivessem à vontade no iate e que seus convidados tivessem tudo que quisessem.

O dia estava tão bonito que decidiram ficar e jantar no barco, a convite de Charlie. Já era quase meia-noite quando voltaram lentamente para o porto, depois de uma parada para um banho de mar sob a luz do luar. Por um momento, Gray e Sylvia pararam de falar de arte e simplesmente curtiram a água. Ela nadava muito bem; na verdade, parecia muito capaz em tudo que fazia, fosse em esporte ou em arte. Gray nunca conhecera uma mulher como ela. Nadaram de volta para o barco e ele desejou estar em melhores condições. Não era algo em que costumava pensar. Mas ela estava extremamente em forma e nem parecia cansada quando voltaram para o barco. Para uma mulher na idade dela ou mesmo mais jovem, ficava ótima de biquíni, mas parecia não se dar conta disso ao lado de Gray; ao contrário de sua sobrinha, que estava flertando abertamente com Adam. Sua tia não fez nenhum comentário, sabia que ela era uma mulher adulta e livre para fazer o que quisesse. Sylvia não tinha o hábito de se intrometer na vida de ninguém. A menina sabia o que estava fazendo.

Antes de irem embora, Sylvia convidou Gray para ir à Igreja de San Giorgio com ela na manhã seguinte. Já fora lá inúmeras vezes antes, mas adorava voltar. Disse que via alguma novidade toda vez que voltava. Ele aceitou de imediato, e marcaram de se encontrar no porto às 10 horas. Não havia nenhuma segunda intenção no convite, era simplesmente um vínculo entre dois amantes da arte. Ela disse que eles iriam embora no dia seguinte, e Gray ficou feliz por ter uma chance de vê-la de novo.

— Que pessoas legais — comentou Charlie depois que eles foram embora, e Adam e Gray concordaram. Tinha sido um dia maravilhoso. As conversas foram fascinantes, os mergulhos, divertidos, a comida, farta, e seus novos amigos formavam um grupo inteligente e atraente como poucos. — Percebi que a sobrinha de Sylvia não vai passar a noite. Desistiu dessa? — implicou Charlie, e Adam pareceu desgostoso.

— Não sei se sou inteligente o suficiente para conquistá-la. Essa garota faz com que a minha educação em Harvard pareça ensino médio. Depois que paramos de conversar sobre direito, injustiças no sistema judicial americano e direito constitucional, em oposição ao sistema jurídico francês, me senti um total idiota. Quase esqueci de jogar charme para ela, e quando pensei nisso, já estava exausto. Ela supera qualquer cara que eu já tenha conhecido. Devia namorar um dos meus professores de direito de Harvard, não eu.

De um modo engraçado, ela fez com que ele se lembrasse um pouco de Rachel. Quando era mais jovem, ela era muito inteligente, tendo se formado com honra em direito em Harvard, e a similaridade da jovem com a ex-esposa fez com que ele desistisse. Tinha decidido não correr atrás dela, era muito trabalho, e já fazia muito tempo que tinha esquecido metade das coisas que ela lhe perguntara. Travara uma luta intelectual com ele o dia e a noite inteiros, ele gostou e achou desafiador, mas no final fez com que se sentisse cansado e velho. Sua mente simplesmente não funcionava mais assim. Era mais fácil comprar próteses de silicone e pagar cirurgias plásticas no nariz do que tentar impressioná-las pelo cérebro. Fez com que se sentisse ligeiramente inferior, o que não fez bem para seu ego e não era exatamente um afrodisíaco. Diferentemente de Gray, que adorara a conversa com a tia dela e se sentia revigorado com as informações que compartilharam e com tudo que aprendera. Sylvia era muito culta em vários assuntos, principalmente em arte, que era sua paixão, e também a dele. Mas Gray não queria dormir com ela, embora a achasse bonita e atraente. Só queria conhecê-la melhor e conversar por quantas horas pudesse. Estava encantado por tê-la conhecido.

Os três amigos tomaram uma última taça de vinho no deque antes de fumarem charutos e voltarem para suas cabines, felizes e relaxados depois de um dia divertido no barco. Não tinham nenhum plano para o dia seguinte, e Adam e Charlie disseram que iam dormir até tarde. Gray já estava animado com a visita que faria com Sylvia à igreja. Mencionou isso a Charlie enquanto desciam as escadas, e seu anfitrião pareceu satisfeito. Sabia que Gray levava uma vida solitária e achava que ela seria uma boa amiga e um bom contato para ele. Havia tanto tempo que ele lutava para divulgar seu trabalho e tinha tanto talento que Charlie esperava que um dia estourasse, e tinha esperanças de que Sylvia pudesse apresentá-lo às pessoas certas no cenário das artes em Nova York. Ela podia não ser uma namorada em potencial para ele, nem o tipo de mulher por quem se sentia atraído, mas achava que poderia ser uma excelente amiga. Ele mesmo gostara de conversar com ela. Era culta e educada, sem ser esnobe nem pretensiosa. Charlie a considerava uma mulher muito legal e estava surpreso por não estar envolvida com nenhum dos homens do grupo. Ela era o tipo de mulher pelo qual muitos homens se sentiriam atraídos, principalmente os europeus, embora fosse uns bons 15 anos mais velha do que as mulheres com quem Charlie saía, mas era apenas três anos mais velha que ele. A vida não era justa nesse aspecto, pensou ele, ainda mais nos Estados Unidos. Mulheres de 20 e 30 e poucos anos eram consideradas as melhores, o importante era a juventude. Uma mulher com a idade de Sylvia era uma peculiaridade e só atraía poucos homens, e só aqueles que não se sentiam ameaçados por sua inteligência e capacidade. As garotas com quem Adam saía costumavam ser consideradas muito mais desejáveis, na maioria dos casos, do que mulheres com a essência e a inteligência de Sylvia. Charlie sabia que havia muitas mulheres como ela em Nova York que eram inteligentes e bem-sucedidas demais por conta própria, mas acabavam sozinhas. Por isso, ele achava que deveria haver algum homem esperando por ela em Nova York ou Paris. Mas duvidava. A vibração dela sugeria que era independente e desimpedida, e que gostava de ser assim. Não parecia incomodá-la de forma alguma, e era óbvio que ela não tentava se dar bem à custa deles nem de ninguém. Charlie abrira o jogo com Gray sobre o que achava dela na noite anterior, enquanto fumavam charutos.

Na manhã seguinte, enquanto eles subiam a ladeira para a Igreja de San Giorgio, Gray descobriu que a opinião de Charlie sobre Sylvia estava correta.

— Você não é casada? — ele perguntou, com cautela, curioso sobre Sylvia e o que sabia a respeito da igreja. Ela era uma mulher interessante, e ele queria ser seu amigo.

— Não, eu me casei uma vez — disse ela com cuidado. — Amava estar casada, mas não sei se conseguiria fazer isso de novo. Às vezes acho que amo mais o compromisso e o estilo de vida do que o homem. Meu marido era artista e um total narcisista. Tudo girava em torno dele. Eu o adorava, quase tanto quanto ele adorava a si mesmo. Para ele, nada mais existia — disse ela, usando um tom direto. Não estava amargurada por isso, tinha superado, e Gray podia perceber isso em sua voz. — Nem os filhos, nem eu, nem ninguém. Era sempre ele. Depois de um tempo, isso cansa. Mas eu ainda estaria casada se ele não tivesse me deixado para ficar com outra pessoa. Ele tinha 55 anos quando me largou, eu tinha 39 e estava passada, na opinião dele. Ela tinha apenas 19 anos. Foi um golpe. Eles se casaram e tiveram três filhos em três anos, e depois ele a deixou também. Pelo menos, eu durei mais. Fiquei com ele por vinte anos. Ela ficou só quatro.

— E deve tê-la trocado por uma de 12, suponho — perguntou Gray, sentindo raiva por ela.

Para ele, parecia uma covardia, ciente do que sabia sobre ela agora, que tinha ido para Nova York com os filhos e sem dinheiro e que ele não ajudara em nada.

— Não, a última tinha 22. Velha para ele. Eu também tinha 19 quando nos casamos e estudava arte em Paris. As últimas duas eram modelos.

— Ele vê os filhos?

Ela hesitou em responder a essa pergunta, depois balançou a cabeça. A resposta parecia dolorosa.

— Não, ele os viu duas vezes em nove anos, o que foi difícil para eles. E ele morreu no ano passado. O que deixou muitas coisas não resolvidas na cabeça dos meus filhos, sobre o que significavam para ele, se é que significavam alguma coisa. Isso foi triste para mim. Eu o amava, mas, com narcisistas, as coisas são assim. No final, só amam a si mesmos. Eles simplesmente não sabem amar outra pessoa.

Era uma constatação simples da realidade. O tom de voz dela era triste, mas não amargo.

— Acho que conheci algumas mulheres assim. — Ele nem tentou explicar a ela o grau de insanidade que tinha tolerado na sua vida sentimental. Seria impossível tentar e ela provavelmente riria dele, assim como todo mundo. A insanidade era uma velha conhecida. — E você nunca quis tentar de novo, com outra pessoa?

Ele sabia que estava sendo intrometido, mas tinha a impressão de que ela não se incomodava. Era admiravelmente honesta e aberta sobre si mesma. Dava a sensação de que não tinha segredos obscuros, encontros escondidos, nenhuma dúvida em sua cabeça do que sentia, queria ou em que acreditava. Embora inevitável, provavelmente havia cicatrizes. Todo mundo as tinha na idade deles, ninguém estava isento.

— Não, nunca mais quis me casar. Na minha idade, não vejo por quê. Não quero mais filhos, pelo menos não meus. Eu não me importaria se fossem filhos de outra pessoa. O casamento é uma instituição respeitável, e acredito nele para esses propósitos. Só não sei se acredito em casamento para mim de novo. Provavelmente não. Acho que eu não teria coragem de me casar de novo. Morei com um homem durante seis anos depois que me divorciei. Era uma pessoa extraordinária e um artista excepcional, era escultor. Sofria de depressão profunda e se recusava a tomar remédio. Era basicamente um alcoólatra e a vida dele era uma bagunça. Eu o amava mesmo assim, mas era impossível. Mais do que consigo expressar.

Ela ficou em silêncio depois que disse isso, e ele fitou seu rosto. Algum sofrimento estava oculto ali, e ele queria saber o que era. Ele sentia que, para conhecê-la melhor, precisava saber o resto.

— Você o deixou?

Ele foi cauteloso na escolha de palavras, conforme se aproximavam da igreja.

— Não, não deixei. Eu provavelmente deveria. Talvez assim ele tivesse parado de beber ou tomado remédios, talvez não.

É difícil dizer.

Ela parecia tranquila e triste, como se tivesse aceitado uma terrível tragédia e uma perda inevitável.

— Ele a deixou?

Gray não conseguia imaginar isso acontecendo com ela, muito menos duas vezes. Mas havia pessoas estranhas no mundo, que perdiam oportunidades, sabotavam a si mesmas e destruíam suas vidas. Não se pode fazer nada nesses casos. Aprendera isso ao longo dos anos.

— Não, ele cometeu suicídio — disse Sylvia calmamente —, três anos atrás. Levei muito tempo para superar e aceitar o que tinha acontecido, e foi duro quando Jean-Marie, o pai dos meus filhos, morreu, no ano passado. A perda reacendeu uma parte do que tinha acontecido, o sofrimento faz isso, acho. Mas aconteceu, eu não podia mudar, por mais que o amasse. Ele simplesmente não aguentava mais, e eu não podia fazer nada por ele. É difícil ficar em paz com isso.

Mas ele podia perceber na voz dela que tinha conseguido. Ela passara por muita coisa e conseguira superar. Só de olhar para Sylvia, sabia que ela era uma mulher determinada a sobreviver. Queria passar seus braços em volta dela e abraçá-la, mas não a conhecia bem o suficiente. E não queria se intrometer no sofrimento dela. Não tinha o direito.

— Sinto muito — disse ele baixinho, transparecendo toda a emoção que realmente sentia.

De todas as mulheres insanas com quem ele se envolvera e que transformavam cada momento em um drama, ali estava uma mulher sã que vivera uma tragédia real e se recusara a permitir que a destruísse. No mínimo, ela aprendera e crescera com a experiência.

— Obrigada.

Ela sorriu para ele enquanto caminhavam até a igreja. Ficaram sentados em silêncio por um bom tempo, depois caminharam mais, dentro e fora do templo. Era uma bonita construção do século XII, e ela mostrou detalhes a ele que nunca tinha percebido antes, apesar de já ter ido ali diversas vezes. Só depois de duas horas eles voltaram lentamente para o porto.

— Como são seus filhos? — perguntou ele, curioso.

Era interessante imaginá-la como mãe, ela parecia tão independente e completa! Desconfiava de que era uma boa mãe, embora não gostasse de vê-la por este ângulo. Preferia pensar nela como a conhecia, apenas como amiga.

— Interessantes. Inteligentes — ela respondeu, honestamente, e pareceu orgulhosa, o que fez com que ele sorrisse. — Minha filha é pintora, está estudando em Florença. Meu filho estuda a história da Grécia Antiga. Em alguns aspectos, ele parece o pai, mas tem um coração mais generoso, graças a Deus. Minha filha herdou o talento do pai, mas só isso. Ela se parece muito comigo. É capaz de governar o mundo, e talvez governe. Espero que ela assuma a galeria um dia, mas não tenho certeza se fará isso. Tem a própria vida para seguir. Mas a genética é uma coisa impressionante. Eu vejo nós dois neles, misturados no que são. A história e a descendência estão sempre ali, até nos sabores de sorvete de que gostam ou nas cores que preferem. Respeito muito a genética depois de ter criado dois filhos. Não tenho muita certeza se nossas ações como pais fazem alguma diferença, ou mesmo se os influenciam.

Pararam em uma pequena cafeteria, e ele a convidou para tomar um café. Sentaram-se, e ela virou o jogo:

— E você? Por que não é casado e não tem filhos?

— Você acabou de dizer. Genética. Sou adotado, não faço ideia de quem eram meus pais e do que eu estaria passando adiante. Acho isso assustador. E se algum ancestral meu fosse um assassino? Eu ia querer colocar esse fardo nas costas de alguém?

Além disso, quando era criança, minha vida foi uma loucura. Cresci achando que a infância era algum tipo de maldição. Eu não poderia fazer isso com outra pessoa.

Ele, então, contou a ela um pouco sobre sua história. Índia, Nepal, Caribe, Amazônia. Parecia uma viagem de volta ao mundo, enquanto era criado por duas pessoas que não tinham ideia do que estavam fazendo, se acabaram com as drogas e, finalmente, encontraram Deus. Era muito o que explicar enquanto tomavam duas xícaras de espresso, mas ele fez o melhor que pôde, e ela ficou intrigada.

— Bem, em algum lugar da sua árvore genealógica devia haver alguém muito talentoso. Isso não seria uma coisa ruim para se passar adiante.

— Mas só Deus sabe o que mais eu passaria. Conheci muitas pessoas loucas na minha vida, meus pais e a maioria das mulheres com quem me envolvi. Eu não ia querer ter filhos com nenhuma delas.

Ele estava sendo totalmente honesto com ela, da mesma forma que ela tinha sido com ele.

— Foi tão ruim assim?

Ela sorriu. Ele não tinha dito nada que a assustasse. Só sentia muita pena dele. Tivera uma vida difícil quando criança e complicara as coisas para si mesmo desde então, por escolha própria. Mas o começo não fora escolha dele. Tinha sido presente do destino.

— Pior. — Ele riu. — Tenho salvado mulheres a minha vida toda. Só Deus sabe por quê. Achei que era minha missão na vida, para reparar todos os meus pecados.

— Eu também pensava assim. Meu namorado escultor era um pouco assim. Eu queria fazer tudo certo para ele, consertar tudo, e no final não consegui. Nunca podemos fazer isso por outra pessoa. — Como Gray, ela tinha aprendido da forma mais difícil. — Quando as pessoas nos tratam mal, é interessante como nos sentimos responsáveis e assumimos a culpa. Nunca entendi isso direito, mas acho que funciona assim — disse ela, com sabedoria. Era óbvio que já tinha pensado bastante sobre o assunto.

— Eu estava começando a perceber isso — disse ele, melancólico.

Era difícil admitir como as mulheres em sua vida eram problemáticas e que, mesmo depois de tudo que fizera, elas o tinham deixado para ficar com outra pessoa. De uma forma um pouco menos extrema, a experiência de Sylvia não era diferente da sua. Mas ela parecia mais bem resolvida do que ele.

— Você faz terapia? — perguntou ela abertamente, da mesma forma que teria perguntado se ele já tinha estado na Itália antes.

Ele balançou a cabeça.

— Não. Leio muitos livros de autoajuda e sou muito espiritualizado. Devo ter pago milhões de horas de terapia para as mulheres com quem me envolvi. Mas nunca pensei em ir. Sempre achei que eu estava bem, que elas eram malucas. Talvez fosse o contrário. Em algum ponto, temos que nos perguntar por que nos envolvemos com pessoas assim. Não ganhamos nada com isso. Elas estão ferradas demais.

Ele sorriu, e ela deu uma gargalhada. Chegara à mesma conclusão, e era por isso que não tinha um relacionamento sério desde que o escultor cometera suicídio.

Ela levara cerca de dois anos para superar isso, fazendo terapia intensa. Nos últimos seis meses, até saíra algumas vezes com homens, uma vez com um artista mais jovem que era extremamente mimado e duas vezes com homens vinte anos mais velhos que ela. Mas depois dos encontros, ela percebia que já passara dessa época e que vinte anos eram uma diferença muito grande. Homens da idade dela queriam mulheres mais jovens. Então fora a alguns infelizes encontros às escuras. Por enquanto, ela decidira que estava melhor sozinha. Não gostava disso e sentia falta de dormir aninhada com alguém. Agora que seus filhos não moravam mais com ela, os finais de semana eram agonizantemente solitários, e ela se sentia jovem demais para simplesmente desistir. Mas na terapia estavam explorando a possibilidade de que talvez ninguém mais fosse aparecer, e ela queria aceitar isso. Não queria que uma pessoa virasse sua vida de cabeça para baixo de novo. Relacionamentos pareciam muito complicados, e a solidão era cruel. Estava em uma encruzilhada, nem muito jovem nem muito velha: velha demais para ficar com o cara errado ou com um homem muito difícil e jovem demais para aceitar ficar sozinha pelo resto da vida, embora agora percebesse que isso podia acontecer. Isso a assustava de alguma forma, assim como uma tragédia ou um desastre. Estava tentando viver um dia de cada vez, e era por isso que não havia nenhum homem em sua vida e estava viajando com amigos. Disse tudo isso para Gray da forma mais simples possível, sem parecer patética, desesperada, necessitada ou confusa. Era apenas uma mulher tentando descobrir o que queria da vida e perfeitamente capaz de se cuidar enquanto fazia isso. Ele ficou em silêncio, escutando o que ela dizia, por um longo tempo, balançando a cabeça.

— Isso parece terrível demais ou um pouco louco? — perguntou ela. — Às vezes fico me questionando sobre mim mesma.

Ela estava sendo tão honesta, mostrando sua força e vulnerabilidade ao mesmo tempo, que isso estava acabando com ele. Nunca conhecera ninguém assim, nem homem nem mulher, e tudo que queria era saber mais.

— Não parece terrível. Parece duro, mas real. A vida é dura e real. Você me parece incrivelmente sensata. Mais do que eu, com certeza. E nem me pergunte sobre as mulheres com quem já me envolvi: todas devem estar internadas em algum hospício, que é onde deveriam estar quando as conheci. Não sei o que me fazia pensar que podia brincar de Deus e mudar o que tinha acontecido a elas, a maioria das coisas causada por elas mesmas. Não sei por que eu achava que merecia aquela tortura, mas deixou de ser divertido há muito tempo. Não consigo mais me imaginar fazendo aquilo, prefiro ficar sozinho. — Ele estava falando sério, principalmente depois do que ela acabara de dizer. A solidão era muito melhor do que estar ao lado das lunáticas com quem ele estivera. Era solitário, mas pelo menos era saudável. Ele a admirava pelo que estava fazendo e aprendendo, e queria seguir seu exemplo. Sylvia era um modelo de sensatez e normalidade. Enquanto a escutava, não sabia se a desejava como mulher ou apenas como amiga. Qualquer um dos dois parecia bom. Ela era bonita de se olhar, mas, acima de tudo, ele valorizava a amizade dela. — Talvez possamos ir ao cinema um dia desses quando voltarmos para Nova York — sugeriu ele, escolhendo as palavras com cautela.

— Eu gostaria — disse ela, bem à vontade. — Mas vou avisá-lo, tenho um péssimo gosto para filmes. Meus filhos nunca vão comigo. Detesto filmes estrangeiros e de arte, com sexo, violência, finais tristes ou baboseiras gratuitas. Gosto de filmes que eu compreendo, com finais felizes, que me fazem rir e chorar e ficar acordada. Se for aquele tipo que na saída é preciso perguntar o significado do que se assistiu, leve outra pessoa, não a mim.

— Perfeito. Vamos assistir a reprises de *I Love Lucy* e alugar filmes da Disney. Você leva a pipoca, eu alugo os DVDs.

— Negócio fechado.

Ela sorriu. Então ele a acompanhou até o hotel e, quando a deixou, deu-lhe um abraço e agradeceu a maravilhosa manhã que passara em sua companhia.

— Vocês vão embora amanhã mesmo? — perguntou Gray, parecendo preocupado.

Queria vê-la de novo antes que os dois fossem embora de Portofino. Senão, só em Nova York. Mal podia esperar para telefonar para ela quando voltasse. Nunca conhecera uma mulher como Sylvia, com quem gostasse de conversar. Ele passara tempo demais ocupado salvando mulheres para se preocupar em procurar uma que pudesse ser sua amiga. E Sylvia Reynolds era essa pessoa. Parecia loucura até para ele, mas aos 50 anos, em Portofino, sentia como se tivesse encontrado a mulher de seus sonhos. Ele não fazia ideia do que ela diria se compartilhasse esse pensamento. Provavelmente fugiria e ligaria para a polícia. Perguntou-se se contraíra a loucura das mulheres com quem saíra ou se sempre tinha sido tão maluco quanto elas. Sylvia não era louca. Era bonita, inteligente, vulnerável, honesta e real.

— Vamos embora amanhã — disse ela calmamente, também triste por deixá-lo, o que a inquietava. Embora tivesse dito para seu terapeuta que estava pronta para conhecer alguém, agora que tinha conhecido só queria fugir antes de se machucar de novo. Mas também queria vê-lo mais uma vez antes de fazer isso. Enquanto sorria para ele, em sua cabeça estava acontecendo um jogo de empurra-empurra. — Vamos passar o final de semana na Sardenha, e em seguida vou para Paris visitar alguns artistas. Depois, vou passar um final de semana na Sicília com meus filhos. Voltarei para Nova York daqui a duas semanas.

— Devo voltar daqui a três semanas — disse ele, com um enorme sorriso enquanto a fitava. — Acho que também iremos para a Sardenha neste final de semana. É para onde vamos sempre que saímos daqui.

Quando deixassem Portofino, ele também queria ir para a Sardenha, se Adam e Charlie concordassem.

— Bem, isso é um golpe de sorte — disse ela, sorrindo, e sentindo-se jovem de novo. — Por que vocês três não jantam conosco no porto esta noite? Boa massa com vinho ruim, não o tipo de coisa a que vocês estão acostumados.

— Não fique tão impressionada. Se um dia você fosse jantar na minha casa, eu lhe serviria a porcaria barata que costumo beber.

— Eu levo o vinho. — Ela sorriu. — Você cozinha. Sou péssima cozinheira.

— Ótimo. É bom saber que tem alguma coisa que você não sabe fazer. Posso dizer que sou um cozinheiro razoável. Massa, taco, burrito, gulache, carne moída, salada, manteiga de amendoim e geleia, panquecas, ovos mexidos, macarrão e queijo. Isso é tudo.

— Panqueca. Amo panqueca. Sempre deixo queimar. Ninguém nunca come as que faço. — Ela riu, e ele sorriu diante da perspectiva de cozinhar para ela.

— Perfeito. *I Love Lucy* e panquecas. Que sabor de sorvete para a sobremesa? Chocolate ou creme?

— Menta com flocos de chocolate, ou amora, ou banana com nozes — disse ela, confiante.

Estava começando a gostar da forma como se sentia perto dele. Era assustador mas legal ao mesmo tempo. A montanha-russa da vida. Fazia muito tempo que não dava uma volta nessa montanha-russa, e agora percebia o quanto sentia falta. Havia anos que não encontrava um homem que a atraísse. Este a atraía.

— Meu Deus. Inventora de sorvetes. O que há de errado com o bom e velho sundae?

— Vou levar o vinho e o sorvete, já que você está reagindo dessa forma aos meus sabores.

— E não esqueça a pipoca! — lembrou ele. Não ia ser chique, mas ele sabia que seria bom. Qualquer coisa que fizesse com ela seria como ir à Igreja de San Giorgio aquela manhã. Tinha sido muito bom. — A que horas será o jantar esta noite? — perguntou ele ao abraçá-la de novo. Era apenas um abraço de amigo, nada que a assustasse ou os comprometesse mais do que um jantar na casa dele. Iriam descobrir e decidir o resto em algum encontro mais para a frente, se os dois concordassem. Ele esperava que sim.

— Às 21h30, no Da-Puny.

Ela abriu um sorriso fácil e acenou, e então desapareceu dentro do hotel. Ele desceu quase saltitante para o porto, onde um membro da tripulação o esperava no tênder. Voltou para o barco sorrindo e ainda estava sorrindo quando Charlie o viu embarcando. Já eram 13 horas, e eles o aguardavam para almoçar.

— Nossa, você passou muito tempo em uma igreja com uma mulher que mal conhece — comentou Charlie, travessamente, fitando o velho amigo. — Pediu-a em casamento?

— Eu deveria, mas não tive coragem. Além disso, ela tem dois filhos, e você sabe que detesto crianças.

Charlie riu da resposta dele e não o levou a sério.

— Não são crianças, são adultos. Além disso, ela mora em Nova York, e um mora na Itália e o outro na Inglaterra. Acho que você está a salvo.

— É, talvez. Mas filhos são filhos, independentemente da idade.

Cenas familiares não faziam seu tipo, como Charlie sabia. Depois, Gray contou a ele sobre o convite para jantar naquela noite, e todos gostaram da ideia. Adam o fitou com mais atenção do que Charlie.

— Está rolando alguma coisa entre vocês dois?

Adam parecia desconfiado, e Gray fingiu achar engraçado. Não estava pronto para dividir isso com eles. Não tinha acontecido nada. Apenas gostava dela e esperava que fosse recíproco. Não havia nada para dizer.

— Quem dera. Ela tem pernas lindas, mas um defeito fatal, pelo que pude perceber.

— E qual é? — perguntou Charlie, interessado. Era fascinado pelos defeitos das mulheres. Na verdade, era obcecado.

— Não é problemática. Não faz o meu tipo, infelizmente.

— Eu sabia — concordou Adam.

Gray contou a eles que o grupo seguiria para a Sardenha no dia seguinte, ideia que atraiu seus amigos. Portofino era uma delícia, mas todos concordaram que ficaria menos divertido quando os outros fossem embora. Charlie sugeriu que seguissem viagem depois do jantar e passassem a noite viajando. Se saíssem por volta da meia-noite, chegariam à Sardenha na noite seguinte a tempo de jantar. Seria divertido reencontrar o mesmo grupo em Porto Cervo, o que daria um ótimo final de semana. E caso mudasse de opinião, Adam teria a oportunidade de se aproximar da sobrinha de Sylvia de novo. Mas mesmo sem isso, eles gostavam dos outros do grupo. Era uma turma interessante.

Charlie explicou seu plano para o capitão, que concordou em organizar a guarnição. Viagens noturnas eram mais fáceis para os passageiros, porém mais difíceis para a tripulação. Mas faziam isso com frequência. O capitão disse que dormiria enquanto Charlie e seus hóspedes saíssem para jantar, e que partiriam assim que eles embarcassem de novo. Chegariam à Sardenha para o jantar na noite seguinte.

Gray contou a Sylvia os planos durante o jantar daquela noite e ela sorriu, imaginando o que ele teria dito aos outros, e sentindo-se um pouco constrangida por causa da atração que sentia por ele. Não sentia nada parecido havia anos e não estava pronta para dividir esse sentimento com Gray. Mas podia perceber que era recíproco, ele também gostava dela. Ela se sentia como uma criança de novo.

Divertiram-se durante o jantar. Sylvia sentou-se em frente a Gray na mesa, mas não disse nem fez nada que denunciasse o que sentia. Beijou o rosto dele e os dos amigos quando eles foram embora, prometendo encontrá-los no iate clube de Porto Cervo para jantar na noite seguinte. Gray virou-se para vê-la uma última vez enquanto se afastavam, mas ela não se virou para fitá-lo. Estava conversando atentamente com a sobrinha, enquanto elas paravam para comprar um picolé na *piazza,* e Gray notou mais uma vez que Sylvia tinha um corpo adorável. E um cérebro notável. Não sabia do que gostava mais.

— Ela gosta de você — comentou Adam enquanto entravam no tênder. Fazia com que se lembrasse do colégio, e Charlie riu dos dois.

— Também gosto dela — disse Gray, de forma casual ao se sentar e olhar para o *Blue Moon* esperando por eles.

— Eu quero dizer que ela gosta *mesmo*, e acho que quer ir para a cama com você.

— Ela não é esse tipo de mulher — disse Gray, de cara fechada e querendo protegê-la dos comentários maldosos de Adam. De repente, lhe pareceu desrespeitoso.

— Não me venha com essa. Ela é uma mulher bonita, tem que ir para a cama com alguém. Pode muito bem ser você. Ou você acha que ela é velha demais? — Adam lançou a pergunta enquanto Gray balançava a cabeça.

— Ela não é velha demais. Eu já disse, ela é equilibrada.

— Verdade, acho que é. Mas até mulheres equilibradas gostam de ir para a cama com homens.

— Não vou me esquecer disso, caso eu encontre outra — disse Gray, sorrindo para Charlie, que observava com interesse. Estava começando a se perguntar também se havia algo entre eles.

— Não se preocupe, você não vai encontrar.

Adam riu e os três subiram a bordo do *Blue Moon*, onde Charlie serviu conhaque para todos antes de irem para a cama. Enquanto estavam sentados no deque da popa, a tripulação levantou âncora e eles partiram. Gray ficou sentado observando a luz da lua dançar na água, pensou nela no quarto do hotel e desejou que pudesse estar lá. Não podia nem imaginar tamanha sorte. Talvez algum dia. Primeiro, tinham o encontro das panquecas com sorvete em Nova York. Depois disso, quem poderia saber? Antes, porém, se encontrariam na Sardenha. Pela primeira vez em muito tempo, ele se sentia como um garoto. Um garoto de 50 anos, com uma garota incrível de 49.

Capítulo 4

A SARDENHA FOI TÃO DIVERTIDO quanto todos esperavam, com Sylvia e seus amigos. Mais dois casais italianos se juntaram ao grupo em Porto Cervo, e Charlie convidou todos para o barco para almoçar, jantar, esquiar na água e nadar no barco. Isso deu a Sylvia e Gray a oportunidade de se conhecerem melhor, mesmo cercados por todos os outros. Depois de observá-los o final de semana inteiro, Adam concluiu que eram apenas amigos; Charlie não estava tão convencido, mas guardou suas impressões para si mesmo. Sabia que se Gray quisesse, falaria alguma coisa. Charlie também conversou um pouco com ela sobre a fundação e o trabalho que desenvolviam, sobre a galeria e os artistas que ela representava. Era óbvio que amava o que fazia. E era igualmente óbvio que gostava de seu amigo. E Gray gostava dela. Bateram papo discretamente em várias ocasiões, nadaram juntos, dançaram nas boates e riram bastante. Quando o final de semana terminou, todos sentiam-se grandes amigos. Depois que Sylvia e seu grupo foram embora, Charlie, Adam e Gray seguiram para a Córsega, onde permaneceram por dois dias. Já tinham ficado o suficiente na Sardenha e não seria mais tão divertido sem os outros. Gray conversara em particular com Sylvia antes de ela ir embora e dissera que ligaria assim que chegasse em sua casa em Nova York. Ela sorriu, abraçou-o e desejou uma boa viagem aos três.

De Córsega, seguiram para Ísquia, e de lá para Capri. Subiram a costa oeste da Itália e depois voltaram para a Riviera Francesa para a última semana e ancoraram em Antibes. Como sempre quando estavam juntos, foi incrível. Foram a boates e restaurantes, nadaram, caminharam, fizeram compras, conheceram pessoas, dançaram com mulheres e transformaram estranhos em amigos. E em uma das últimas noites, jantaram em Eden Roc. Os três concordaram que tinha sido uma viagem perfeita.

— Você deveria ir para St. Bart neste inverno -— insistiu Adam com Gray.

Ele sempre ia de avião para lá e encontrava Charlie no barco para passar uma ou duas semanas perto do Ano-Novo. Gray sempre dizia que um mês no barco no verão era suficiente para ele, mas todos sabiam por que ele detestava o Caribe: despertava muitas lembranças ruins.

— Talvez um dia eu vá — disse Gray vagamente.

Charlie comentou que esperava que fosse mesmo.

A última noite era sempre nostálgica, pois odiavam ir embora e voltar à vida real. Adam encontraria Amanda e Jacob em Londres para passarem uma semana juntos, depois ficaria um final de semana com eles no Ritz de Paris. Seria uma transição gentil para ele depois de todo o luxo do *Blue Moon*. Gray pegaria um voo direto de Nice para Nova York, o que seria um choque para ele. Voltar para onde morava no Meatpacking District. Apesar de o bairro estar na moda, seu estúdio num prédio sem elevador continuava tão desconfortável quanto antes. Pelo menos era barato. Estava ansioso para telefonar para Sylvia assim que chegasse em casa. Chegara a pensar em telefonar do barco, mas não queria fazer ligações caras pois viriam na conta de Charlie, o que lhe parecia uma grosseria. Sabia que ela tinha voltado na semana anterior, depois da viagem para a Sicília com os filhos. Charlie ficaria no barco na França por mais três semanas, totalmente só. Detestava ver os amigos irem embora.

Na manhã em que partiram, Gray e Adam foram para o aeroporto na limusine que o comissário de bordo tinha alugado para eles. Charlie permaneceu no deque da popa e acenou, triste ao vê-los partir. Eram seus melhores amigos e bons homens. Apesar de suas excentricidades e seus problemas, dos comentários de Adam sobre mulheres e seu fraco pelas mais jovens, Charlie sabia que eram pessoas decentes que gostavam muito dele, assim como ele gostava dos dois. Faria qualquer coisa por seus amigos, e sabia que eles fariam o mesmo por ele. Eram os Três Mosqueteiros, nos bons e nos maus momentos.

Adam ligou para Charlie de Londres para agradecer pela fantástica viagem, e no dia seguinte Gray mandou um e-mail dizendo a mesma coisa. A melhor de todas, os três concordavam. Era difícil imaginar, mas a viagem ficava melhor a cada ano. Conheciam pessoas maravilhosas, iam a lugares ótimos e curtiam ainda mais a presença dos amigos conforme os anos iam passando. Isso fazia com que Charlie às vezes pensasse que não seria tão ruim se nunca encontrasse a mulher certa. Se isso acontecesse, pelo menos teria dois amigos fantásticos. Poderia ser pior.

Passou as últimas duas semanas a bordo trabalhando pelo computador, marcando reuniões para quando voltasse e fazendo uma lista das coisas que queria que o capitão fizesse para a manutenção do barco. Em novembro, a tripulação atravessaria o mar do Caribe com o *Blue Moon*, e Charlie adoraria estar presente. Achava relaxante e tranquilo, mas tinha muitos compromissos aquele ano. A fundação doara quase 1 milhão de dólares a um novo abrigo para crianças e ele queria estar por perto para ver como o dinheiro seria gasto. Quando finalmente deixou o barco, na terceira semana de setembro, estava pronto. Queria ver seus amigos e ir ao escritório. Estava fora havia quase três meses. Já era hora de voltar para casa. No caso dele, um apartamento vazio, um escritório onde mantinha as tradições de sua família, sendo membro de conselhos e comitês e passando as horas vagas com amigos, indo a festas e eventos culturais. Nunca teve alguém para quem pudesse voltar, alguém esperando por ele, ou com quem compartilhar a vida. Estava começando a parecer cada vez menos provável que algum dia encontraria essa pessoa, mas mesmo se não encontrasse, ainda tinha que voltar para casa. Não havia outro lugar para ir. Não podia se esconder da realidade para sempre, ficando em seu barco. E sempre havia Gray e Adam. Ligaria para eles assim que chegasse a Nova York e os convidaria para jantar em algum lugar. Eles eram, de fato, alguém para quem voltar, os irmãos que aprendera a amar. Era grato por tê-los.

A volta para Nova York foi tranquila, e, diferentemente de Adam, Charlie pegava voos comerciais. Nunca lhe pareceu que valeria a pena comprar um avião. Mas o amigo viajava mais do que ele, o que fazia sentido. Charlie sabia, pelo itinerário que a secretária de Adam mandara, que ele também chegaria a Nova York aquela noite. Passara uma semana inteira em Las Vegas depois da viagem pela Europa com os filhos. Também recebera um e-mail de Adam convidando-o para um show na semana seguinte. Era um daqueles megaeventos que Charlie adorava e Gray dizia odiar. Para ele, parecia divertido, então respondeu dizendo que iria. Adam ficou muito feliz.

Nas últimas semanas, recebera poucas notícias de Gray. Charlie supôs que estivesse trabalhando e perdido no seu próprio mundo, no estúdio, depois de passar um mês sem pintar enquanto estava no barco. Às vezes Gray sumia durante semanas e depois reaparecia vitorioso quando conseguia acabar de pintar um quadro particularmente difícil. Charlie suspeitava de que ele estivesse em um desses períodos. Planejava telefonar para ele um dia daquela semana. E Gray ficaria surpreso ao escutar a voz dele, como sempre. Perdia totalmente a noção do tempo quando estava trabalhando. Às vezes não fazia ideia da época do ano em que estavam e passava dias ou até semanas sem sair do estúdio. Era sua forma de trabalhar.

O clima em Nova York estava quente e abafado, e Charlie chegou já no final da tarde. Passou pela alfândega rapidamente, sem nada a declarar. Seu escritório mandara um carro para esperá-lo, e, enquanto se aproximavam da cidade, a visão do Queens o deprimiu. Tudo parecia sujo, as pessoas pareciam suadas e cansadas, e quando abriu a janela do carro, o ar parecia uma baforada com mau hálito na sua cara, poluído de fumaça. Bem-vindo de volta.

Quando chegou em casa, tudo parecia ainda pior. A equipe de limpeza tinha deixado o apartamento arejar, mas ainda cheirava a mofo e parecia triste. Não havia flores, nenhum sinal de vida em lugar algum. Três meses era muito tempo. Toda a correspondência que não tinha sido encaminhada para a França estava amontoada no escritório. Havia comida na geladeira, mas nada pronto; bom, não estava com fome mesmo. Não havia recados na secretária eletrônica. Ninguém sabia que ele tinha voltado e, pior ainda, ninguém se importava. Pela primeira vez, Charlie ficou ali parado no seu apartamento vazio e se perguntou o que havia de errado com ele e seus amigos. Era isso que queriam? Era essa a ambição de Adam, com seus constantes esforços para não se envolver com ninguém seriamente e sair com colegiais e vadias? Que diabos estavam pensando? Era difícil responder a essa pergunta. Nunca se sentira tão sozinho na vida como aquela noite.

Nos últimos 25 anos, ele vinha peneirando mulheres como se fossem farinha, procurando uma imperfeição microscópica, como uma macaca procurando pulgas nos filhotes. E, inevitavelmente, ele as encontrava e tinha uma desculpa para terminar. E por isso estava ali, em uma noite de segunda-feira, num apartamento vazio, olhando para o Central Park e para casais que passeavam de mãos dadas ou apreciavam a paisagem deitados na grama. Certamente, nenhum deles era perfeito. Por que se sentiam satisfeitos com isso e ele não? Por que tudo tinha que ser tão perfeito na sua vida e por que nenhuma mulher era boa o suficiente para ele? Já fazia 25 anos que sua irmã tinha morrido. Trinta desde o acidente de seus pais na Itália. E desde então fizera de tudo para proteger sua vida vazia, observando, cada vez mais vigilante, os bárbaros tentarem atravessar os portões. Estava começando a se perguntar se não estava na hora de deixar um deles entrar. Por mais assustador que isso pudesse ter parecido até aquele momento, podia ser finalmente um alívio.

Capítulo 5

Apesar de querer parecer mais indiferente, Gray ligara para Sylvia na noite em que chegara a Nova York, no dia 1º de setembro. Era o final de semana do Dia do Trabalho, e ele imaginou que ela poderia estar viajando. Acabou descobrindo que não, o que foi um alívio. Ela parecera surpresa ao ouvir a voz dele, e por um momento ele se perguntou se a interpretara errado e se não deveria ter telefonado.

— Está ocupada? — perguntou, nervoso.

Ela parecia distraída e não muito satisfeita.

— Não, me desculpe. Estou com um vazamento na minha cozinha e não tenho ideia do que fazer.

Todos em seu prédio estavam viajando por causa do fim de semana prolongado.

— Chamou o zelador?

— Sim. A esposa dele está tendo neném hoje. O bombeiro que chamei disse que só pode vir aqui amanhã à tarde, e vai me cobrar o dobro, já que é feriado. Meu vizinho ligou para dizer que está pingando água pelo teto dele.

Ela parecia exasperada, o que era um pouco familiar para ele. Senhoritas aflitas eram sua especialidade.

— O que aconteceu? Começou do nada ou você fez alguma coisa?

Encanamentos não eram sua especialidade, mas ele tinha uma ideia de como as coisas funcionavam mecanicamente, e ela não. Consertar vazamentos era algo que ela não sabia fazer.

— Na verdade — ela começou a rir, constrangida —, eu deixei cair um anel na pia, então tentei tirá-lo antes que entrasse no esgoto de Manhattan. Consegui pegá-lo, mas alguma coisa deu errado e não consertei rápido o bastante. Parece que criei um vazamento maior. Agora não sei o que fazer.

— Desista do apartamento. Encontre um novo agora mesmo — sugeriu Gray, e Sylvia riu.

— Você está ajudando muito. Achei que fosse especialista em salvamentos. Que grande ajuda me deu.

— Minha especialidade são mulheres neuróticas, não problemas com encanamento. Você é normal demais. Ligue para outro bombeiro. — E então teve uma ideia melhor: — Quer que eu vá até aí?

Acabara de chegar do aeroporto. Nem se importara em olhar a correspondência. Fora direto para o telefone, ligar para ela.

— Alguma coisa me diz que você também não sabe o que fazer. Além disso, estou com a aparência péssima. Nem penteei o cabelo hoje.

Ficara em casa fazendo trabalho burocrático e as palavras cruzadas do *Times* de domingo. Era um daqueles dias de preguiça que ela não tinha nada importante para fazer. Às vezes era bom ficar na cidade quando todo mundo estava fora, embora no final do dia a solidão levasse a melhor, sem ter ninguém com quem conversar, o que a deixou ainda mais feliz por receber a ligação dele.

— Também estou péssimo. Acabei de sair do avião. Além disso, você provavelmente está melhor do que imagina. — Era possível ela ficar com a aparência péssima? Não conseguia imaginá-la de outra forma a não ser maravilhosa, mesmo com o cabelo despenteado. — Vamos combinar o seguinte, você penteia o cabelo, eu conserto a pia. Ou eu posso pentear o seu cabelo e você conserta a pia. Podemos revezar.

— Você é louco — disse ela, parecendo bem-humorada e achando graça. Tinha sido um solitário domingo de final de semana prolongado e ela estava feliz por falar com ele. — Vamos combinar: se você consertar a pia, peço uma pizza ou comida chinesa, você escolhe.

— O que você quiser. Comi no avião. Vou colocar minha roupa de bombeiro e em dez minutos estarei a caminho. Aguente firme até eu chegar.

— Tem certeza? — Ela parecia sem graça, mas satisfeita.

— Tenho.

Era uma forma fácil de se reencontrarem. Nada marcado antecipadamente, nada de roupas elegantes, nenhum dos inconvenientes de primeiro encontro. Apenas um vazamento na pia da cozinha e cabelo despenteado. Ele lavou o rosto, escovou os dentes, fez a barba e saiu dez minutos depois. Mais dez minutos e estava na porta dela. Ela morava em um loft no SoHo, mais ao sul que o estúdio dele. O prédio tinha sido reformado e parecia brilhar. Sylvia morava no último andar, e as obras de arte que ele viu por todos os lados assim que saiu do elevador eram sérias e impressionantes. Não era seu estilo de pintura, mas sabia que era o que ela vendia. Tinha alguns quadros de artistas mais famosos na sua coleção particular, que chamaram a atenção dele imediatamente. Dava para perceber, pela decoração do apartamento, que ela tinha ótimo gosto.

Sylvia fizera o mesmo esforço que ele: lavara o rosto, escovara os dentes, penteara o cabelo e colocara uma camiseta limpa. Além disso, estava descalça, de calça jeans, e pareceu feliz ao vê-lo. Ela abraçou-o rapidamente e o olhou de cima a baixo.

— Você não me parece um bombeiro.

— Não consegui encontrar o meu macacão, desculpe. Isso vai ter que servir. — Ele estava com bons sapatos e uma calça jeans limpa. — Você desligou a água? — perguntou enquanto Sylvia o acompanhava até a cozinha. Era muito bonita, toda de granito preto e cromo. Ela disse que tinha feito a maior parte do projeto sozinha.

— Não — respondeu, sem interesse, à pergunta dele sobre a água. — Não sei como fazer isso.

— OK — murmurou Gray para si mesmo enquanto entrava embaixo da pia onde havia uma cascata de água escorrendo pelo armário, e ela colocara toalhas em todo o piso.

Gray estava ajoelhado procurando o registro e pediu um alicate. Ela entregou-lhe e, um minuto depois, a água parou. Problema resolvido ou, pelo menos, sob controle por enquanto. Ele saiu de sob a pia com um enorme sorriso e com a calça jeans molhada do joelho para baixo, já que ficara agachado.

— Você é um gênio. Obrigada. — Ela correspondeu ao sorriso e então olhou para a calça dele. — Desculpe, você está todo molhado. Eu me ofereceria para colocar para secar, mas acho que seria muito precipitado pedir para você tirar as calças no primeiro encontro. Estou um pouco sem prática, mas acho que não é a coisa certa a se fazer. — Por outro lado, ela sabia que, se não fizesse isso, ele passaria o jantar inteiro molhado. E supôs corretamente: ele já estava cansado da viagem, não precisava ficar molhado e desconfortável também. — Talvez possamos esquecer a etiqueta dos encontros desta vez. Tire a calça. Vou colocá-la na secadora e pegar uma toalha para você. Podemos pedir pizza.

Cinco minutos depois, ela voltou com uma toalha de banho branca. Era uma daquelas macias e luxuosas. Ela apontou para o banheiro social, onde ele podia se trocar. Um minuto depois, ele saiu segurando a calça e com a toalha enrolada na cintura. Estava engraçado, já que, além da toalha, ele estava usando camiseta, meias e sapatos.

— Estou me sentindo um pouco ridículo — admitiu com um sorriso sem graça —, mas certamente me sentiria mais ridículo comendo pizza de cueca. — Ela riu, e ele a seguiu para a sala, que era enorme e cheia de quadros e esculturas, um excelente cenário para a arte dela. Ele notou alguns artistas importantes enquanto observava em volta. — Uau! Você tem coisas ótimas aqui.

— Coleciono há anos. Um dia vou dar para os meus filhos.

O que ela disse fez com que ele se lembrasse de que isso não era tão simples quanto parecia, para ele pelo menos. Ouvi-la falando dos filhos era como um balde de água fria. Nunca quisera se relacionar com mulheres que tivessem filhos. Mas Sylvia era diferente. Tudo nela era diferente das mulheres que já conhecera. Talvez os filhos dela também fossem diferentes. E, pelo menos, não eram dele. Tinha um terror psicótico quando se tratava de crianças pequenas, ou fobia delas. Não sabia o que isso significava, mas sabia que não era bom.

— Onde eles estão? — perguntou ele olhando em volta, nervoso, como se esperando que eles saíssem do armário e pulassem em cima dele, como cobras domesticadas ou um casal de pit bulls. Ela viu a expressão no rosto de Gray e achou engraçado.

— Na Europa, lembra? Onde moram. Em Oxford e Florença. Eles só vêm aqui no Natal. Você está a salvo. Embora eu gostaria que eles estivessem aqui.

— Vocês fizeram uma boa viagem? — perguntou ele sendo educado, enquanto ela voltava para a cozinha e ligava a secadora, depois voltava para a sala.

— Ótima. E vocês? Como foi o resto do passeio?

Ela se sentou no sofá, e ele, em uma enorme poltrona de couro preto, em frente a Sylvia. Estava linda descalça e de jeans, e ele estava feliz por vê-la. Fazia muito tempo, alguns anos talvez, que não se sentia tão feliz. Sentira saudades dela, o que parecia loucura até para Gray. Mal a conhecia, mas pensara constantemente nela nas últimas semanas da viagem.

— Foi ótima também — disse ele, sentado na poltrona enrolado na toalha, enquanto ela se esforçava para não rir. Ele parecia engraçado, vulnerável e encantador. — Na verdade — ele se corrigiu —, não foi. Foi boa. Mas não tão boa quanto Portofino e Sardenha com vocês. Pensei muito em você depois que foi embora.

— Também pensei em você — admitiu ela, sorrindo. — Estou feliz que tenha voltado. Não esperava que me ligasse logo.

— Nem eu. Ou, na verdade, esperava sim. Eu queria ligar para você assim que chegasse.

— Que bom que ligou. A propósito, que sabor de pizza você quer?

— De que você gosta?

— Qualquer coisa. Pepperoni, pesto, almôndegas, simples.

— Todas as opções — disse ele, observando-a. Ela parecia à vontade em seu domínio.

— Vou pedir uma com tudo, menos anchovas. Odeio anchova — disse ela, saindo da sala.

— Eu também.

Ela foi até a secadora e voltou com a calça jeans e a entregou a ele.

— Vista sua calça, vou pedir a pizza. Mais uma vez obrigada por consertar minha pia.

— Não consertei — lembrou ele —, só desliguei a água para parar o vazamento. Você tem que chamar um bombeiro aqui na terça-feira.

— Eu sei.

Ela sorriu para ele, que desapareceu de novo no banheiro, carregando a calça jeans. Saiu e entregou a toalha felpuda a ela, que pareceu surpresa ao pegá-la da mão dele.

— O que foi?

— Você não deixou a toalha jogada no chão do banheiro. Qual é o seu problema? Achei que todos os homens fizessem isso.

Ela estava sorrindo, e ele riu. Por um minuto, ela o tinha deixado preocupado, parecera muito surpresa quando ele lhe entregara a toalha. Aquele apartamento era tão impecavelmente arrumado que não podia imaginar o que mais poderia fazer com a toalha além de devolvê-la.

— Quer que eu volte e a deixe no chão? — ofereceu Gray, e ela balançou a cabeça e foi ligar para pedir a pizza.

Após a ligação, ofereceu-lhe uma taça de vinho. Na geladeira, havia muitas garrafas de excelentes vinhos da Califórnia, e Sylvia escolheu uma e abriu. Era um Chardonnay, que ele provou e achou delicioso.

Voltaram para a sala e se sentaram. Desta vez, ele se sentou perto dela no sofá, e não na poltrona do outro lado da mesa de centro. Sentia uma vontade enorme de puxá-la para si, mas ainda não estava pronto para isso, nem ela. Podia sentir o constrangimento palpável entre eles. Mal se conheciam e não se viam fazia semanas.

— Você também não é exatamente o que eu chamaria de uma mulher típica para mim — comentou ele, respondendo à surpresa dela por ele não ter jogado a toalha branca no chão. — Se fosse, estaria tendo um ataque histérico por causa do vazamento da cozinha, ou talvez até dizendo que a culpa era minha, ou alguma coisa que seu ex-marido ou ex-namorado estava fazendo para aterrorizá-la porque quer nos ver mortos. E que a qualquer momento ele pode subir pela escada de incêndio com uma arma na mão.

— Não tem escada de incêndio aqui — disse ela, como se estivesse pedindo desculpas, rindo do que ele tinha dito. Não conseguia nem imaginar as mulheres com quem ele se envolvera antes. E agora, nem ele.

— Isso simplifica as coisas — disse ele, admirando-a. — Adorei seu apartamento, Sylvia. É bonito, elegante, simples, exatamente como você.

Não era pretensioso ou ostensivo, mas tudo ali tinha estilo e muita qualidade.

— Também gosto. Tenho muitas preciosidades aqui com um enorme significado para mim.

— Dá para perceber — disse ele, pensando que ela estava se tornando rapidamente um tesouro que significava muito para ele.

Agora que a estava vendo de novo, percebia que gostava ainda mais dela do que antes. Havia algo de muito real e significativo em vê-la onde morava. Era diferente de vê-la em restaurantes ou no barco de Charlie. Nesses momentos, a considerava linda e atraente, mas agora parecia mais real.

Conversaram sobre a galeria e os artistas que ela representava enquanto esperavam a pizza chegar.

— Adoraria ver o seu trabalho — disse ela, ponderadamente.

— Eu também adoraria que você visse. Mas não é o tipo de arte que você expõe na sua galeria.

— Em qual galeria você expõe?

Ela estava curiosa; ele nunca tinha mencionado isso, e deu de ombros ao responder:

— Não tenho uma no momento. Eu estava muito insatisfeito com o meu último marchand. Preciso fazer alguma coisa para encontrar outro. Mas, de qualquer forma, ainda não tenho quadros o suficiente para uma exposição, então não estou com pressa.

A pizza chegou e Sylvia pagou, embora Gray tenha se oferecido. Ela disse que era o pagamento por ele ter acabado com o vazamento. Sentaram-se à mesa da cozinha e comeram enquanto conversavam, sentindo-se à vontade. Ela apagou as luzes, acendeu velas, serviu vinho para os dois e pegou belos pratos italianos para comerem. Tudo que fazia, tocava ou possuía tinha um quê de elegância e estilo. Estava usando os mesmos braceletes de turquesa que usara na Itália.

Ficaram sentados ali bastante tempo, conversando sobre nada em particular. Apenas curtiam a companhia um do outro, e ela estava feliz por ele ter ido até lá ajudá-la com o vazamento. Eram 22 horas quando ele finalmente admitiu que o fuso horário estava tomando conta de seu corpo, além do vinho, que também estava contribuindo para o sono. Ele se levantou da mesa e, com pesar, ajudou-a a colocar a louça na máquina de lavar, embora ela tivesse insistido que poderia fazer isso depois que ele fosse embora. Gostava de ajudá-la e podia ver que isso não era raro. Sylvia estava habituada a fazer tudo sozinha, assim como ele fizera a vida toda. Mas era mais legal fazer coisas juntos, e ele ficou triste em ter que ir embora. Gostava de estar com ela, e quando virou-se antes de ir, ela o estava encarando.

— Obrigada por vir e por me ajudar, Gray. Gostei muito. Eu já estaria nadando na minha cozinha a uma hora dessas se você não tivesse desligado a água.

— Você teria descoberto o que fazer. Foi uma ótima desculpa para vê-la — respondeu honestamente. — Obrigado pela pizza e pela ótima companhia. — Ele esticou o braço e a abraçou, beijou-a no rosto, então parou e fitou-a, segurando-a ali, se perguntando se era muito cedo. Havia uma pergunta nos olhos dele, e ela respondeu. Aproximou-se mais dele e puxou-o para si, e, ao fazer isso, seus lábios se encontraram, e foi difícil saber se ele a beijou ou se ela o beijou. Não importava mais, estavam abraçados, sentindo um desejo que os acompanhava havia algumas semanas e todo o vazio com que viveram durante meses e anos antes disso. Foi um beijo interminável, de tirar o fôlego, estimulante. E quando ele a abraçou depois, ela encostou o rosto no dele.

— Uau! — sussurrou Sylvia. — Eu não estava esperando fazer isso... achei que você só tinha vindo aqui para consertar a minha pia.

— E consertei — sussurrou ele em resposta. — Queria fazer isso na Itália, mas achei que era muito cedo.

Ela assentiu, sabendo que provavelmente teria sido. Queria ir para a cama com ele, mas sabia que ainda não era o momento, de acordo com todas as regras. Eles se conheciam havia pouco mais de um mês e não se viam fazia semanas. Um dia de cada vez, disse para si mesma. Ainda estava saboreando o primeiro beijo. E exatamente quando ela estava pensando sobre isso, ele a beijou de novo. Desta vez, com mais paixão, e ela não pôde deixar de imaginar quantas vezes ele já tinha feito isso com outras mulheres, quantos casos tivera, quantas mulheres loucas entraram em sua vida, querendo que ele as salvasse, quantas vezes a relação terminara e quantas vezes recomeçara com outra pessoa. Ele tivera uma vida cheia de relacionamentos sem sentido, como um carrossel de mulheres, e em toda a sua vida, ela só amara dois homens. E agora ele. Ainda não o amava. Mas achava que poderia. Havia algo nele que fazia com que ela quisesse que ele ficasse para sempre, nunca fosse embora. Como o homem que veio jantar e simplesmente se mudou de vez.

— É melhor eu ir — disse Gray com um tom de voz gentil e sensual que a deixou excitada só de escutar.

Ela assentiu, achando que deveria concordar, mas não concordou. Abriu a porta para ele, que hesitou.

— Se eu ligar a água amanhã — sussurrou ela —, você vai voltar para desligar de novo?

Ela o fitou com um olhar inocente, e ele riu.

— Eu poderia ligar agora e conseguir uma desculpa para ficar — murmurou ele, cheio de esperanças.

— Não preciso de uma desculpa, mas acho que não devemos — disse ela, timidamente.

— Por quê?

Ele estava acariciando o pescoço dela, e passando os lábios sedutoramente em seu rosto. Ela passou a mão no cabelo dele e puxou-o para mais perto.

— Acho que existe um livro de regras em algum lugar sobre situações como esta. Acho que diz que não devemos dormir com o outro no primeiro encontro, depois de comer pizza e consertar a pia.

— Droga, se eu soubesse disso não teria consertado a pia ou comido a pizza.

Ele sorriu para ela e continuou beijando-a. Ele a desejava mais do que desejara qualquer outra mulher de que se lembrasse. E podia ver que ela o desejava da mesma forma, mas ainda achava que não devia. Estava saboreando o momento e curtindo-o inteiramente.

— Podemos nos ver amanhã? — perguntou ela baixinho.

Era quase uma brincadeira, e ele ficou surpreso ao perceber que gostou, que esperaria por ela, pelo momento certo, independentemente de quando fosse. Para ele, teria sido naquela hora, ou quando ela quisesse. Estava disposto a esperar, se Sylvia preferisse. Valia a pena esperá-la. Esperara cinquenta anos por ela.

— Na sua casa ou na minha? — murmurou ele. — Eu adoraria que você fosse ao meu estúdio, mas está uma bagunça. Fiquei um mês fora e ninguém limpou. Talvez no final de semana. Que tal eu voltar aqui amanhã para ver se sua pia está funcionando?

A galeria estaria fechada, pois era Dia do Trabalho e ela estava planejando trabalhar em casa. Não tinha nada mais para fazer no dia seguinte.

— Vou ficar aqui o dia todo. Venha na hora que quiser. Vou preparar o jantar.

— Eu cozinho. Ligo para você de manhã.

Ele a beijou de novo e saiu, e ela ficou ali parada em silêncio, olhando para a porta depois de fechá-la. Ele era um homem extraordinário, e tinham vivido um momento mágico. Foi até seu quarto e olhou para o ambiente como se fosse a primeira vez e imaginou como ficaria com ele ali.

E quando Gray saiu do prédio e pegou um táxi, sentia como se toda a sua vida tivesse mudado em uma única noite.

Capítulo 6

Gray ligou para Sylvia às 10 da manhã seguinte. Seu apartamento estava uma bagunça, e ele nem se dera ao trabalho de desfazer a mala. Caíra na cama na noite anterior, pensando nela, e no momento em que acordou, telefonou. Ela estava vendo alguns papéis do trabalho e sorriu ao escutar a voz dele.

Um perguntou ao outro como tinham dormido. Ela passara metade da noite acordada, pensando nele, e ele dormira como um bebê.

— Como está a pia?

— Está bem. — Ela sorriu.

— Talvez seja melhor eu dar uma passada aí para ver.

Ela riu dele, e eles conversaram por alguns minutos. Gray disse que tinha algumas coisas para fazer em casa depois da viagem, mas se ofereceu para levar o almoço para ela por volta de 12h30.

— Achei que fôssemos jantar juntos — disse ela, parecendo surpresa, embora tivesse dito a ele que ficaria o dia todo em casa, o que era um convite subentendido e exatamente a intenção dela.

— Acho que não vou conseguir esperar tanto — disse ele, sendo honesto. — Esperei cinquenta anos para você aparecer. Mais nove horas podem me matar. Está livre para o almoço? — perguntou ele, nervoso, e ela sorriu.

Estava livre para o que ele quisesse. Decidira na noite anterior que estava pronta para deixá-lo entrar em seu mundo e compartilhar sua vida com ele. Não sabia por que isso lhe parecia certo, mas tudo sobre ele dava a entender que sim. Queria estar com Gray.

— Estarei livre a qualquer hora que você quiser aparecer.

— Posso levar alguma coisa? Quiche? Queijo? Vinho?

— Tenho bastante comida aqui. Não precisa trazer nada.

Havia tantas coisas que queria fazer com Gray: caminhar pelo Central Park, andar pelo Village, ir ao cinema, ficar na cama vendo televisão, sair para jantar, ficar em casa e cozinhar para ele, ver o trabalho dele, mostrar sua galeria ou apenas ficar na cama abraçadinhos. Mal o conhecia mas sentia como se o conhecesse a vida toda.

Em seu estúdio, Gray abriu sua correspondência, viu suas contas e tirou suas roupas da mala de forma desorganizada.

A maioria ficou caída no chão, ele só pegou o que queria. Tomou banho, fez a barba, se vestiu, preencheu rapidamente alguns cheques, saiu, colocou-os no correio e foi até uma floricultura que encontrou aberta. Comprou duas dúzias de rosas, pegou um táxi e deu ao motorista o endereço dela no SoHo. Ao meio-dia, ele tocou a campainha. O bombeiro tinha chegado, e ela arregalou os olhos assim que viu as rosas.

— Ah, meu Deus, são lindas... Gray, não precisava.

Sylvia estava sendo sincera, sabia que ele era um artista em dificuldades e ficou emocionada pela delicadeza e generosidade do gesto. Ele era um verdadeiro romântico. Após uma vida de narcisistas, finalmente encontrara um homem que se importava com ela.

— Se eu pudesse, lhe mandaria rosas todos os dias. Estas talvez sejam as últimas por um bom tempo — disse ele, triste. Ainda tinha de pagar o aluguel e a conta do telefone, e a passagem para a França tinha sido muito cara. Não permitiu que Charlie arcasse com a despesa. Achava que o mínimo que podia fazer era pagar sua própria passagem para chegar lá. Tivera esperanças de pegar uma carona no avião de Adam, mas ele fora para a Europa direto de Las Vegas, e para Londres com os filhos depois. — Quis trazer rosas para você porque hoje é um dia especial.

— E por quê? — perguntou ela, ainda segurando as flores nos braços e fitando-o com os olhos enormes. Estava animada e, ao mesmo tempo, assustada.

— Porque hoje é o começo... É onde vamos começar... onde tudo vai começar. Depois de hoje, nenhum de nós será o mesmo. — Ele a fitou, e então pegou as rosas dela e colocou o enorme buquê sobre uma mesa. Então, tomou-a nos braços, abraçou-a e beijou-a. Podia sentir que ela estava tremendo, então abaixou os olhos para fitá-la. — Quero que você seja feliz e que isto seja uma coisa boa para nós dois.

Na hora certa, queria compensar toda a dor e as decepções que ela sofrera. Queria compensar os absurdos e ofensas da sua própria vida. Era a chance que tinham de acertar e fazer diferença um para o outro.

Ela pôs as rosas em um vaso, que colocou em uma mesa na sala.

— Está com fome? — perguntou ao voltar para a cozinha. Ele seguiu-a e parou na porta, sorrindo. Sylvia era linda. Estava de camisa branca e calça jeans, e, sem dizer uma palavra, ele se aproximou dela e começou a desabotoar sua camisa. Ela simplesmente ficou parada ali, sem se mexer, observando-o. Gentilmente, ele deixou a camisa deslizar pelos ombros dela e jogou-a em uma cadeira, depois admirou-a como quem admira uma obra de arte ou algo que tinha acabado de pintar. Ela era perfeita. Sua pele não mostrava sinais da idade, e seu corpo era jovem, rígido e atlético. Ninguém o via fazia muito tempo, pois não existia nenhum homem para quem revelar quem era ou o que sentia, ou para se preocupar com o que ela queria ou precisava. Sentia-se como se estivesse sozinha havia mil anos, e agora ele, finalmente, a tinha encontrado. Era como fazer uma viagem com ele. Para um destino desconhecido, mas seguiriam juntos para onde quer que fossem.

Ele a pegou pela mão e levou-a para o quarto calmamente. Deitaram-se na cama juntos e, gentilmente, tiraram as roupas um do outro. Ela ficou deitada nua ao lado dele, e ele beijou-a enquanto as mãos dela começavam a descobri-lo, depois seus lábios, e ele, devagar, começou a explorar o corpo de Sylvia. O que ele fazia era irresistível, e a longa e lenta satisfação do desejo dele teria sido uma tortura se não fosse exatamente o que ela queria. Era como se a conhecesse desde sempre. Sabia exatamente onde ficar, o que fazer e como chegar lá, e ela fez o mesmo. Era como uma dança que sempre souberam dançar juntos, seus ritmos perfeitamente sintonizados, seus corpos se encaixando como duas metades de um todo. O tempo pareceu parar, até que tudo voltou a se movimentar rapidamente, e então, finalmente, os dois atingiram a estratosfera juntos, e ela ficou deitada nos braços dele em silêncio, beijando-o e sorrindo.

— Obrigada — sussurrou ela, deitada nos braços dele, e Gray puxou-a para mais perto. Seus corpos ainda estavam entrelaçados, e ele sorriu para ela.

— Eu esperei por você toda a minha vida — respondeu ele, também em um sussurro. — Não sabia onde você estava... mas sempre soube que estava em algum lugar.

Ela não era tão crédula quanto ele, tinha perdido as esperanças anos antes de um dia encontrá-lo. Estava certa de que tinha sido condenada a passar o resto da vida sozinha. Ele era um presente que ela já tinha desistido de esperar havia muito tempo, e nem sabia mais que ainda desejava. E agora ele estava ali, na sua vida, na sua cabeça, no seu coração, na sua cama, e em cada centímetro do seu corpo. Gray se tornara uma parte dela para sempre.

Ficaram deitados na cama até ambos pegarem no sono, e acordaram horas depois, saciados, tranquilos, felizes. Finalmente, foram para a cozinha e prepararam o almoço juntos, nus. Ela não sentia vergonha perto dele, nem ele, e embora seus corpos não fossem mais perfeitos como um dia foram, sentiam-se totalmente à vontade um com o outro. Almoçaram na cama, conversando e rindo juntos. Tudo entre eles era simples, engraçado e fácil.

Tomaram banho juntos depois, então se vestiram e saíram para uma longa caminhada pelo SoHo. Pararam em lojas, olharam galerias de arte, compraram picolé na rua e dividiram. Eram 18 horas quando, finalmente, voltaram para a casa dela, depois de alugar dois filmes antigos. Voltaram para a cama e assistiram juntos, fizeram amor de novo e, às 22 horas, ela se levantou e preparou o jantar para ele.

— Quero que você vá à minha casa amanhã — disse ele quando Sylvia voltou com o jantar. Tinha feito ovos mexidos com queijo e bolo. Era o final perfeito para o dia especial deles, um dia que nenhum dos dois jamais esqueceria. E ainda havia muito mais para descobrirem.

— Quero ver seus trabalhos mais recentes — insistiu ela, pensando nisso de novo, enquanto comiam os ovos.

— É por isso que quero que vá até lá.

— Se quiser, posso ir com você para casa pela manhã. Tenho que estar na galeria ao meio-dia, mas podemos ir lá antes disso.

— Eu adoraria — disse ele, sorrindo.

Terminaram os ovos, desligaram a televisão e se aninharam na cama, abraçados.

— Obrigada, Gray — sussurrou ela de novo.

Ele já estava quase dormindo, e apenas sorriu e assentiu. Ela o beijou com delicadeza no rosto, aproximou-se mais e, momentos depois, ambos estavam dormindo profundamente, em paz, como crianças felizes.

Capítulo 7

SYLVIA DESPERTOU CEDO na manhã seguinte. Acordou e viu Gray dormindo ao seu lado e, por uma fração de segundo, ficou assustada, então aninhou-se nele e ficou ali, sorrindo pelo que tinha acontecido. Se começassem a ter uma relação séria, seria uma enorme mudança em sua vida. E ainda maior na dele. Ele nunca tivera uma mulher normal, e ela não tinha um companheiro havia anos.

Levantou-se da cama devagarzinho e foi tomar banho. Deixou-o dormir por quanto tempo quisesse e preparou o desjejum para os dois. Acordou-o com uma bandeja de café da manhã na cama. Era uma diferença enorme com relação às mulheres que ele tinha alimentado, servido, cuidado, dado remédio, pois não eram responsáveis o suficiente para tomá-los sozinhas. Ele fitou Sylvia encantado, enquanto ela colocava a bandeja sobre a cama e beijava o ombro dele. Gray estava bonito e sensual deitado ali na cama dela, mesmo com o cabelo despenteado. Ela adorava a aparência dele: era forte, interessante e muito masculino.

— Eu morri e fui para o céu ou isto é um sonho? — Ele colocou os braços atrás da cabeça e ficou deitado sorrindo para ela. — Acho que nunca tomei café da manhã na cama, a não ser duas fatias de pizza fria no papel-toalha.

Ela até colocara um vasinho com uma rosa na bandeja. Era divertido mimá-lo. Tinha sentido falta de ter alguém para agradar e de quem cuidar. Na maior parte de sua vida adulta, teve um marido e filhos para criar. Agora todos tinham ido embora. E ela estava animada por poder paparicá-lo.

— Não queria te acordar — desculpou-se ela.

Já eram 10 horas e ela queria visitar o estúdio dele, conforme tinham combinado, antes de ir para o trabalho. Gray olhou o relógio, incrédulo.

— Meu Deus. A que horas você acordou?

— Umas 7. Raramente durmo até tarde.

— Nem eu. Mas dormi como um bebê esta noite. — Ele sorriu para ela e então se levantou para pentear o cabelo e escovar os dentes. Voltou logo e se acomodou na confortável cama para tomar café da manhã na bandeja. — Você vai acabar me mimando, Sylvia. Vou ficar gordo e preguiçoso.

Ela desconfiava que ele não corria esse risco. Estava apenas curtindo estar com Gray e fazer as coisas para ele. Entregou-lhe o jornal, que já lera, enquanto tomava café com torradas na cozinha. Ele deu uma olhada e o deixou de lado. Preferia conversar com ela.

Bateram papo enquanto Gray comia; depois ele se levantou e se arrumou. Saíram em direção ao estúdio às 11 horas, de mãos dadas. Ela se sentia como uma adolescente vivendo um novo romance, mas já fazia tanto tempo que não se sentia assim que estava curtindo cada segundo. Estava sorrindo quando o sol de setembro bateu em seu rosto, e ele chamou um táxi. Era uma curta distância até o apartamento dele, e enquanto subiam os quatro lances de escadas no velho prédio de arenito pardo, ele se adiantou e pediu desculpas pela desordem.

— Fiquei fora um mês e, para ser honesto, já estava uma bagunça antes. Na verdade — ele abriu um enorme sorriso, um pouco sem ar ao chegarem ao seu andar —, está uma bagunça há anos.

Assim como a vida dele, mas não disse isso. Ele costumava ser um pilar de segurança para as mulheres com quem saía, mas, comparado com Sylvia, parecia bagunceiro e desorganizado. Ela administrava uma galeria muito bem-sucedida, tivera dois relacionamentos duradouros na vida, criara dois filhos normais e saudáveis até se tornarem adultos, e tudo na vida e no apartamento dela era impecável, organizado e perfeito. Quando abriu a porta de seu apartamento, mal conseguiram entrar. Uma das suas malas estava bloqueando a entrada, havia pacotes que o zelador tinha acabado de entregar e uma pilha de correspondências tinha caído e se espalhado pelo chão. As contas que tinha pago na véspera estavam abertas sobre a mesa. Havia roupas no sofá, as plantas tinham morrido, e tudo no apartamento parecia velho e gasto. Tinha um clima confortável, masculino. Os móveis eram bons, embora o estofamento estivesse gasto. Tudo era de segunda mão. Havia uma mesa de jantar redonda em um canto, onde ele jantava com amigos de vez em quando, e logo depois vinha a ex-sala de jantar, que, desde que morava ali, era seu estúdio. Por isso é que ela tinha ido até ali.

Sylvia foi direto para lá, enquanto ele tentava, em vão, arrumar o lugar, mas logo percebeu que era impossível. Em vez disso, seguiu-a até o estúdio e ficou observando a reação dela ao seu trabalho. Tinha três quadros em cavaletes, em diferentes estágios de desenvolvimento. Um estava quase acabado; outro, ele começara pouco antes de viajar; e estava refletindo sobre o terceiro, que planejava mudar, pois não estava ficando bom.

E havia pelo menos mais uns 12 quadros encostados nas paredes. Ela estava impressionada com a força e a beleza das obras dele. Eram realistas e meticulosas, a maioria escura, com luzes extraordinárias incidindo sobre elas. Havia uma com o rosto de uma mulher usando um vestido de camponesa da Idade Média, que evocava a arte de um antigo mestre. As pinturas dele eram realmente bonitas, e ela se virou para Gray com admiração e respeito. Era completamente diferente do que costumava expor na galeria, que era atual, novo, na moda. Tinha uma verdadeira paixão por artistas emergentes, e o que ela expunha era fácil de se olhar e divertido de se conviver. Também vendia quadros de alguns pintores jovens muito bem-sucedidos, mas nenhum tinha a habilidade dele, a maestria e o conhecimento que mostrava em seu trabalho. Já sabia que Gray era um artista de primeira, mas o que via em seus quadros agora era maturidade, sabedoria e um talento infinito. Foi, então, para o lado dele, olhando para os quadros, querendo absorver a magia deles ao máximo.

— Uau! São simplesmente incríveis! — Agora ela compreendia por que ele pintava apenas dois ou três quadros por ano. Mesmo trabalhando em vários ao mesmo tempo, como a maioria dos artistas fazia, devia levar meses ou até anos para terminar um. — Estou chocada. — Ele parecia satisfeito com a reação dela. Havia um quadro de uma cena aquática que era simplesmente impressionante, com a luz do sol refletindo sobre a água no fim do dia. Dava vontade de ficar ali parada, admirando-o eternamente. Ao ver os quadros, Sylvia soube que Gray precisava de uma galeria importante para expor seu trabalho, para representá-lo, e sabia que esse espaço não era o seu. Gray estava ciente do tipo de obras que ela vendia, mas quisera mostrar seus quadros para que ela o conhecesse. Respeitava muito o conhecimento que ela tinha de história da arte e até de pintura moderna. Sabia que se a reação dela fosse positiva, seria como um elogio. E, independentemente de ela gostar ou não, era o que ele fazia. — Você precisa encontrar uma galeria para representá-lo, Gray — disse ela, com firmeza. Ele tinha dito que ninguém o representava havia quase três anos. Vendia seus quadros para antigos clientes, e para amigos, como Charlie, que compravam muitos quadros seus e também achavam que eram ótimos. — É um crime deixar tudo isso aqui, sem estar exposto em algum local.

Havia muitos deles encostados nas paredes.

— Odeio todos os marchands que conheço. Não ligam a mínima para a arte, só para o dinheiro. Por que deveria dar meu trabalho para eles? Pelo menos para mim, não se trata só de lucro. — Era fácil perceber isso pela forma como ele vivia.

— Mas você precisa comer — ela o repreendeu, com delicadeza. — E nem todos os marchands são gananciosos e irresponsáveis. Alguns realmente gostam do que fazem. Eu gosto. Posso não vender obras desse calibre ou tão brilhantes quanto as suas, mas acredito nas obras que vendo e nos meus artistas que também têm muito talento. Apenas expressam de uma forma diferente da sua.

— Sei que você gosta do que faz. Está na sua cara, é por isso que eu queria que visse meu trabalho. Se fosse como os outros, eu não teria convidado. E se você fosse como eles, eu não teria me apaixonado. — Era uma afirmação e tanto depois da primeira noite juntos, e ela demorou um momento para responder. Adorava estar com ele e queria conhecê-lo melhor, para ela, isso também era sério, mas não sabia ainda se o amava. Por mais animada que estivesse, ainda era cedo demais. Para Gray também. Mas ele estava indo mais rápido do que os dois tinham planejado, e ela também. Ver o trabalho dele, e saber que ele ousava ser vulnerável com ela, fez com que gostasse ainda mais dele. Sylvia lançou-lhe um olhar que dispensava quaisquer palavras, e ele a tomou nos braços e beijou-a.

— Amei o seu trabalho, Gray — murmurou ela.

— Você não é minha marchand — implicou ele. — A única coisa que precisa amar é a mim.

— Estou chegando lá — disse ela, sendo honesta. Na verdade, mais rápido do que esperava.

— Eu também — disse ele.

Sylvia ficou fitando o trabalho dele por um longo momento, como se estivesse em outro planeta. Sua mente estava a mil por hora.

— Quero encontrar uma galeria para você. Já tenho algumas ideias. Podemos ir conhecê-las esta semana e ver o que você acha.

— Não importa o que eu acho Depende da forma como eles pensam. Não precisa se preocupar com isso. Já tem muita coisa para fazer, e não tenho quadros suficientes para uma exposição ainda — respondeu com modéstia. Não queria tirar vantagem dos contatos dela. O que sentia por Sylvia era totalmente íntimo e pessoal, não tinha nada a ver com seu trabalho ou em querer que ela o apresentasse a alguém, e ela sabia disso.

— Até parece que você não tem o suficiente para uma exposição — disse ela com rigor, como teria dito a um de seus jovens artistas, sendo um pouco marchand, um pouco mãe. Mas muitos deles precisavam ser incentivados. Poucos deles, se é que algum, sabiam o quanto eram talentosos. Não os bons de verdade. Os jovens exibidos raramente eram tão bons. — Olhe para tudo isso — disse ela, gentilmente mexendo nos quadros para que pudesse ver o que tinha atrás.

Era um material lindo, tão bom quanto os que estavam nos cavaletes, ou até melhor.

Prontos, seus quadros pareciam ter luz própria, como se alguns fossem iluminados por uma vela, outros por fogo. Havia uma qualidade luminosa neles que ela nunca vira em trabalhos recentes. Pareciam saídos diretamente da Renascença e dos antigos mestres. Ainda assim, tinham uma leveza atual. A técnica dele era notável, e uma arte perdida. Sylvia sabia que ele tinha estudado na França e na Itália, assim como sua filha. No caso de Gray, lhe dera uma base sólida. Na sua opinião, o trabalho dele era nada menos que brilhante e inspirado.

— Gray, precisamos encontrar uma galeria para você, goste você ou não.

Era o tipo de atitude que teria tomado pelas mulheres que passaram pela sua vida, ajudá-las a encontrar uma galeria, um marchand ou um emprego, e geralmente os resultados eram desastrosos. Ninguém nunca se oferecera para ajudá-lo, exceto, talvez, Charlie. Mas Gray não gostava de se impor a ninguém, principalmente a seus amigos e àqueles que amava.

— Eu não preciso de uma galeria, Sylvia. De verdade, não preciso.

— E se eu encontrar uma da qual você goste? Vai, pelo menos, conhecer e conversar com eles?

Ela o estava pressionando, mas ele a amava por isso. Não tinha nada a ganhar, só queria ajudá-lo. Assim como ele tinha feito durante tanto tempo. Ele sorriu e assentiu em resposta. Ela já tinha decidido para quem ligaria, havia pelo menos três possibilidades perfeitas para ele. Sabia que, se pensasse mais, haveria outras galerias mais ao norte na cidade, as importantes, que expunham obras de arte como as dele. Definitivamente, não galerias no SoHo, como a dela. Ele precisava de um lugar totalmente diferente. Nova York e também Londres. As galerias certas teriam contato em outras cidades. Na opinião dela, era lá que as obras dele mereciam estar.

— Não se preocupe com isso — disse Gray gentilmente, sendo sincero. — Você já tem muita coisa com que se preocupar. Não precisa de mais um projeto. Não quero lhe dar mais trabalho. Só quero ficar com você.

— Eu também — disse ela, sorrindo.

Mas também queria ajudá-lo. Por que não? Ele merecia. Ela conhecia artistas que eram péssimos negociantes e incapazes de vender suas próprias obras. Era por isso que eles precisavam de marchands. Gray também precisava de um. Ela estava determinada a ajudá-lo; e, se Deus quisesse, a ter uma relação com ele. Mas isso ainda veriam. Mas, independentemente disso, não havia razão para não ajudá-lo a fazer os contatos certos para sua arte. Conhecia praticamente todas as pessoas do meio em Nova York. Provara ser uma pessoa tão honrada e decente que as portas se abriram para ela com facilidade. E uma vez que abrisse a porta certa para Gray, o resto estaria nas mãos dele. Só queria ser o canal, que era um objetivo perfeitamente respeitável entre eles, mesmo se acabassem sendo apenas amigos que tiveram um rápido romance.

Sylvia olhou para o relógio. Já era quase meio-dia e precisava ir para a galeria. Ele prometeu ligar mais tarde, ela se despediu com um beijo e, no momento seguinte, estava descendo as escadas quando ele a chamou.

— Obrigado! — gritou ele, e ela olhou para cima com um enorme sorriso. Acenou e foi embora.

Quando chegou ao escritório, encontrou o caos usual. Dois artistas tinham ligado, nervosos com suas exposições. Um cliente estava chateado porque um quadro ainda não tinha sido entregue.

Outra pessoa ligou para saber de uma pintura que tinha encomendado. O instalador sofrera um acidente de moto, quebrara os dois braços e não poderia montar a exposição seguinte. Ela tinha uma reunião com o designer gráfico naquela tarde para resolver os últimos detalhes do prospecto da exposição que estava produzindo. Tinha um prazo a cumprir para o anúncio da galeria na *Artforum*, e o fotógrafo ainda não tinha entregado as provas das fotos da escultura que apareceria no anúncio. Não teve tempo nem para respirar até as 16 horas. Mas assim que conseguiu parar, fez algumas ligações para Gray. Foi mais fácil do que esperara. Os marchands para quem ligou confiavam na sua reputação, no seu gosto e na sua opinião. A maioria das pessoas que a conhecia achava que ela tinha um bom olho e um instinto para boa arte. Dois dos galeristas pediram que ela mandasse slides. O terceiro chegaria de Paris aquela noite, então ela deixou um recado para que retornasse a ligação. Ela ligou para Gray após isso. Era uma mulher com uma missão. Ele riu no momento em que escutou a sua voz. Parecia um redemoinho, e ele acalmou-a dizendo que tinha slides. Se ele não tivesse, ela mandaria um fotógrafo na mesma hora para fazer.

— Tenho pilhas de slides, se é tudo que você quer.

— Por enquanto, basta — disse ela, feliz, e avisou que mandaria um mensageiro dentro de meia hora para pegá-los.

— Nossa, você não perde tempo, não é?

— Não com trabalhos tão lindos quanto os seus... Além disso — disse, falando um pouco mais devagar. Para ela, aquilo não eram negócios, era romance, precisou se lembrar —, quero que aconteçam coisas boas para você.

— Já aconteceu, em Portofino. O resto é o lucro.

— Bem, vou cuidar do resto — disse ela, confiante, e ele sorriu.

— Esteja à vontade.

Ele estava adorando a atenção que estava recebendo, não estava acostumado a isso. Não queria se aproveitar dela, mas o fascinava observá-la trabalhando e levando a vida. Não era uma mulher que se assustava com os obstáculos ou que aceitava o fracasso. Sylvia simplesmente arregaçava as mangas e colocava a mão na massa, qualquer que fosse o trabalho.

O mensageiro apareceu na porta de Gray exatamente às 16h30, levou os slides para Sylvia, e, pouco depois das 17 horas, ela já tinha mandado tudo com uma carta de recomendação para os marchands com quem tinha falado sobre o trabalho de Gray. Sylvia saiu da galeria às 18 horas e, assim que chegou em casa, recebeu uma ligação de Gray sugerindo que jantassem juntos. Ele queria levá-la a um pequeno restaurante italiano perto da casa dele. Ela adorou a ideia. Era um lugar engraçado e aconchegante, a comida era uma delícia e ela ficou aliviada ao ver no cardápio que era barato. Não queria que ele gastasse dinheiro com ela, e também não queria humilhá-lo oferecendo-se para pagar. Desconfiava de que cozinhariam muito um para o outro no futuro. Depois do jantar daquela noite, ele a levara para casa e ficara lá. Estavam começando uma rotina maravilhosa.

Prepararam o café da manhã juntos no dia seguinte, e no outro Gray o levou para ela na cama. Disse que era a vez dela. Ela nunca tinha tido a sua vez, mas agora eram parceiros, mimando, escutando e consultando o outro sobre o que pensavam. Naquele momento, tudo estava perfeito. Sylvia se assustava um pouco em pensar no futuro, ou em ter esperanças demais de que isso significasse mais do que realmente era. Mas, independentemente do que fosse e de quanto tempo durasse, por enquanto estava ótimo para ambos, e era tudo que sempre sonharam. O sexo era o melhor que já haviam tido. Tinham idade, sabedoria e experiência o suficiente para cuidar e garantir a satisfação do outro. Nada no relacionamento deles era egoísta. Os dois gostavam de fazer o outro feliz, na cama ou fora dela. Após uma vida inteira de erros, ambos eram sábios e experientes. Como um bom vinho que maturou perfeitamente no decorrer dos anos. Não muito velho, mas com idade suficiente para ser vigoroso e delicioso. Embora os filhos dela pudessem achá-los velhos demais, na verdade estavam na idade perfeita para curtir e apreciar a companhia um do outro. Sylvia nunca tinha sido tão feliz na vida. Nem Gray.

Os dois marchands para quem ela mandou os slides ligaram no mesmo dia. Ambos estavam interessados e queriam ver amostras do trabalho. O terceiro ligou dois dias depois quando chegou de Paris e tinha a mesma intenção. Sylvia contou para Gray durante o jantar naquele mesmo dia.

— Acho que você vai poder escolher — disse ela, parecendo estar em êxtase.

Gray ficou admirado. Ela tinha vencido. Em poucos dias, Sylvia tinha tirado Gray da letargia, mandado slides do trabalho dele para os lugares certos e, assim, aberto várias portas.

— Você é uma mulher incrível — disse ele, sendo que seus olhos já expressavam tudo.

— Você é um homem incrível e um artista extraordinário.

Ela combinou que levariam alguns quadros dele às três galerias no sábado de tarde. Disse que podiam usar sua van.

E, como prometido, apareceu no estúdio dele no sábado de manhã de casaco de moletom e calça jeans para ajudá-lo a carregar o material. Demoraram duas horas para levar para baixo tudo que ele selecionara. Gray estava constrangido pelo esforço de Sylvia. Já bancara sua madrinha. Odiava fazê-la trabalhar como carregadora também, mas para ela era uma diversão.

Ela levara um suéter e sapatos melhores para trocar quando fossem às galerias nas quais tinham marcado hora. Por volta das 17 horas, já tinham terminado. Todos ficaram impressionados com o trabalho dele e fizeram propostas. Gray não podia acreditar no que ela tinha feito, e até ela teve que admitir estar satisfeita.

— Estou orgulhosa de você — disse ela, com um enorme sorriso.

Ambos estavam exaustos, mas felizes. Levaram mais duas horas para levar os quadros dele para cima de novo. Ele ainda não tinha se decidido sobre qual das três galerias escolher. Mas naquela mesma noite, tomou uma decisão, e ela achou que era a certa. Era um estabelecimento importante na 57th Street, com uma filial grande em Londres e outra em Paris, com quem trocavam trabalhos. Ela disse que era perfeita para ele, e ficou animada com a escolha.

— Você é incrível — disse ele, sorrindo.

Não sabia se ria ou se chorava, por estar tão emocionado pelo que ela tinha feito. E revelou isso enquanto estavam sentados no sofá de sua sala, no meio de uma bagunça ainda maior do que no início da semana. Tinha passado dias pintando, inspirado pela energia dela, e nem pensara em arrumar. Ela não se importava e parecia nem ver. Ele amava isso nela; na verdade, não havia nada nela que não amasse. Na opinião de Gray, era a mulher perfeita, e ele queria ser o homem perfeito para ela e dar-lhe tudo que nunca tivera e sempre desejara. Não havia muito que pudesse fazer além de estar ao seu lado e amá-la, que era exatamente o que ela queria.

— Eu amo você, Sylvia — disse ele baixinho, fitando-a no olho.

— Eu também amo você — disse ela suavemente. Não tinha nem certeza se queria amá-lo, mas os dias e noites que tinham passado juntos significavam alguma coisa. Ela gostava da forma como ele pensava e no que acreditava. Amava a integridade dele e as causas que defendia. E também admirava o trabalho dele. Não precisavam fazer nada, ir a lugar nenhum, tomar nenhuma decisão. Só precisavam curtir esse amor. Era a primeira vez na complicada vida dos dois que tudo era simples. — Quer que eu prepare o jantar? — perguntou ela, com um sorriso.

As únicas decisões que precisavam tomar eram onde comer e na casa de quem dormir. Ele gostava de dormir no apartamento dela, e ela também preferia. O dele era uma bagunça muito grande, embora ela gostasse de visitá-lo e ver o progresso de seu trabalho.

— Não — disse Gray com firmeza. — Não quero que faça o jantar hoje. Quero levá-la para jantar fora e comemorar. Você conseguiu uma galeria excelente para mim esta semana. Eu nunca teria conseguido isso sozinho. Teria ficado aqui, sentado em cima de todos esses quadros, sem forças para me mexer.

Ele não era preguiçoso, longe disso. Mas era modesto em relação ao seu trabalho. Ela conhecia muitos artistas como ele. Precisavam de alguém para agir por eles e preencher essa lacuna. Ela ficara feliz de fazer isso, com resultados muito bons.

Naquela noite, jantaram em um pequeno restaurante francês no Upper East Side, com uma comida gostosa e bons vinhos franceses. Para eles, era uma verdadeira comemoração pela nova galeria e por tudo que tinham pela frente. Enquanto voltavam para o apartamento dela, de táxi, conversaram sobre Charlie e Adam. Gray não via Adam desde que tinha voltado, nem havia ligado, e sabia que Charlie ainda não voltara, mas também não tinha entrado em contato. Não era raro ficar sem ligar, principalmente quando estava envolvido com seu trabalho. Eles estavam acostumados com seus sumiços da terra e ligavam para ele quando desaparecia por muito tempo. Descreveu a amizade deles para Sylvia naquela noite, sua intensidade e a generosidade dos amigos com ele. Conversaram sobre os motivos que levaram Charlie a nunca se casar e Adam a nunca tentar de novo. Sylvia disse que sentia pena deles. Charlie lhe parecia um homem solitário, e ficou triste ao ouvir a história de sua família, das perdas irreversíveis que sofrera. No final, perdê-los custou-lhe a oportunidade de ser amado por alguém, o que aumentava exponencialmente a tragédia de sua vida.

— Ele diz que quer se casar, mas acho que isso nunca vai acontecer — disse Gray de forma filosófica. Ambos concordaram que Adam era outra história. Amargurado por causa de Rachel, com raiva da mãe, só queria prostitutas e garotas com idade para serem suas filhas. Sylvia achava uma vida vazia. — Quando você conhecê-lo melhor, vai ver que é um cara legal — disse Gray, sempre leal ao amigo.

Sylvia não parecia tão convencida. Era fácil ver qualidades e mérito em Charlie. Mas Adam era o tipo de homem que sempre a deixava irritada. Esperto, autoconfiante, arrogante, bem-sucedido, sem utilidade para as mulheres, exceto como objetos sexuais e de decoração. Ele nunca sonharia em sair com uma mulher da sua idade. Não fez nenhum comentário com Gray, mas não respeitava homens como Adam. Na opinião dela, ele precisava de terapia, um bom pé na bunda e uma grande lição. Esperava que qualquer dia desses alguma garota esperta fizesse isso. No ponto de vista dela, isso estava por vir. Gray pensava diferente. Achava que ele era um cara genial que se desiludira quando a esposa o abandonara.

— Não justifica usar as pessoas ou desrespeitar as mulheres.

Sylvia também sofrera por ser abandonada, mais de uma vez, mas isso não tinha feito com que passasse a usar os homens como objetos descartáveis. Longe disso. Fizera com que se isolasse e lambesse as próprias feridas, e pensasse em como e por que isso tinha acontecido, antes de mergulhar no mundo de novo. Mas, de novo, ela era mulher. O sexo feminino funcionava diferente do masculino e chegava a conclusões diferentes. A maioria das mulheres que sofrera muito por amor se isolava para cuidar das feridas, enquanto a maioria dos homens que sofria saía correndo pelo mundo se vingando nas outras. Ela tinha certeza, como Gray disse, que Adam tratava bem as mulheres com quem saía. O problema era que ele não as respeitava e nunca entenderia o que ela e Gray estavam compartilhando. Ele nunca teria deixado isso acontecer ou ousado confiar. O que a fazia perceber, mais uma vez, o milagre que era ela e Gray terem se conhecido.

Sylvia se aninhou nele na cama aquela noite, sentindo-se segura, amada e sortuda. E se, no final, ele fosse embora de novo, pelo menos teriam tido este momento mágico. Ela sabia que podia sobreviver ao que quer que fosse. Gray amava isso nela. Era uma sobrevivente, e ele provara durante sua vida que também era. As decepções pelas quais passaram pelo menos os deixaram mais generosos, sábios e pacientes. Não tinham a menor vontade de magoar o outro ou quem quer que fosse. E, independentemente do que acontecesse ou não entre eles, além dos sonhos, da esperança, do romance, do sexo — melhor de todos —, eles tinham se tornado amigos e estavam aprendendo a se amar.

Capítulo 8

— VOLTEI. VOCÊ ESTÁ BEM? — Charlie telefonou para Gray em seu estúdio na segunda-feira, parecendo preocupado. — Não tenho notícias suas há semanas. Liguei algumas vezes desde que cheguei, mas é sempre a secretária eletrônica que atende, a qualquer hora — reclamou Charlie, enquanto Gray se dava conta de que provavelmente estava na casa de Sylvia todas as vezes em que Charlie ligara, mas não disse nada.

Tinha sido um final de semana delicioso para o casal, e Charlie não fazia ideia do que tinha acontecido desde a volta de Gray para Nova York. No final de semana que passara na casa de amigos nos Hamptons, Charlie percebera que não havia tido praticamente nenhuma notícia do amigo desde que voltara. Apenas uns dois e-mails no início de setembro, quando ainda estava no barco, e mais nada. Normalmente, quando tudo estava bem, Gray costumava ver seus recados, mas desta vez não vira.

— Estou bem — disse Gray, feliz. — Só tenho trabalhado muito.

Não contou nada sobre Sylvia ainda, mas ambos tinham concordado no final de semana que estava na hora de contar para seus dois amigos. Ela queria esperar para conversar com os filhos. Estavam juntos havia quase um mês, e, pelo que os dois estavam percebendo, era sério. Ela estava um pouco preocupada com a possibilidade de Charlie e Adam ficarem com ciúmes ou mesmo ressentidos. Envolvido em um relacionamento sério, Gray estaria menos disponível para eles, e ela tinha a impressão de que eles não aceitariam bem isso. Gray insistira que esse não era o caso, mas Sylvia não estava convencida.

Contou para Charlie sobre a nova galeria, e ele assoviou.

— Como isso aconteceu? Não posso acreditar que você tenha finalmente acordado e encontrado uma galeria para vender seus quadros. Já estava mais do que na hora.

Charlie estava feliz por ele.

— Foi o que pensei.

Não deu os créditos a Sylvia ainda, mas pretendia fazer isso na próxima vez que se encontrasse com Charlie. Não queria falar sobre o assunto por telefone.

— Que tal almoçarmos juntos um dia desses? Não nos vemos desde o barco — disse Charlie.

Iria a um show com Adam no final daquela semana. Era difícil encontrar Gray. Ele costumava se envolver com o trabalho e se isolar durante semanas. Mas parecia bem-humorado, e se tinha assinado um contrato com uma galeria importante, era óbvio que estava tudo bem.

— Eu adoraria almoçar com você — disse Gray logo. — Quando?

Era raro ele ficar tão ansioso e entusiasmado por encontrar os amigos. Na maioria das vezes, tinham que arrastá-lo para longe de seus cavaletes. Porém, Charlie não fez nenhum comentário. Supôs que Gray estava animado com o contrato que assinara.

Na mesma hora Charlie consultou sua agenda. Estava cheio de reuniões na fundação, muitas das quais incluíam almoço. Mas tinha uma brecha na hora do almoço no dia seguinte.

— Que tal amanhã?

— Por mim, está ótimo.

— No iate clube?

Era a opção preferida de Charlie para o almoço, lá ou em um dos outros clubes dos quais era sócio. Gray achava o local conservador demais, e Adam concordava, mas faziam a vontade dele.

— Por mim, está mesmo ótimo — respondeu Gray, com um tom pensativo.

— Nos encontramos às 13 horas — confirmou Charlie, e ambos voltaram ao trabalho.

Na manhã seguinte, Gray contou a Sylvia que almoçaria com Charlie mais tarde. Ela o fitou por cima da pilha de panquecas que ele tinha acabado de fazer.

— Isso é bom ou ruim? — perguntou ela, parecendo nervosa.

— Claro que é bom.

Ele se sentou a sua frente à mesa com um prato de panquecas. Adorava cozinhar para ela. Estava se transformando em um chef de café da manhã, e ela cozinhava para ele à noite, ou saíam. Tudo estava entrando nos eixos, e eles estavam se acostumando a uma gostosa rotina. Ele saía de manhã e ia para o estúdio, onde não dormia mais. Ela ia para a galeria, e se reencontravam por volta das 18 horas, quando ambos chegavam em casa. Ele costumava levar uma garrafa de vinho ou uma sacola de compras. No final de semana, Gray comprara uma lagosta, o que fez com que os dois se lembrassem dos maravilhosos dias no barco. Oficialmente, ele não morava com ela, mas dormia lá toda noite.

— Você vai contar a ele sobre nós? — perguntou Sylvia, com cautela.

— Pensei em contar. Tudo bem por você?

Sabendo como ela era independente, ele tentava não pisar em seus calos.

— Por mim, tudo bem — ela respondeu, bem à vontade. — Só não sei se vai estar tudo bem para Charlie. Talvez seja um choque, você sabe. Ele pode ter gostado de mim como uma pessoa que conheceu em Portofino, mas pode ficar um pouco menos entusiasmado ao pensar no nosso relacionamento como uma coisa séria. — E claramente tinha se tornado sério nas últimas quatro semanas desde que Gray voltara para Nova York. E isso era melhor do que esperavam. Era fantástico.

— Não seja boba. Ele vai ficar feliz por mim. Sempre se interessou pelas mulheres com quem eu me envolvia.

Sylvia riu, enquanto lhe servia uma xícara de café.

— Porque elas não eram uma ameaça para ele. Charlie provavelmente percebia que elas acabariam presas ou internadas antes que pudessem fazer algum mal a vocês.

— Você está planejando nos fazer algum mal? — perguntou Gray, interessado, e parecia estar achando divertido.

— Claro que não, mas Charlie pode ver dessa forma. Vocês três são inseparáveis há dez anos.

— Verdade. E pretendo continuar saindo com eles. Não há motivo para eles não me verem com você.

— Bem, veja o que Charlie vai dizer. Talvez devamos convidá-lo para jantar. Na verdade, pensei nisso algumas vezes nos últimos dias. E Adam também, se você quiser. — Embora gostasse muito menos dele. — Só não gosto muito de jantar com mulheres da idade dos meus filhos. Ou mais novas, no caso de Adam. Mas farei o que você achar melhor.

Para Sylvia, era o caminho diplomático a seguir.

— Por que não convidamos o Charlie primeiro? — sugeriu Gray, de forma cordial.

Ele sabia que ela não aprovava Adam, por isso não queria pressionar. Pelo menos não agora. Mas gostava da ideia de incluí-la em seu círculo de amizades. Eles eram uma parte importante de sua vida, assim como ela.

Ambos sabiam que incluir amigos no mundo particular que dividiam seria importante para o relacionamento a longo prazo. Não poderiam ficar ali sozinhos para sempre, de mãos dadas, assistindo a filmes na televisão e passando os finais de semana na cama, embora os dois adorassem isso e certamente fosse divertido. Mas precisavam de mais pessoas em suas existências. Acrescentar amigos à vida de casal era mais um passo na direção de uma relação mais estável. Sylvia sempre tinha achado que existia, em algum lugar, um livro de regras sobre relacionamentos, e que os outros sempre sabiam seu conteúdo melhor do que ela. Primeiro, dorme-se junto, depois ele passa a noite, e com o tempo a frequência aumenta. Em determinado ponto, ele precisa de um espaço no armário e na gaveta. Ainda não tinham chegado a esse ponto, e as roupas dele estavam penduradas por toda a área de serviço dela. Ela sabia que teria que tomar uma atitude uma hora dessas. Depois disso, ele ganharia uma cópia da chave, assim que você tiver certeza de que não quer mais sair com outra pessoa, para evitar momentos constrangedores se ele chegar na hora errada. Já dera uma chave para Gray, não havia mais ninguém em sua vida, e às vezes ele chegava do estúdio antes de ela vir da galeria. Não tinha motivo para deixá-lo esperando na portaria até ela chegar. Sylvia não sabia bem o que vinha depois disso. Fazer compras, ele já tinha feito. Dividir as contas. Atender o telefone. Definitivamente, ainda não estava nesse ponto, pois havia a possibilidade de seus filhos ligarem, e eles ainda não sabiam de Gray. Convidá-lo para morar com ela, mudar de endereço, colocar o nome dele na caixa de correio e na campainha. Amigos faziam parte disso. Seria importante que gostassem pelo menos de algumas pessoas em comum. E, na hora certa, os filhos dela. Queria que Gray os conhecesse também. Sabia que ele não se sentia à vontade com a ideia. Ele já lhe dissera isso. Mas ela sabia que essa parte era fácil. Seus filhos eram ótimos, e tinha certeza de que ele iria adorá-los. Emily e Gilbert só queriam vê-la feliz. Se vissem que ele a tratava bem e que os dois se amavam, Gray seria bem-vindo à família. Conhecia seus filhos.

Ainda tinham um longo caminho a percorrer, mas estavam seguindo. Alguns dos obstáculos à frente assustavam-na, e ainda não estava pronta para isso, nem ele. Mas ela sabia que contar para Charlie e Adam era um grande passo. Não fazia ideia de qual seria a reação deles quando soubessem do relacionamento tão sério dos dois. Esperava que Charlie não o desencorajasse ou o assustasse por causa dos filhos dela. Sabia que este era o calcanhar de Aquiles de Gray: tinha fobia de filhos, não só apenas de tê-los mas também de se relacionar com os de outra pessoa. Parecia que para ele não fazia diferença o fato de os filhos dela já serem adultos, e não crianças. Tinha pânico de se envolver com uma pessoa àquele nível. Para um homem que tinha passado a vida cuidando das mulheres mais problemáticas do planeta, o que mais o aterrorizava era conhecer, lidar e se relacionar com os filhos delas. Para Sylvia, parecia um medo totalmente irracional. Mas para Gray, era real.

Gray ajudou-a a lavar a louça do café da manhã e saiu para o estúdio. Ela tinha que fazer algumas ligações antes de ir para o trabalho. Queria ligar para Emily e Gilbert. Com o fuso horário, geralmente ficava muito tarde para ligar para eles quando chegava em casa do trabalho. Não lhes revelara nada sobre Gray ainda. Nenhum dos dois a encontraria antes do Natal. Sylvia achava que havia muito tempo até lá, três meses para ver como se desenvolveria a relação com Gray antes de contar algo aos filhos. Não estavam em casa quando ela ligou naquele dia, por isso deixou recados nas secretárias eletrônicas. Estava sempre em contato com seus filhos.

Quando Sylvia saiu para a galeria naquele dia, Gray já estava no iate clube com Charlie. Estavam sentados à mesa favorita dele. Era um enorme e elegante salão de jantar, com teto abobadado, fotos de comodoros anteriores e modelos de navios em caixas de vidro espalhados pelo salão. Gray achou que Charlie estava com a aparência ótima: bronzeado, em forma e descansado.

— Então, como foi o final da viagem? — perguntou Gray, puxando papo, depois de os dois pedirem a salada do chef.

— Foi boa. Não fomos a nenhum lugar depois que vocês foram embora. Eu tinha que trabalhar, e a tripulação começou a fazer alguns reparos. Fiquei porque gosto de estar no barco, mais do que aqui no meu apartamento. — Ultimamente, vinha achando sua casa solitária e depressiva, e estava se sentindo inquieto. — Então, me conte sobre a galeria com a qual assinou contrato. Wechsler-Hinkley, não é? — Era um nome de peso no mundo da arte. — Como aconteceu? Eles simplesmente o encontraram? — Charlie estava feliz pelo amigo. Ninguém merecia mais que Gray. Era muito talentoso. — Ou você os encontrou?

Charlie já estava com um enorme sorriso.

— Na verdade, uma amiga fez a apresentação — disse ele com cuidado.

Sylvia o deixara nervoso sobre a reação de Charlie, o que ele sabia ser tolice. Mas agora estava ansioso, e demonstrava isso.

— Que tipo de amiga? — perguntou Charlie, interessado. Não sabia o que era, mas havia algo nebuloso nesta história.

— Uma amiga... você sabe... uma mulher — disse Gray, sentindo-se um colegial falando com o pai.

— Que grande virada — comentou Charlie, se divertindo. — Que tipo de mulher? Eu a conheço? Tem um novo pássaro ferido no seu ninho? Que trabalhe em uma galeria, que tenha bons contatos? Se é isso, muito perspicaz de sua parte — elogiou Charlie.

Mas não era o que ele pensava. Gray não estava namorando escondido alguma secretária que pedira para o chefe recebê-lo. Não havia nenhum pássaro ferido no ninho, mas uma mulher dinâmica que o colocara embaixo de sua asa e que voava como uma águia.

— Na verdade, não acho que foi perspicácia. Foi sorte.

— Sorte não tem nada a ver com isso, você sabe — disse Charlie, repetindo as palavras de Sylvia. — Você tem muito talento. Se alguém teve sorte nessa história, meu amigo, foram eles. Mas você ainda não respondeu à minha pergunta. — Os olhos de Charlie encontraram os de Gray e ficaram fixos ali. — Quem é a mulher? Ou é um segredo? — Talvez ela fosse casada. Isso já acontecera com ele antes, mulheres fugindo dos maridos que diziam ser separadas e não eram, ou que tinham um "acordo". E, então, os maridos apareciam e tentavam matá-lo. Ele vivera todos os cenários possíveis nos anos de sua eterna solteirice. Às vezes Charlie se preocupava com ele. Qualquer dia desses, algum ex-namorado violento de alguma dessas loucas podia lhe dar um tiro. — Espero que não esteja metido em encrenca de novo. Você não está, certo?

Charlie pareceu preocupado, e Gray deu uma risada triste enquanto balançava a cabeça.

— Não, não estou. Mas tenho uma reputação e tanto, não é? Acho que mereço. Namorei algumas doidas. — Ele suspirou e balançou a cabeça de novo, decidindo enfrentar a situação. — Mas não desta vez. E, sim, estou envolvido com uma pessoa. Mas ela é diferente — afirmou com orgulho.

— Quem é ela? Eu conheço?

Charlie estava curioso para saber quem era a mulher da vez. Mas quem quer que fosse, notara que Gray parecia feliz. Estava com a aparência relaxada e parecia satisfeito com a vida, alegre, quase orgulhoso de si mesmo. Era como se tivesse tomado tranquilizantes ou pílulas da felicidade, mas Charlie sabia que esse não era o caso. Ele exalava um ar quase eufórico.

— Você a conheceu — disse Gray, misteriosamente; ainda hesitava, pensando nos avisos de Sylvia.

— E? Vamos precisar de tambores para anunciá-la? — implicou Charlie.

— Você a conheceu em Portofino. — Ele finalmente desabafou, mas ainda parecia nervoso.

— Conheci? Quando?

Charlie de repente teve um branco. Não conseguia se lembrar de ver Gray com ninguém durante a viagem. O único que conseguira companhia fora Adam, em Saint-Tropez, Córsega e Capri. Nem ele nem Gray tinham saído com ninguém; não que se lembrasse.

— Sylvia Reynolds — disse Gray calmamente. — Ela era daquele grupo que encontramos em Portofino e Sardenha.

— Sylvia Reynolds? A marchand? — Charlie parecia surpreso. Lembrava-se de Adam implicar com Gray por gostar dela, dizendo que não fazia seu tipo, que não era louca o suficiente, ou melhor, nem um pouco louca. Lembrava-se dela perfeitamente. Gostara dela. E, pelo visto, Gray também. Era difícil acreditar que eles tinham se envolvido em algum momento da viagem. — Quando isso aconteceu? — perguntou ele, parecendo perplexo. Durante a viagem, tinha desconfiado de que estavam se gostando, mas não necessariamente o suficiente para se encontrarem depois.

— Aconteceu quando eu voltei. Estamos juntos há quase um mês. Ela é uma mulher encantadora. Assim que viu meu trabalho, me apresentou à Wechsler-Hinkley e a mais duas galerias. Depois disso, só me lembro de assinar o contrato. Ela não é do tipo que fica esperando as coisas acontecerem — disse ele com veneração, sorrindo para o amigo.

— Bem, você definitivamente parece feliz — disse Charlie, adaptando-se à ideia. Gray nunca tinha falado de nenhuma mulher dessa forma. — Odeio admitir, mas concordei com Adam. Achei que ela não fazia o seu tipo.

— Não faz. — Gray riu com pesar. — Acho que isso é uma coisa boa. Não estou acostumado a ter por perto uma mulher que saiba se cuidar e que não precise de mim para nada exceto para diversão e sexo.

— É só isso? — perguntou Charlie, com olhar interessado. Teria muito o que contar para Adam quando se encontrassem na noite seguinte.

— Não. Na verdade, é muito mais que isso. Estou dormindo na casa dela todas as noites.

Charlie pareceu chocado.

— Você está com ela há um mês e já *se mudou* para a casa dela? Não é um pouco precipitado?

Para Charlie, era como se Gray tivesse trocado de lugar com passarinhos de asas quebradas.

— Eu não me mudei para a casa dela — disse Gray, calmamente. — Disse que estou dormindo lá.

— *Toda noite?* — Gray se sentiu um menino levado. Charlie não parecia nem um pouco satisfeito. — Não acha que as coisas estão indo um pouco rápido demais? Não vai sair do seu estúdio, vai? — Parecia em pânico.

— Claro que não. Só estou passando mais tempo com uma pessoa maravilhosa e curtindo a companhia dela. Sylvia é uma mulher e tanto. Inteligente, competente, normal, decente, engraçada, generosa, amorosa. Não sei onde ela estava todos esses anos, mas em três semanas e meia a minha vida mudou completamente.

— É isso o que você quer? — perguntou Charlie diretamente. — Pelo que está parecendo, está envolvido até o pescoço. Pode ser perigoso. Ela pode começar a ter ideias.

— Sobre o quê? Como se mudar para o meu "ninho de rato"? Ou roubar minhas malas de 30 anos atrás? Ela tem livros de arte melhores que os meus. Acho que poderia roubar meus quadros. Meu sofá está bem acabado, o dela está bem melhor que o meu. Minhas plantas morreram enquanto eu estava na Europa. E não tenho nada decente no meu nome. Tenho duas frigideiras, seis garfos e quatro pratos. Não sei o que você acha que ela poderia conseguir de mim, mas o que quer que seja, eu ficaria feliz em dar. Relacionamentos podem ser difíceis, mas acredite em mim, Charlie, ela é a primeira mulher que conheço que *não* me parece perigosa. As outras certamente eram.

— Não quero dizer que ela esteja atrás do seu dinheiro. Mas você sabe como as mulheres são. Têm muitas ilusões e veem as coisas de forma diferente. Você as convida para jantar e quando vê já estão experimentando vestidos de noiva e fazendo listas de casamento na Tiffany. Só não quero vê-lo arrastado para uma coisa que não queira.

— Charlie, eu juro que não estou sendo arrastado para lugar nenhum. Aonde quer que isso vá dar, sou um passageiro disposto a seguir nessa viagem.

— Meu Deus, você vai se casar com ela? — Charlie encarou Gray com olhos arregalados.

— Não sei — disse Gray honestamente. — Há anos que não penso em casamento. Acho que ela não quer. Já foi casada, e não foi uma boa experiência. O marido dela a largou para ficar com uma menina de 19 anos depois de duas décadas de casamento. Ela tem filhos e diz que é velha demais para querer mais. A galeria que possui é um sucesso enorme. Ela tem muito mais dinheiro do que eu um dia vou ter. Não precisa de mim para nada. E eu não tenho a menor vontade de me aproveitar dela. Cada um de nós pode se sustentar sozinho, embora ela possa melhor do que eu. Tem um loft maravilhoso no SoHo, uma carreira que ama. Depois que se divorciou, só teve um homem, e ele se suicidou três anos atrás. Desde então, sou o primeiro com quem ela se envolveu. Acho que nenhum de nós quer mais do que já tem agora. Algum dia vou me casar com ela? Provavelmente. Se ela quiser, o que eu duvido, eu seria doido se não tentasse. Mas, neste momento, só precisamos nos preocupar com o lugar aonde vamos jantar todas as noites e com quem vai preparar o café da manhã. Ainda nem conheci os filhos dela — disse ele tranquilamente.

Charlie o estava fitando com os olhos ainda arregalados. Era um discurso e tanto. Não via Gray havia pouco mais de três semanas, e ele não apenas estava morando com uma mulher, mas falando em talvez se casar com ela um dia. Parecia que Charlie tinha levado um tiro. E por uma fração de segundo, vendo a expressão em seu rosto, Gray percebeu que havia uma grande possibilidade de Sylvia estar certa. Era óbvio que Charlie não estava feliz com a virada na vida do amigo.

— Você nem gosta de filhos — disse Charlie —, seja de qualquer idade. O que faz você pensar que os dela sejam diferentes?

— Talvez não sejam. Talvez quebrem o meu encanto. Talvez ela se canse de mim primeiro. Eles moram a 5 mil quilômetros de distância daqui e já são adultos. E talvez a distância eu possa tolerá-los bem. Tenho que tentar. É a única coisa que posso fazer. Talvez dê certo. Talvez não. Só sei que está dando certo agora e que estamos nos divertindo muito juntos. Além disso, quem sabe? Posso morrer na semana que vem. Enquanto isso, estou sendo feliz. Na verdade, nunca fui tão feliz na vida.

— Se Deus quiser, não — disse Charlie sombriamente, se referindo ao comentário sobre morrer na semana seguinte. — Mas você pode desejar estar morto se descobrir que ela é diferente do que você imagina, e quando isso acontecer, já vai ter caído na cilada.

Ele soava ameaçador, mas Gray sorriu. Charlie parecia em pânico, e Gray não sabia se era por si mesmo ou por Gray. Em ambos os casos, era desnecessário. Estava se sentindo tudo, menos preso em uma armadilha. Neste momento, era um servo muito disposto no elegante loft de Sylvia.

— Não estou caindo em nenhuma cilada — afirmou Gray. — Não estou nem morando lá. Só ficando. Estamos tentando. E se não funcionar para nós dois, volto para meu estúdio e ponto final.

— As coisas nunca funcionam assim — disse Charlie, como quem sabe tudo. — Algumas mulheres grudam, insistem, acusam, criticam, ficam histéricas, ligam para advogados. Dizem que você fez promessas que nunca fez. De alguma forma, enfiam as garras em você, e quando vê elas já são suas donas.

Ao dizer isso, Charlie parecia totalmente aterrorizado pelo amigo. Já tinha visto isso ocorrer no decorrer dos anos com outros homens, e não queria que acontecesse com Gray. Sabia como ele às vezes podia ser inocente.

— Confie em mim, nem eu nem Sylvia queremos ser donos de ninguém. Somos velhos demais para isso. E ela é muito mais bem resolvida do que você imagina. Se ela se afastou do marido com quem ficou vinte anos sem nem olhar para trás, não vai ficar pendurada no meu pescoço, tentando enfiar as garras em mim. Se alguém desistir, é muito mais provável que seja ela.

— Ela tem fobia de compromissos? Se tem, você pode sair muito magoado.

— E nunca ninguém me magoou antes? Charlie, fala sério, a vida é assim. Nós ficamos magoados todos os dias quando pessoas que nem conhecemos não atendem nossos telefonemas. É provável que eu seja o cara que mais tenha levado chutes de mulheres em Nova York. Sobrevivi. E vou sobreviver se isso acontecer de novo. E, sim, ela provavelmente tem fobia de compromisso, assim como eu. Deus, eu nem quero conhecer os filhos dela. Estou morrendo de medo de me machucar ou me envolver demais, mas esta é a primeira vez que eu acredito que vale a pena correr o risco. Ninguém prometeu nada. Ninguém falou em casamento. Tudo que perguntamos um ao outro é "onde você quer jantar hoje?". Por enquanto, estamos a salvo.

— Nunca estamos a salvo quando nos envolvemos — disse Charlie, com a testa franzida. — Só não quero que você sofra.

Mas ele já dera sua opinião sobre relacionamentos. Não eram apenas os defeitos fatais que ele encontrava em debutantes, tinha mais a ver com o sofrimento que queria evitar desde que toda a sua família morrera. Charlie tinha pavor de assumir esse risco. Gray, não mais. Foi um grande marco para ele. E o fato de estar tentando era uma enorme ameaça para Charlie. Era como se um alarme tivesse soado em algum lugar. Um membro do Exército dos Solteirões tinha sido abatido. Gray via nos olhos de Charlie tudo que Sylvia temera, não apenas desconfiança e desaprovação, mas também pânico. Ela conhecia mais a natureza humana do que Gray imaginava, e acertara em cheio sobre Charlie. Talvez com Adam também. O que mais incomodava Gray era que a reação de Charlie sobre o relacionamento dele com Sylvia fazia com que se sentisse não apenas desleal ao amigo, como um tolo completo por se sentir assim. Era uma sensação desagradável que encerrava o encontro deles como um balde da água fria enquanto Charlie estava assinando o cheque. Do ponto de vista de Gray não tinha sido um almoço fácil, para dizer o mínimo.

— Eu e Sylvia gostaríamos que você fosse jantar um dia desses lá no loft.

Charlie abaixou a caneta e fitou o amigo.

— Sabe o que você está parecendo? — Disse com uma expressão sombria, enquanto Gray balançava a cabeça. Não tinha certeza se queria ouvir. — Um homem casado, pelo amor de Deus. E não esqueça que você não é.

— Essa é a pior coisa que poderia acontecer comigo? — Gray finalmente respondeu à altura. Estava decepcionado com a reação de Charlie. Muito decepcionado, para falar a verdade. Não queria que Sylvia estivesse certa. Mas estava. Totalmente. — Acho que câncer de próstata seria pior.

— Às vezes é difícil ver a diferença — disse Charlie, sendo cínico. — Comprometer-se a este ponto pode ser traiçoeiro. Você tem que deixar de ser você mesmo para se transformar em alguém que nenhum homem em sã consciência ia querer ser.

Ele disse isso com total convicção, e Gray assentiu e o fitou. No que eles tinham se transformado nesses anos? Que preço pagaram pela liberdade à qual se agarravam tão desesperadamente? Talvez um preço alto demais. No final, depois de passarem a vida defendendo sua independência, todos acabariam sozinhos. E de repente, desde que conhecera Sylvia, ocorrera a Gray que esse objetivo não era tão valioso. Dissera isso a ela dias antes. Finalmente percebera que, quando chegasse a hora, não queria morrer sozinho. Em algum momento, as malucas, as necessitadas, as debutantes e até as vagabundas de Adam parariam de insistir e até de aparecer. Elas estariam em casa com alguma outra pessoa. Para Gray, o paraíso da liberdade não parecia mais tão bom quanto antes.

— Você realmente quer passar a velhice comigo? — perguntou Gray ao amigo, fitando-o diretamente nos olhos. — É isso o que quer? Ou gostaria de um par de pernas bem mais bonitas do que as minhas viajando com você no *Blue Moon*? Porque se não parar e pensar sobre isso um dia desses, é comigo que você vai acabar. Gosto muito de você, que é o meu melhor amigo, mas quando eu estiver velho, cansado, doente e sozinho, por mais que eu queira me sentar a uma mesa para almoçarmos, também vou querer alguém para me esquentar na cama à noite e segurar minha mão. E se você não quiser acabar comigo ou com Adam, talvez seja melhor começar a pensar nisso também.

— O que está acontecendo com você? O que ela está lhe dando? Ecstasy? Por que está se preocupando com a sua idade agora? Você só tem 50 anos. Não precisa se preocupar, ainda tem uns trinta pela frente, e só Deus sabe o que vai nos acontecer nesse tempo.

— Talvez esta *seja* a questão. Tenho 50 anos. Você tem 46. Talvez esteja na hora de crescermos. Adam ainda tem mais tempo, é bem mais novo do que a gente. Só não sei mais se eu quero continuar vivendo assim. Quantas mulheres mais poderei salvar? Quantas medidas cautelares mais posso ajudá-las a conseguir? Quantos implantes de silicone mais Adam quer pagar? E em quantas debutantes mais você quer encontrar defeitos? Se elas não são boas o suficiente para seus padrões, Charlie, mande-as para o inferno. Mas talvez esteja na hora de encontrar alguém que seja.

— Está falando como um verdadeiro traidor — disse Charlie, fazendo um brinde com o que restava de seu vinho. Esvaziou o copo e colocou-o sobre a mesa. — Não sei quanto a você, mas estou achando esta conversa muito deprimente. Você pode estar achando que o tempo está batendo à sua porta, o que eu acho ridículo, se quer saber a minha opinião. Mas ainda não está batendo à minha. E não estou disposto a começar um relacionamento mais ou menos com qualquer mulher só por medo de morrer sozinho. Prefiro me matar esta noite. Não vou me casar, nem pensar nisso, até encontrar a mulher certa.

— Você nunca vai encontrar — disse Gray com tristeza.

A conversa também o deixara deprimido. Tivera esperanças de que Charlie compartilharia sua felicidade, mas, em vez disso, ele agia como se Gray tivesse traído a causa. E, do ponto de vista de Charlie, tinha mesmo.

— Por que está dizendo isso? — perguntou Charlie, parecendo irritado.

— Porque você não quer. E como não quer, nunca ninguém estará à altura. Você não permite que estejam. Não quer encontrar a mulher certa. Eu também não queria. E então, de repente, Sylvia entrou na minha vida e tudo virou de cabeça para baixo.

— Está me parecendo que a sua cabeça é que está virada. Talvez você deva tomar antidepressivos e repensar seus relacionamentos.

— Sylvia é o melhor antidepressivo que eu poderia desejar. Ela é como dinamite, e é uma felicidade ficar perto dela.

— Se esse é o caso, fico feliz por você, e espero que dure. Mas até que você descubra isso, não tente nos converter, pelo menos até descobrir se a sua teoria funciona. Não estou convencido ainda.

— Pode deixar que aviso quando descobrir — disse Gray, com calma, enquanto ambos se levantavam.

Ele seguiu Charlie até a saída do iate clube, e os dois ficaram se olhando na calçada por um longo momento. Tinha sido um almoço difícil, e, para Gray, também uma decepção. Esperava mais do amigo: comemoração, apoio, animação. Tudo menos o cinismo e os comentários cruéis que trocaram durante o almoço.

— Cuide-se — disse Charlie, batendo no ombro do amigo, enquanto chamava um táxi com a outra mão. — Vou ligar para você... e parabéns pela galeria! — gritou enquanto entrava no táxi.

Gray ficou parado na calçada, observando o amigo, depois acenou, baixou a cabeça e se afastou. Decidira voltar andando para seu apartamento. Precisava de ar e de tempo para pensar. Nunca vira Charlie ser tão cruel e cínico assim, e sabia que estava certo na sua avaliação da situação do amigo. Charlie não queria encontrar a mulher certa. Gray nunca tinha visto a questão assim antes. Mas agora estava claro. E ao contrário do que Charlie acreditava, Sylvia não fizera uma lavagem cerebral nele, apenas abrira sua mente e enchera sua vida de luz. Ao lado dela, podia ver o que sempre quisera e nunca ousara procurar. Ela fazia com que fosse corajoso o suficiente para ser o homem que desejara ser, mas que sempre tivera medo de se tornar. Charlie ainda estava com medo, havia muito tempo se sentia assim. Desde que seus pais e Ellen morreram. Por mais terapia que fizesse, e Gray sabia que ele fazia bastante, Charlie ainda estava aterrorizado. E ainda fugindo. Talvez fugisse para sempre. Gray ficava triste em pensar que isso poderia acontecer. Parecia um enorme desperdício. Só conhecia Sylvia havia seis semanas, mas agora que a conhecia e estava abrindo seu coração para ela, sua vida toda mudara. Ficara magoado com Charlie por, em vez de comemorar, chamá-lo de traidor. Gray sentia como se ele tivesse lhe dado um soco, e as palavras ainda estavam ecoando na sua cabeça quando o celular tocou.

— Oi. Como foi? — Era Sylvia, parecendo feliz e radiante, ligando do escritório. Finalmente, ela se convencera de que Gray conhecia Charlie melhor do que ela, e que sua avaliação da reação do amigo ao romance deles provavelmente estava errada. Disse para si mesma que Gray estava certo e que estava sendo apenas paranoica. — Você contou a ele? O que ele disse?

— Foi horrível — ele confessou, honestamente. — Foi repulsivo. Entre outras coisas, ele me chamou de traidor. O coitado morre de medo de qualquer tipo de compromisso ou relacionamento. Nunca tinha visto isso tão claramente. Detesto dizer, mas você estava certa. Foi um almoço deprimente.

— Merda. Sinto muito. Você tinha conseguido me convencer de que eu estava errada.

— Não estava.

Ele vinha aprendendo que ela raramente errava. Tinha um bom instinto em relação às pessoas e suas reações, e era notavelmente tolerante com suas excentricidades.

— Sinto muito. Você deve estar muito chateado. Você não é um traidor, Gray. Sei que ainda os ama. Não existe nenhuma razão para não ter um relacionamento e seus amigos ao mesmo tempo.

Ela não estava tentando afastá-lo deles. Mas ele tinha um forte pressentimento de que Charlie faria isso, se ele permitisse.

— Se eles ainda me quiserem por perto. Fui muito sincero em tudo que disse.

— Sobre nós?

— Sobre ele também. Disse que ele estava desperdiçando a vida e que ia morrer sozinho.

— Você talvez tenha razão — disse ela gentilmente —, mas ele tem que descobrir isso sozinho. E talvez seja isso que ele quer. Tem todo o direito. Pelo que você disse, ele foi abandonado algumas vezes depois que a família morreu. É difícil superar. Todas as pessoas que ele amou quando era criança morreram. É difícil convencer alguém que tenha passado por isso de que a próxima pessoa que ele amar não vai abandoná-lo nem morrer. Por isso, ele se afasta primeiro.

— Foi mais ou menos o que eu disse.

Ambos sabiam que era verdade. E, apesar de suas desculpas, Charlie também sabia. Só não estava preparado para admitir, nem para o melhor amigo. Era muito mais fácil encontrar defeitos em todas as mulheres que passassem pela sua vida para justificar sua rejeição.

— Imagino que ele não tenha gostado nem um pouco de escutar isso.

— Parece que não — disse ele, soando triste. — Mas também não gostei do que ele disse sobre nós.

— Se Deus quiser, ele vai superar isso. E quando isso acontecer, vamos convidá-lo para jantar conosco. Deixe a poeira baixar por enquanto. É muita coisa para ele digerir de uma só vez: o nosso relacionamento e tantas verdades sobre a vida dele.

— É verdade. Acho que ele ficou chocado quando contei sobre nós. Da última vez que ele tinha me visto, no barco, eu era um membro convicto do Clube dos Garotos, e assim que me perdeu de vista, pulei do navio. Pelo menos, é assim que Charlie vê.

— E como você vê? — perguntou ela, parecendo preocupada.

— Eu me vejo como o cara mais sortudo do mundo. Disse isso a ele. Acho que ele não acreditou. Acha que você está me drogando. — Ao dizer isso, Gray riu. — Se está, não pare. Estou adorando.

Parecia mais feliz de novo.

— Eu também. — Sylvia sorriu, pensando nele, e ele pôde ouvir isso em sua voz. Havia um cliente esperando por ela, então disse que se encontrariam depois do trabalho, no loft. — Tente não se preocupar muito — disse ela de novo. — Ele gosta de você. Vai acabar se acalmando.

Gray não tinha tanta certeza. Pensou sobre isso longa e seriamente enquanto caminhava de volta para seu estúdio.

O almoço fora um choque não apenas para Charlie, mas também para Gray... "*Está falando como um verdadeiro traidor.*" Ainda conseguia escutar as palavras de Charlie ecoando na sua cabeça, quarteirão após quarteirão.

Charlie pensou em tudo que Gray dissera durante todo o trajeto. Teve muito tempo para refletir. Tinha um compromisso em um centro infantil que tinham acabado de fundar, no centro do Harlem. Ainda não conseguia acreditar em tudo que Gray tinha dito. E mais do que queria admitir, tinha lhe tocado fundo. Recentemente, tivera as mesmas preocupações de Gray sobre morrer sozinho. Mas não estava preparado para discutir esses terrores com outra pessoa a não ser seu terapeuta. Sabia que Adam era jovem demais para compreender isso, mas Gray entendia. Aos 41, Adam ainda estava construindo sua carreira e jogando duro. Charlie e Gray já tinham atingido o topo de suas vidas e estavam começando a descer pelo outro lado da montanha. Charlie não tinha mais tanta certeza quanto já tivera um dia de que estava disposto a descer sozinho. No final, talvez, não tivesse escolha. Invejava Gray mais do que queria admitir por ele ter encontrado alguém com quem queria passar o resto da vida. Mas quem poderia saber se iria durar? Provavelmente não iria. Nada durava.

Estava pensando nisso com uma expressão triste e se lembrando de pedaços amargos da conversa para contar ao terapeuta quando o motorista parou o táxi no endereço que ele lhe dera.

— O senhor vai ficar bem por aqui? — perguntou o taxista, parecendo preocupado.

Charlie parecia estar parando em algum lugar na Quinta Avenida e não no coração do Harlem. Estava de gravata Hermês, relógio de ouro e um terno caro. Mas não gostava de ir ao iate clube mal vestido.

— Vou ficar bem. — Agradeceu com um sorriso e deu uma boa gorjeta.

— Quer que eu espere? Ou que volte mais tarde? — Não gostava de deixá-lo ali.

— Não se preocupe, mas muito obrigado.

Sorriu de novo e tentou tirar a conversa com Gray da cabeça, enquanto olhava para o edifício. Estava precisando de reformas sérias. Os milhões de dólares da fundação poderiam ajudar muito; esperava que sim.

Embora tentasse evitar, ainda estava pensando em Gray quando entrou. O pior de tudo era que sentia como se estivesse perdendo o amigo para Sylvia. Detestava admitir para si mesmo que estava com ciúmes dela, mas no fundo no fundo sabia que sim. Não queria perder seu melhor amigo para nenhuma mulher dinamite e controladora, como Gray a descrevera — a parte da dinamite, não do controle —, só porque ela tinha os contatos e encontrara uma galeria para ele. Era óbvio que ela o estava bajulando e que queria algo em troca. E se fosse manipuladora o suficiente, o que esperava que não fosse, poderia acabar com a amizade deles e excluir Charlie para sempre. Seu maior medo era perder o amigo. Morte causada por casamento ou por morar junto ou passar a noite na casa do outro ou o que quer que Gray estivesse fazendo. Charlie não confiava nela. Gray parecia possuído. Ela estava fazendo uma lavagem cerebral nele, e o pior é que algumas de suas acusações faziam sentido. Muito, na verdade. Principalmente sobre Charlie. Ela devia ser a fonte desses comentários. Gray nunca falaria com ele daquela forma se estivesse sozinho. Nunca. Ela o virara de cabeça para baixo. E Charlie não estava gostando nem um pouco disso.

Ficou parado na porta do centro infantil por um tempo depois que tocou a campainha. Finalmente, um jovem com barba, de jeans e camiseta, veio abrir. Era um afro-americano com um enorme sorriso branco e olhos da cor de chocolate. Quando ele falou, foi com sotaque caribenho.

— Olá. Posso ajudá-lo?

Ele olhava para Charlie como se este tivesse vindo de outro planeta. Pessoas vestidas assim nunca vinham visitar o centro.

O jovem tentou disfarçar sua surpresa e o acompanhou.

— Tenho hora marcada com Carole Parker — explicou Charlie.

Era a diretora da instituição. A única informação que Charlie tinha era que ela era assistente social, e suas credenciais eram excelentes. Estudara em Princeton e conseguira seu mestrado em assistência social na Columbia, e estava se dedicando ao doutorado. A especialidade dela eram crianças que sofreram abusos.

Este era um abrigo para essas crianças e suas mães, mas, diferente de outras instituições parecidas, o foco principal eram as crianças, mais do que as mães. Uma mulher que sofreu abusos mas que não tem filhos, ou cujos filhos não sofreram abuso, não podia ficar na instituição. Charlie sabia que eles estavam fazendo uma pesquisa, junto com a Universidade de Nova York, sobre a prevenção do abuso infantil em vez de apenas remediar o resultado final. Havia dez pessoas trabalhando em tempo integral ali, seis funcionários em meio expediente, que geralmente trabalhavam à noite, e a maioria era formada por alunos universitários, dois psiquiatras que atendiam em conjunto com eles e muitos voluntários, vários dos quais eram adolescentes de bairros de baixa renda que também tinham sofrido abuso. Era uma nova concepção de usar sobreviventes de abuso para ajudar crianças mais novas que estavam passando pela mesma situação. Charlie gostava de tudo que lera. A própria Parker começara o projeto três anos antes, quando concluiu seu mestrado. Planejava se tornar psicóloga especializada em problemas urbanos e crianças de bairros pobres. Ela própria administrava o lugar com parcos recursos. Conseguira arrecadar mais de 1 milhão de dólares para comprar a casa e dar início ao projeto, e a fundação dele dera a mesma quantia que ela conseguiu arrecadar sozinha. Pelo que lera a respeito dela, era uma jovem impressionante; além disso, só sabia que tinha 34 anos. Não fazia ideia de como era fisicamente, só se falaram pelo telefone. Apesar de soar profissional, sua voz expressava generosidade e carinho. Ela o convidara para ir conhecer o lugar e prometera mostrar tudo a ele. O que vira no papel procedia até agora, incluindo a própria diretora. Era jovem, mas supostamente competente. As referências que fornecera para o conselho da fundação eram realmente impressionantes. Algumas destas tinham sido dadas por pessoas muito influentes em Nova York. Além de bem treinada e capaz, também tinha contatos poderosos. O próprio prefeito escrevera uma carta de referência para ela. Ela conhecia muita gente importante e os deixara com uma impressão favorável enquanto fundava o centro.

O jovem levou Charlie até uma pequena e surrada sala de espera, e ofereceu uma xícara de café assim que ele se sentou. Charlie recusou. Bebera o suficiente durante o almoço com Gray, e a maioria das coisas que tinha acontecido ainda estava entalada na sua garganta, mas enquanto esperava por ela, forçou-se a esquecer isso.

Através da porta aberta da sala de espera, ele observou as pessoas que passavam. Havia mulheres, crianças pequenas, adolescentes vestindo camisetas que os identificavam como voluntários. Um jogo de basquete informal estava acontecendo no pátio do lado de fora, e ele notou um cartaz convidando mulheres da vizinhança a fazer parte de um grupo duas vezes por semana, para conversar sobre como prevenir o abuso de crianças. Não sabia bem qual tinha sido o impacto na comunidade até agora, mas, pelo menos, estavam fazendo o que se propuseram. Enquanto assistia às crianças jogando basquete, uma porta se abriu e uma mulher alta e loura fitou-o. Estava de calça jeans, tênis e uma camiseta do centro. Ao se levantar para cumprimentá-la com um aperto de mãos, ele percebeu que ela era quase tão alta quanto ele. Era majestosa, 1,80m, rosto aristocrático. Parecia mais uma modelo do que uma assistente social. Ela sorriu quando ele a cumprimentou, mas se manteve profissional e até fria. Precisavam dos fundos que a fundação dera, mas ia contra seus princípios humilhar-se ou beijar os pés dele, embora soubesse que ajudaria. Ainda tinha dificuldades em fazer isso no comando e não sabia bem o que ele esperava dela. Ela parecia um pouco desconfiada e na defensiva quando o convidou para entrar em seu escritório.

Havia pôsteres em todas as paredes, e memorandos, anúncios, avisos para os funcionários. Telefones de emergência, controle de veneno, um diagrama mostrando como socorrer uma pessoa engasgada. Havia uma estante cheia de livros de referência, pelo menos metade deles tinha caído no chão. A mesa dela estava coberta; sua caixa de entrada cheia e havia porta-retratos de crianças em cima da mesa, todas que tinham passado pelo centro em algum momento. Definitivamente, era um escritório de trabalho. Charlie sabia que ela mesma trabalhava com os grupos infantis e comunitários. O único pelo qual não era a responsável era o de mulheres que sofreram abuso. Havia uma representante da comunidade que tinha sido treinada para isso. Carole Parker fazia de tudo, menos esfregar o chão e cozinhar. Mas, pela sua biografia, dava para perceber que se necessário faria também, e já tinha feito. Era uma daquelas mulheres sobre as quais era interessante ler, mas que às vezes era assustador conhecer. Charlie ainda não decidira se esse era o caso dela. Ela certamente era impressionante, mas quando se sentou à mesa, sorriu para ele e seus olhos se encheram de ternura. Tinha olhos azuis intensos, como os de uma boneca.

— Então, Sr. Harrington, o senhor veio verificar nosso trabalho.

Mas até ela tinha que admitir que, por 1 milhão de dólares, ele tinha o direito. A fundação, na verdade, doara para o centro exatamente 975 mil dólares, exatamente o que ela pedira. Não tivera coragem de pedir 1 milhão. Em vez disso, pedira para eles doarem o quanto ela já tinha conseguido arrecadar nos últimos três anos. Ela ficara chocada quando recebera da fundação a notificação avisando que seu pedido tinha sido aprovado. Pedira para, pelo menos, umas outras 12 fundações ao mesmo tempo, e todas recusaram. Diziam que queriam acompanhar o progresso da instituição no ano seguinte, antes de investirem no projeto. Por isso, era grata a ele, mas sempre se sentia um macaco de circo quando o pessoal do dinheiro vinha conhecer o local. Seu negócio era salvar vidas e ajudar crianças traumatizadas. Só isso a interessava. Arrecadar verba era um mal necessário do qual não gostava. Detestava precisar seduzir as pessoas para conseguir dinheiro. Para ela, a necessidade absoluta das pessoas que ajudava era sua maior arma de persuasão. Odiava precisar convencer os outros, que tinham vidas privilegiadas. O que essas pessoas sabiam sobre uma criança de 5 anos em cujos olhos alguém jogou água sanitária e que vai ficar cega para o resto da vida? Ou sobre um menino cujo rosto foi queimado pela própria mãe com o ferro de passar roupa? Ou sobre a garota de 12 anos que foi estuprada pelo pai desde pequena e que tem cicatrizes de queimaduras de cigarro no peito? O quanto mais precisava para convencer as pessoas de que essas crianças precisavam de ajuda? Charlie não sabia o que ela ia dizer para ele, mas podia ver paixão em seus olhos, e um certo grau de desaprovação ao olhar o terno bem cortado, a gravata cara e o relógio de ouro. Ela sabia que poderia usar muito melhor o dinheiro que ele gastava com esse luxo. Na mesma hora, Charlie leu os pensamentos dela e se sentiu um tolo por ter ido até ali vestido dessa forma.

— Lamento não estar vestido de forma mais apropriada. Tive um almoço de negócios na cidade hoje. — Não era verdade, mas não poderia ter ido ao iate clube como ela, de jeans, camiseta e tênis. Ao falar isso, tirou o paletó, desabotoou os punhos e dobrou as mangas, depois tirou a gravata e a enfiou no bolso. Não era muito, mas pelo menos tentara, e ela sorriu.

— Desculpe — disse ela. — Relações públicas não são o meu forte. Amo o que fazemos aqui. Mas não sou muito boa em estender o tapete vermelho para os VIPs. Na verdade, nem temos um, mas mesmo se tivéssemos, eu não teria tempo de estendê-lo.

O cabelo dela era longo e estava preso em uma trança que caía pelas costas. Parecia quase uma viking sentada ali, com as pernas esticadas embaixo da mesa. Ela parecia tudo, menos assistente social, mas suas credenciais diziam que era. Então ele se lembrou de que ela tinha se formado em Princeton, e disse que também estudara lá, esperando quebrar o gelo.

— Gostei mais de Columbia — disse ela à vontade, visivelmente pouco impressionada por terem frequentado a mesma faculdade. — Era mais verdadeira. Para o meu gosto, Princeton era muito cheia de si. Todo mundo fica muito impressionado com a história do lugar; eu tinha a impressão de que eles se importavam mais com o passado do que com o futuro.

— Nunca pensei dessa forma — disse Charlie com cautela, mas estava perplexo com o comentário dela. Em alguns aspectos, era uma mulher tão assustadora e séria quanto temera; em outros, não. — Você fazia parte de algum grêmio? — perguntou ele, ainda querendo marcar pontos com ela ou encontrar um elo comum.

— Fazia — disse ela, parecendo constrangida. — Do Cottage. — Ela parou e, então, sorriu para ele. Conhecia o seu tipo. Homens aristocratas como ele havia em abundância em Princeton. — Você fazia parte do Ivy.

Essa associação estudantil ainda não aceitava mulheres na época em que ela estudara lá. Por isso detestava seus membros. Agora isso parecia apenas imaturidade e tolice. Ela sorriu quando ele assentiu.

— Não vou fazer nenhuma pergunta estúpida do tipo "como você adivinhou?" — Era óbvio que ela conhecia o padrão, mas não sabia mais nada sobre ele. — Existe alguma possibilidade de você me perdoar?

— Existe sim. — Ela riu para ele e, de repente, pareceu mais jovem do que era. Não estava maquiada, não se dava ao trabalho de se maquiar quando estava no centro. Era ocupada demais para se preocupar com futilidades e detalhes. — Os 975 mil dólares que a sua fundação nos doou dizem que posso perdoá-lo de tudo, contanto que não maltrate seus filhos.

— Não tenho filhos. Pelo menos não sou culpado disso.

Ele percebeu que ela não gostava dele, o que logo se tornou um desafio para virar o jogo. Afinal, era uma mulher bonita, independentemente dos diplomas que tinha. E poucas mulheres conseguiam resistir ao charme de Charlie, quando ele resolvia usá-lo. Ainda não tinha certeza se Carole Parker valia o esforço. Em alguns aspectos, ela parecia um caso difícil. Era politicamente correta até a raiz dos cabelos e pressentia que ele não. Ficou surpresa ao saber que ele não tinha filhos e então lembrou-se vagamente de ter ouvido falar que ele não era casado. Imaginou se era gay. Se Charlie soubesse disso, teria ficado arrasado. Ela não se importava com as preferências sexuais dele. Só queria o dinheiro para as crianças do centro.

— Você gostaria de dar uma volta? — ofereceu ela, educadamente, levantando-se e olhando-o diretamente nos olhos.

De saltos altos, ficaria exatamente da altura dele. Charlie tinha 1,95m, e os olhos dos dois eram da mesma cor. Os cabelos, igualmente louros. Por um momento chocante, ele percebeu que ela era muito parecida com sua irmã, então fez todo o possível para esquecer isso. Era perturbador demais.

Ela não viu a expressão no rosto dele enquanto a seguia para fora do escritório, e em seguida, ela o levou a cada sala, cada escritório, arrastou-o por cada corredor do centro. Mostrou a ele o jardim que as crianças tinham plantado na cobertura, apresentou-o a muitas delas, inclusive a Gabby, acompanhada por seu cão-guia, e disse que a fundação dele tinha pago pelo cão. Os dois estavam em treinamento. Gabby dera o nome de Zorro ao labrador preto que ganhara. Charlie parou e deu tapinhas no cão, com a cabeça abaixada para que Carole não visse as lágrimas em seus olhos. As histórias que ela lhe contou, quando não tinha crianças por perto, eram de cortar o coração. Durante alguns minutos, eles observaram um grupo de apoio, e ele ficou muito impressionado com o que escutou. Carole normalmente orientava o grupo, mas tinha tirado a tarde de folga das suas tarefas para encontrá-lo, o que costumava considerar uma perda de tempo. Na sua opinião, seu tempo era mais bem gasto com seus clientes.

Ela o apresentou a voluntários, que trabalhavam muito fazendo terapia ocupacional com crianças mais novas e em um programa de leitura para aqueles que tinham chegado ao ensino médio sem saber ler ou escrever. Ele se lembrou de ter lido sobre o programa no material que ela enviou, e que ela ganhara um prêmio nacional pelos resultados que atingira até agora. Todos os clientes saíam dali alfabetizados depois de um ano. E os pais das crianças também eram bem-vindos ao programa de leitura para adultos. O centro também oferecia aconselhamento e terapia para crianças e adultos.

Ela mostrou o prédio de cima a baixo, apresentou-o a todo mundo e, finalmente, ao assistente dela, Tygue, o jovem que abrira a porta quando chegou ao centro. Carole contou a Charlie que ele conseguira um empréstimo e estava fazendo doutorado em Yale. Ela reunira algumas pessoas incríveis para trabalharem lá, muitas dos quais já conhecia antes, e outras que foi encontrando pelo caminho. Ela explicou que ela e Tygue tinham feito o mestrado em assistência social juntos. Depois disso, ela fundara o centro, e ele fora para Yale continuar seus estudos. Era jamaicano, e Charlie adorou escutá-lo falando. Depois de conversarem um pouco com ele, ela voltou com Charlie para seu escritório. Ele parecia exausto.

— Eu não sei o que dizer — disse ele, soando humilde ao fitá-la. — É um lugar e tanto. Você realizou um trabalho incrível. Como conseguiu fazer tudo isso?

Ele estava impressionado, e apesar de Carole ter sido mal-humorada com ele no início e desdenhado de seu grêmio estudantil, estava óbvio para Charlie que ela era um ser humano extraordinário. Muito mais do que ele. Aos 34 anos, criara um lugar que transformava a vida de pessoas e fazia diferença para muitos, velhos ou jovens.

Ele ficara tão absorvido em escutar cada palavra que ela dizia durante o passeio pela instituição que se esqueceu de jogar charme. Em vez disso, ela o deixara impressionado, não com sua surpreendente beleza, mas com seu trabalho incansável e suas conquistas. Apesar da aparência ainda dilapidada, o centro infantil era um lugar incrível.

— Este era o meu sonho desde criança — disse com simplicidade. — Economizei todo centavo que ganhei desde os 15 anos. Na adolescência, servi mesas em lanchonetes, cortei gramas, vendi revistas, dei aula de natação. Fiz tudo que eu podia para tornar este lugar realidade, e finalmente consegui. Economizei cerca de 300 mil dólares sozinha, incluindo o que ganhei na bolsa depois. O resto consegui com outras pessoas, até que, finalmente, consegui dinheiro suficiente para dar entrada na compra do prédio e começar. Era bem precário no início. Mas não vai ser mais assim — confessou com honestidade e, finalmente, gratidão —, graças à sua fundação. Desculpe por não ter sido mais receptiva no início. Detesto ter que justificar o que estamos fazendo. Sei que é um ótimo trabalho, mas às vezes as pessoas que vêm aqui não veem isso ou não compreendem o valor do que fazemos. Quando vi o terno e o relógio — disse ela envergonhada —, presumi que você não fosse compreender. Foi uma estupidez minha. Acho que tenho preconceito contra as pessoas que estudaram em Princeton, incluindo eu mesma. Somos muito privilegiados mas não reconhecemos. O que eu vejo aqui é a realidade. O resto simplesmente não é, pelo menos para mim.

Ele assentiu. Charlie não sabia o que dizer, Carole era uma mulher admirável, e ele estava realmente impressionado. Não assustado ou intimidado, mas impressionado. De repente, se sentiu constrangido pelo terno e pelo relógio também.

Ele apontou para o relógio, se desculpando.

— Prometo que vou jogá-lo pela janela a caminho de casa.

— Você não vai precisar. — Ela soltou uma gargalhada. — Algum dos nossos vizinhos provavelmente vai arrancá-lo do seu braço. Vou pedir para Tygue acompanhá-lo até lá fora. Se não, você não vai conseguir chegar até a calçada.

— Sou mais durão do que pareço — disse ele, sorrindo.

Ela já amolecera consideravelmente em relação a ele. Afinal, independentemente do grêmio do qual fizera parte, ele dera quase 1 milhão de dólares para o centro, e ela era grata por isso. Perguntou-se se tinha sido muito antipática com ele no início, e sabia que sim. Simplesmente odiava homens assim, que nunca viam o outro lado da vida. Se bem que ele administrava uma fundação que apoiava muitas causas importantes, então não podia ser de todo ruim, por mais mimado que fosse. Ela teria ficado chocada se soubesse que ele tinha um iate de 240 pés, mas Charlie não contou isso.

— Também sou mais durona do que pareço — disse ela honestamente —, mas ainda assim é melhor ter cuidado neste bairro. Se voltar, venha de moletom e tênis. — Ela também notara os sapatos caros John Lobb feitos sob medida para ele na Hermès.

— Farei isso — ele prometeu, sendo sincero. Pelo menos para não irritá-la.

Gostava muito mais quando ela parecia aprová-lo, como agora. O olhar dela quando ele entrou tinha sido mais do que levemente gelado. Agora as coisas estavam bem melhores, e gostou da ideia de voltar para visitar o centro de novo. Disse isso quando ela e Tygue o levaram até a porta.

— Volte quando quiser — ela convidou, com um sorriso simpático.

Ao dizer isso, Gabby vinha descendo as escadas cheia de confiança junto com Zorro. Ela estava segurando com força a coleira dele e reconheceu as vozes de Tygue e Carole.

— O que vocês estão fazendo aqui embaixo? — perguntou Carole, parecendo surpresa.

As crianças não costumavam ir ao térreo, exceto para comer e brincar no jardim. Só os escritórios ficavam no térreo, o que fazia mais sentido. Principalmente se pais que abusavam de seus filhos aparecessem à procura das crianças ou para agredi-las de novo, quando a justiça decidia que Carole cuidaria delas, como era o caso de Gabby. Eles ficavam mais seguros nos andares superiores.

— Vim aqui embaixo para ver o homem da voz bonita. Zorro queria dar tchau.

Desta vez, até Carole viu as lágrimas nos olhos de Charlie. Felizmente, Gabby não viu, e Carole tocou no braço dele gentilmente. Era impossível resistir a essa criança, que roubou seu coração à força ao se aproximar com um sorriso enorme.

— Tchau, Zorro — disse Charlie, primeiro dando tapinhas no cachorro, depois tocando carinhosamente o cabelo da criança. Abaixou o olhar para ela, mas seu sorriso foi em vão. Nada do que fizesse para ela agora mudaria o que acontecera, nem as lembranças nem o resultado. Tudo que conseguira fazer fora indiretamente pagar pelo seu cão-guia. Parecia muito menos do que o suficiente, que era o que Carole sempre sentia em relação ao seu trabalho. — Cuide bem dele, Gabby, é um cachorro muito bonito.

— Eu sei — disse ela com um sorriso fraco, abaixando-se para beijar o focinho de Zorro. — Você vai voltar para ver a gente de novo? Você é legal.

— Obrigado, Gabby. Você também é legal e muito bonita. E vou voltar sim para ver vocês. Prometo.

Ele olhou diretamente para Carole ao dizer isso, e ela assentiu. Apesar do preconceito inicial, gostava dele. Era provavelmente um ser humano decente, apenas muito sortudo e mimado. Fugira de homens como ele a vida toda. Mas pelo menos este se importava em fazer alguma diferença. Uma diferença que valia 1 milhão de dólares. Isso dizia alguma coisa sobre Charlie. E ele se deu ao trabalho de visitar o local. Ainda mais do que isso, gostou da forma como ele falou com a garotinha. Era uma pena não ter filhos.

Tygue já tinha conseguido um táxi e voltou para dizer que estava esperando do lado de fora.

— Coloque o capacete — implicou Carole — e esconda o relógio.

— Acho que consigo chegar até o táxi.

Ele sorriu para ela mais uma vez e agradeceu por ter lhe mostrado o centro. Ele não ganhara apenas seu dia, mas provavelmente seu ano. Despediu-se de Gabby de novo e virou-se uma última vez enquanto se dirigia para a porta para olhar para ela e seu cão-guia. Despediu-se de Tygue com um aperto de mãos e, segurando o paletó sobre o ombro e com as mangas arregaçadas, entrou no táxi e deu seu endereço para o motorista. Ficou sentado em silêncio, pensando em tudo que vira esta tarde, sentindo um nó na garganta toda vez que pensava em Gabby e seu cão-guia.

Charlie cruzou a porta e pegou o telefone assim que pisou em casa. Ligou para o celular de Gray. Muitas coisas tinham ficado mais claras para ele naquela tarde, sobre o que importava e o que não importava.

Gray atendeu o celular no segundo toque. Ele e Sylvia estavam preparando o jantar, e ele ficou surpreso ao ver que era Charlie. Estava contando a ela sobre o almoço de novo e como ainda estava chateado pela reação do amigo quando ele contara que estava namorando Sylvia.

— Quero me desculpar por ter sido um imbecil completo hoje — disse Charlie, sem preâmbulos. — Não acredito que vou dizer isso, mas acho que eu estava com ciúmes.

Gray estava boquiaberto, e Sylvia o observava. Não fazia ideia de quem era ou do que estava fazendo, mas Gray parecia abismado.

— Não quero perder você, meu amigo. Acho que fiquei assustado, pensando que as coisas eram diferentes. Mas que inferno, se você a ama, acho que posso me acostumar com ela também.

Havia lágrimas em seus olhos de novo ao dizer isso. Tivera uma tarde emotiva, e a última coisa que queria era perder um amigo como Gray. Eles se amavam como irmãos.

— Você não vai me perder — disse Gray com a voz engasgada. Não podia acreditar no que estava escutando. Este era o amigo que sempre soubera que Charlie era. No final, Sylvia estava errada.

— Eu sei — disse Charlie, parecendo ele mesmo de novo. — Percebi isso esta tarde. E depois me apaixonei.

— Não brinca — disse Gray com um sorriso. — Por quem?

— Por uma menininha de 6 anos cega que tem um labrador preto, chamado Zorro, como cão-guia. É a criança mais linda que já vi. A mãe jogou água sanitária nos olhos dela, e a menina nunca mais vai enxergar. Parece que compramos o cão para ela.

Os dois homens ficaram em silêncio por um momento, enquanto lágrimas escorriam pelo rosto de Charlie. Não conseguia tirar a imagem da menina de sua cabeça e sabia que nunca conseguiria. Sempre que pensasse no centro infantil, sabia que se lembraria de Gabby e Zorro, mesmo depois que ela fosse embora.

— Você é um bom homem, Charlie Harrington — disse Gray, muito emocionado. Durante toda a tarde, pensara que estava perdendo o amigo. Charlie parecera tão furioso e tão amargo, principalmente quando chamara Gray de traidor. Mas parecia tê-lo perdoado. Levara apenas algumas horas.

— Você também é um bom homem — disse Charlie, olhando seu apartamento vazio, que, de repente, pareceu mais vazio que nunca. E ao fazer isso, não pôde deixar de pensar em Sylvia e Gray. — Quero que me convide para jantar qualquer dia desses. Espero que ela cozinhe melhor do que você. O último jantar que você preparou para mim quase me matou. Nunca faça para ela o gulache secreto.

— Na verdade, está fervendo neste exato momento. Eu estava ensinando como se faz.

— Confie em mim, jogue fora ou o romance vai acabar agora. Quase morri de dor no estômago. Peça comida chinesa.

— Acredite em mim, ela já comeu. E adorou.

— Está mentindo. Confie em mim, ninguém no mundo poderia amar o seu gulache. Ou ela é louca ou ama você.

— Talvez ambos. Mas espero que o último.

— Não é o meu maior interesse — admitiu Charlie, com cautela —, mas por você, eu também. Você merece uma boa mulher, para variar. Acho que talvez eu também mereça. Se algum dia eu encontrar alguma. — Ele hesitou, depois continuou: — Algumas coisas que você disse hoje são verdade. Eu não sei o que eu quero, ou se, ou quem. Minha vida é muito mais simples assim.

Mais simples, mas solitária. Ultimamente, tinha se dado conta disso mais do que em qualquer outra época da sua vida, desde que voltara para Nova York.

— Você vai encontrar, se quiser. Vai saber quando chegar a hora, Charlie. Eu soube. Um dia, simplesmente entra na sua vida e mexe com a sua cabeça.

— Espero que sim.

Conversaram mais alguns minutos e desligaram. Gray disse que o gulache estava queimando, o que Charlie comentou ser uma bênção.

Depois que desligou, ficou sentado em silêncio em seu apartamento, pensando no passeio que fizera no centro infantil.

A primeira coisa de que sempre se lembrava era de Gabby e Zorro... depois de Tygue, um aluno de doutorado vindo da Jamaica, a caminho de Yale... e então, de Carole Parker. Eram pessoas extraordinárias. Então, se pegou olhando para o nada, pensando na forma como ela o olhou assim que se conheceram.

Ela o odiara, e não sentira nada por ele além de desprezo ao olhar para seu terno e seu relógio. E apesar disso, gostou dela. Gostou do que ela fazia, do que acreditava, do tanto que trabalhara para conseguir. Era uma mulher impressionante, com uma mente extraordinariamente brilhante e muita coragem. Ele não fazia ideia de como ou por que ou quando, mas sabia que queria vê-la de novo. Tinha muito o que aprender com ela, não apenas para saber o que faziam com o dinheiro dele no centro, mas sobre a vida. E esperava que um dia, com sorte, apesar de seu terno e seu relógio de ouro, pudessem ser amigos.

Capítulo 9

Adam pegou Charlie em uma limusine ridiculamente longa a caminho do show. Um dos seus clientes mais importantes cantaria. A turnê toda fora uma tortura para ele, e os contratos relacionados, um pesadelo de negociação, mas agora chegara a grande noite, e ele estava de ótimo humor. A estrela era uma das artistas mais importantes do país, se não do mundo. Vana. Uma única palavra. Uma mulher singular. O show seria no Madison Square Garden, e todos os adolescentes da cidade estariam lá berrando, além de tietes, excêntricos e fãs adultos de rock'n'roll. Não era o tipo de evento que Charlie frequentava com regularidade, mas Adam o convencera de que seria divertido e dissera que ele tinha de ir.

Os cambistas estavam vendendo o ingresso a 4 ou 5 mil dólares. As pessoas ficaram na fila durante dois ou três dias para comprar. Era o show mais esperado do ano, e Adam avisara Charlie para ir de calça jeans. Não queria vê-lo aparecendo de terno e precisar arrancar a roupa fora. Já tinha muito com que se preocupar naquela noite. E, é claro, Adam não apenas tinha passes para entrar nos bastidores como tinha ingressos para a primeira fila. Seria uma noite que ninguém esqueceria. Só esperava que tudo corresse bem. Os três celulares dele ficaram tocando ao mesmo tempo durante todo o trajeto até o Madison Square Garden. Só conseguiu falar com Charlie quando já estavam na metade do caminho. Acenara um oi e servira um drinque para o amigo quando pararam no sinal vermelho.

— Meu Deus, e meu médico me pergunta por que a minha pressão está tão alta — disse ele finalmente, sorrindo para Charlie, que estava achando tudo muito divertido. Escutar Adam gritando para todo mundo que ligava para ele já era metade da graça. — Os negócios ainda vão acabar comigo. O que está acontecendo com Gray? Ele está bem? Nunca mais me ligou.

Mas, de novo, com a loucura de Vana na cidade e o show no Madison Square Garden, ele também não teve tempo de ligar para o amigo. Adam disse que estava atolado até o pescoço com os problemas do show.

— Ele está bem — disse Charlie de forma misteriosa, depois decidiu contar: — Na verdade, está apaixonado.

— Sei, claro. Posso apostar que sim. Onde ele a conheceu? Saindo de alguma clínica de reabilitação ou de algum hospício?

Adam riu enquanto terminava seu drinque, e Charlie também.

— Portofino — disse Charlie, parecendo satisfeito, e achando graça.

Adam nunca acreditaria, e no início nem ele acreditara. Ainda estava se acostumando com a ideia.

— O que tem Portofino?

Ele estava com a aparência muita estressada e totalmente distraído. Um de seus assistentes acabara de ligar dizendo que a cabeleireira de Vana não tinha aparecido com suas perucas, e que ela estava tendo um ataque. Estavam mandando alguém para o hotel da cabeleireira para pegá-las, mas provavelmente começariam atrasados. Era tudo de que ele precisava. Os sindicatos ficariam loucos se o show começasse atrasado, mas isso era comum acontecer. Adam não estava produzindo o espetáculo, mas se ela violasse o contrato, teriam inúmeros processos. Ele estava lá para protegê-la de si mesma. Vana era famosa por não aparecer no palco.

— Gray a conheceu em Portofino — disse Charlie, calmamente, enquanto Adam o fitava.

— Conheceu quem em Portofino?

Ele parecia não estar entendendo, e Charlie riu. Esta não era a hora para discutirem a vida amorosa de Gray, mas era algo para se conversar enquanto estavam parados no engarrafamento e Adam fumegava. Queria chegar até Vana antes que ela cometesse algum ato ilegal, insano ou desistisse.

— A mulher por quem Gray está apaixonado — continuou Charlie. — Ele disse que está ficando na casa dela, não morando com ela, só *ficando*. Acho que não deve ser a mesma coisa.

— Claro que não é — disse Adam, parecendo irritado. — Ficar na casa dela significa que está cansado demais para levantar da cama depois do sexo, o que provavelmente é culpa da preguiça e da idade. Morar com ela seria um compromisso que ele não seria louco de assumir. Ele pode conseguir o máximo dela e ter uma vida sexual melhor se apenas ficar com ela. Se for morar com ela, acaba tudo. Vai ter que levar o lixo para fora, pegar a roupa da máquina, cozinhar para ela.

— Não sei quanto ao lixo e às roupas, mas ele está cozinhando para ela.

— Ele é maluco. Se está apenas ficando com ela, não precisa de armário nem de chave. E não pode atender o telefone. Ele tem a chave?

— Esqueci de perguntar.

A esta altura, Charlie já estava rindo. Adam parecia que ia ter um colapso nervoso enquanto esperavam o sinal mudar de cor. Falar sobre Gray, pelo menos, o distraía. E Charlie ficou fascinado ao escutar as regras, de acordo com Adam. Parecia haver uma lista de coisas que traduziam o status de alguém. Charlie nunca estivera preparado para a maioria delas, embora uma vez tenha tido a chave.

— Quem é ela?

— Sylvia Reynolds, a marchand que conhecemos em Portofino. Parece que Gray ficou mais íntimo dela do que percebemos, enquanto você corria atrás da sobrinha.

— Deus, a garota com rosto de anjo e cérebro de Albert Einstein. Não se pode levar garotas como ela para a cama, falam o tempo todo e você morre de tanto esperar até conseguir tirar a calcinha delas. Lembro que tinha pernas lindas — disse Adam, com pesar. Sempre sentia falta das que não tinha mais. As que não desapareciam de sua mente em um dia.

— A sobrinha tinha pernas lindas? — perguntou Charlie, tentando lembrar. Só se lembrava de seu rosto.

— Não, Sylvia. A marchand. O que ela está fazendo com Gray?

— Podia ter arranjado alguém muito pior — disse Charlie sendo leal, e Adam concordou. — Ele está louco por ela, espero que ela esteja tão louca por ele quanto ele acha que está. Mas se ela come o gulache dele talvez esteja.

Não contou a Adam como ficara chateado assim que Gray lhe contara tudo, no almoço no iate clube. Tinha sido um lapso momentâneo e ainda ficava envergonhado ao se lembrar de sua própria falta de generosidade. Gray parecia ter esquecido, e saber que o amigo estava "ficando" com alguém não pareceu aborrecer Adam nem um pouco. Ele tinha outras coisas mais importantes na cabeça naquela noite, como Vana não entrar no palco se não lhe entregassem as perucas. Os processos que isso geraria, dado o tamanho e a importância do show, o deixariam ocupado pelos próximos dez anos.

— Não vai durar muito tempo — comentou Adam sobre o novo romance de Gray. — Ela é normal demais. Ele vai se cansar em uma semana.

— Acho que ele não pensa assim. Disse que é por isso que gosta dela, e que não quer morrer sozinho.

— Ele está doente?

Ao falar isso, Adam pareceu realmente preocupado, e Charlie balançou a cabeça.

— Acho que ele está pensando na própria vida. Leva uma vida solitária quando está pintando. Ela conseguiu uma galeria excelente para ele, então acho que isso não é tão ruim.

— Talvez seja mais sério do que pensamos, se ela está fazendo coisas assim por ele. É melhor eu ligar para Gray. Não queremos que ele mergulhe de cabeça e se afogue em um belo par de pernas.

Adam começou a parecer preocupado de novo, e Charlie balançou a cabeça.

— Pelo que parece, ele já mergulhou. Vamos ter que ficar de olho para ver como as coisas vão caminhar — disse Charlie com cuidado, enquanto a longa limusine preta parava em frente ao Madison Square Garden.

Charlie não podia acreditar no tamanho da multidão. Levou quase vinte minutos para conseguirem entrar, com a ajuda da polícia. Havia dois tiras à paisana esperando para levá-los aos seus lugares.

Adam desapareceu para verificar o andamento nos bastidores assim que encontraram seus assentos. Charlie disse que ficaria bem e ficou sentado observando a multidão crescer à sua volta. Ao fazer isso, notou uma bonita moça loura com a saia mais curta que já vira na vida. O cabelo era longo e rebelde. Ela estava usando botas de salto alto de couro preto e uma jaqueta de couro vermelho brilhante. Estava muito maquiada e parecia ter uns 17 anos. Educadamente, ela lhe perguntou se havia alguém sentado no assento vazio, e ele disse que sim. Com isso, desapareceu. Ele a viu de novo alguns minutos depois, falando com outra pessoa. Teve a sensação de que a garota estava andando por toda a casa de shows procurando um lugar para se sentar, e acabou voltando até ele.

— Você tem certeza de que tem alguém sentado aqui? — perguntou, sendo um pouco teimosa.

Ele pôde perceber que ela era mais velha do que estimara primeiro, mas não muito. Era uma garota linda, e tinha um corpo impressionante, que estava quase todo preso em uma blusa preta transparente que lhe permitia ter uma generosa vista de suas voluptuosas curvas. Ela estaria parecendo uma prostituta se não tivesse algo de inocente no rosto.

— Tenho certeza. — Charlie garantiu a ela de novo que o lugar estava ocupado. — Meu amigo só foi até os bastidores.

— Ah, meu Deus! — exclamou ela com um olhar incrédulo. — O seu amigo conhece a Vana? — perguntou, como quem pergunta se ele conhecia Deus, e Charlie sorriu e assentiu.

— Ele trabalha para ela. Mais ou menos.

— Você se importa se eu me sentar aqui até ele voltar? — perguntou, e ele ficou na dúvida se ela o estava paquerando, mas achava que não. Estava muito mais interessada em conhecer Adam, agora que sabia que ele estava nos bastidores. — O meu ingresso é para a última fila, e não consigo ver nada de lá. Achei que conseguiria ver se tivesse algum lugar vazio aqui na frente, mas acho que não tem. Fiquei na fila por dois dias para conseguir comprar. Trouxe um saco de dormir e acampei. Eu e minha amiga nos revezávamos.

Ele assentiu, parecendo embasbacado enquanto ela se sentava ao seu lado. A garota não era pior do que o resto da multidão, embora teria chamado atenção em qualquer outro lugar. Parecia a Julia Roberts em *Uma linda mulher* antes de Richard Gere transformá-la, e tinha a mesma aparência de tirar o fôlego. A roupa que estava usando também era de tirar o fôlego, principalmente as botas, tinha saltos de 15 centímetros e iam até os joelhos.

A saia mal cobria o que tinha que cobrir, e a blusa explodiria se ela espirrasse. Era um visual e tanto. Mas parecia funcionar para ela.

Charlie não pôde deixar de imaginar como seria sem maquiagem, com o cabelo preso, vestindo uma calça jeans simples. Provavelmente, muito mais admirável do que agora. Imaginou se era algum tipo de modelo ou aspirante a atriz, mas preferiu ser cauteloso ao conversar com ela. Não queria encorajá-la a ficar. Estava sentada no assento de Adam, e ele pareceu surpreso quando voltou. Achou que Charlie a tivesse convidado e ficou impressionado. Não achava que fazia o tipo dele correr em tão pouco tempo atrás de uma garota daquelas.

— Encontraram as perucas. A cabeleireira estava bêbada no hotel. Mas conseguiram outra pessoa. Quem quer que tenha conseguido salvou o dia — explicou Adam, e olhou interessado e confuso para a garota que estava sentada em seu lugar. — Existe alguma razão para você estar sentada aqui? — perguntou ele, simplesmente. — Nós nos conhecemos?

Não conseguiu deixar de olhar através da blusa dela, e depois para seu rosto. Ela era de parar o trânsito, e exatamente o seu tipo em um dia de sorte.

— Ainda não. — Ela sorriu. — O meu lugar é horrível. Eu estava contando para o seu amigo. Ele disse que você trabalha para Vana. Aposto que isso é muito legal.

A loura era só sorrisos ao olhar para ele.

— Às vezes é legal. Esta noite nem tanto. — Vana estava ameaçando ir embora quando ele chegou ao camarim. Então, ela se acalmou quando encontraram suas perucas e o cabeleireiro de alguém, mas nem tentou explicar isso para esta garota. Não tinha certeza se ela entenderia. Supunha que o QI dela fosse questionável, mas achou seus seios sensacionais. A inteligência nunca era uma questão importante para ele. Preferia seios a cérebro, desde Rachel. — Olhe, odeio importuná-la e eu adoraria conversar com você, mas o show vai começar daqui a uns cinco minutos, assim que terminarem de fazer o cabelo dela. É melhor voltar para o seu lugar. — A garota com a minissaia jeans e botas de couro pretas parecia que ia se esvair em lágrimas. Adam ficou exasperado, mas não podia fazer nada por ela. Não havia lugares vazios, e então teve uma ideia. Não tinha noção de por que ia ajudá-la e sabia que se arrependeria, mas puxou-a pelo braço, levantando-a de seu lugar, e acenou para ela seguir-lo. — Se você prometer se comportar, posso lhe conseguir um lugar no palco.

Sempre havia alguns reservados para o caso de alguém inesperado aparecer.

— Está falando sério?

Ela ficou surpresa, e ele a levou rapidamente em direção ao palco e mostrou sua credencial para os guardas que estavam afastando os reles mortais. Na mesma hora deixaram-no passar. Nessa hora, a garota percebeu que ele estava falando sério. Não tinha uma sorte dessas havia anos. Sua amiga lhe dissera que era doida em ir até a primeira fila, mas tivera sucesso naquela noite. Adam ajudou-a a subir no palco com sua minissaia e suas botas de salto alto, e teve uma excelente visão do bumbum dela ao fazer isso, e não se sentiu constrangido em analisá-lo. Sua opinião era de que, se usava uma saia daquelas, esperava que ele fizesse isso.

— A propósito, qual é o seu nome? — perguntou ele, sem nenhum motivo em particular, enquanto a acompanhava até a fileira de cadeiras dobráveis que estavam arrumadas no fundo do palco.

Tiveram que desviar de fios e equipamentos de som, mas ela teria uma visão fabulosa do show, e ela olhou para ele como quem olha para um santo.

— Maggie O'Malley.

— De onde você é?

Ele a fitou com um sorriso enquanto ela se sentava e cruzava as pernas. De onde estava, tinha uma visão direta de debaixo da saia dela. Imaginou se seu estilo era tão arrojado quanto parecia ou se só estava vestida assim para o show. Como tinha mais experiência do que Charlie com mulheres como esta, calculava que devia ter uns 22 anos.

— Nasci no Queens, mas agora moro em Manhattan. No West Side. Trabalho no Pier 92.

Era um bar que às vezes era frequentado por um pessoal barra-pesada. Também era restaurante, e todas as garçonetes se pareciam com ela. As mais bonitas dançavam em cima do bar em intervalos de uma hora, criando uma atmosfera propícia para sexo e bebidas. Adam adivinhou corretamente que ela devia ganhar muitas gorjetas. Muitas vezes, as garotas que trabalhavam lá eram jovens atrizes sem trabalho e desesperadas por dinheiro.

— Você é atriz? — perguntou ele, interessado.

— Não, sou garçonete. Mas também danço um pouco. Eu fazia sapateado e balé quando era criança, mais ou menos. — Ela não contou a ele que o que aprendera fora na TV. Não tinha nenhuma escola de dança formal na sua vizinhança. Nascera na parte mais pobre e violenta do Queens, e saiu de lá assim que pôde. Onde morava agora no Upper West Side, uma espelunca que mal podia ser chamada de prédio, era um palácio se comparado a onde fora criada. Então, ela olhou para Adam, ofegante, com lágrimas nos olhos. — Obrigada por este lugar. Se algum dia eu puder fazer alguma coisa por você, me procure no Pier 92. Te pago um drinque.

Era tudo que poderia oferecer a ele, embora houvesse outras coisas que ele teria preferido. Mas ela parecia tão inocente apesar da roupa ultrajante que ele ficou com a consciência pesada por ter esse tipo de pensamento. Parecia uma boa garota, apesar das roupas sensuais.

— Não se preocupe. Fiquei feliz em ajudar. Maggie, não é isso?

— Na verdade, Mary Margaret — disse ela, com os olhos arregalados, e ele conseguiu imaginá-la usando uniforme de uma escola paroquial.

Mary Margaret O'Malley. Adam não podia deixar de se perguntar o que a fizera se vestir assim. Tinha rosto de anjo e corpo de stripper, e sua roupa merecia ir para a fogueira. Ela ficaria linda com o penteado certo e roupas decentes, mas era a vida quem dava as cartas. Ela se dera bem esta noite para uma menina pobre do

Queens que trabalhava no Pier 92. Estava sentada em um lugar especial no palco do show de Vana.

— Virei encontrá-la depois do show — prometeu ele, e por um minuto foi honesto; então, de repente, ela ficou de pé e abraçou-o como se ainda fosse uma criança. Havia lágrimas em seus olhos.

— Obrigada. É a melhor coisa que alguém já fez por mim.

O olhar dela fez com que Adam se sentisse culpado pelos pensamentos lascivos que tivera antes. Fora fácil colocá-la no palco.

— Não foi nada — disse ele ao se virar para ir embora, e então ela segurou o braço dele.

— Qual é o seu nome?

Queria saber quem era seu benfeitor, e ele ficou surpreso. Provavelmente não se encontrariam de novo.

— Adam Weiss — respondeu, e então voltou correndo para seu lugar.

As luzes já estavam sendo apagadas. Dois minutos depois, quando já estava sentado ao lado de Charlie, o show começou. Charlie se aproximou dele rapidamente pouco antes de Vana aparecer.

— Conseguiu um lugar para ela? — Ficara hipnotizado. Charlie nunca vira alguém assim de perto. Garotas como ela, definitivamente, não faziam seu tipo.

— Consegui — sussurrou Adam. — Ela disse que quer sair com você — acrescentou com um olhar zombeteiro, se fingindo de sério, e Charlie riu.

— Pouco provável. Pegou o telefone dela, tipo sanguíneo e endereço?

— Não, só o tamanho do sutiã, que é muito maior do que o QI — disse Adam com um sorriso maldoso.

— Não seja mau — repreendeu Charlie. — Ela é um amor.

— É, eu sei. Talvez vá para a festa com a gente depois do show.

Charlie lançou um olhar sinistro para o amigo. Achava que o show já seria suficiente. Esta não era sua praia, embora gostasse da música de Vana. E curtiu muito aquela noite.

O show foi fabuloso, e Vana voltou várias vezes para o bis. Nunca tinha feito uma apresentação melhor. Maggie desceu para visitá-los durante o intervalo para agradecer a Adam mais uma vez. Ele passou o braço em volta dos ombros dela e a convidou para a festa. Ela jogou os braços em volta do pescoço dele e o abraçou de novo, enquanto Adam sentia o impacto dos seios dela em seu peitoral. Eram de verdade, assim como o nariz. Tudo nela fora presente de Deus, e não comprado. Não via uma garota que não era artificial.

— Você não devia fazer isso — disse Charlie calmamente, depois que ela voltou para seu lugar, antes de o segundo ato começar.

— Fazer o quê? — perguntou Adam de forma inocente.

Ainda podia sentir os seios dela. Gostara muito. Sempre gostava. Conhecia um milhão de mulheres como ela, mas nenhuma era de verdade.

— Se aproveitar de garotinhas. Ela pode estar vestida como uma prostituta, mas dá para ver que é uma menina doce. Não seja um canalha, Adam. Algum dia, isso vai voltar para te assombrar. Você não ia querer que alguém fizesse isso com a sua filha.

— Se a minha filha se vestisse assim, eu a mataria, e à mãe dela também.

Ele convidara os filhos para irem ao show, mas Rachel não permitira. Disse que era dia de semana, que teriam aula no dia seguinte e que não queria seus filhos em uma atmosfera como aquela. Alegou que eram jovens demais. Ele tinha filhos bons e bem resolvidos.

— Talvez Maggie não tenha ninguém para lhe dizer para não se vestir assim.

Parecia que ela tinha se esforçado bastante para criar o visual para aquela noite, mas em algum momento do processo, em seu entusiasmo, dera errado. Mas não tinha como errar muito com aquele rosto e aquele corpo. Fora abençoada. E talvez um dia, quando crescesse, ela aprenderia que, às vezes, menos é mais.

— Acho que não — comentou Adam secamente —, já que trabalha no Pier 92. — Fora lá uma vez e sabia o quanto o lugar era ruim. Todos as figuras desprezíveis da Broadway iam lá tentar se aproveitar das garotas enquanto comiam e bebiam. As garçonetes não ficavam de topless nem nuas, mas era quase a mesma coisa, levando em consideração a pouca roupa que vestiam. Usavam minivestidos que pareciam aquelas saias para jogar tênis, e por baixo, tangas; e na parte de cima, sutiãs de cetim muitos números menor que seus seios. O lugar era um lixo. — Pare de ter pena dela, Charlie. Existem coisas piores, como nascer em Calcutá, ou a menininha cega de quem você me falou no outro dia no lugar que foi visitar no Harlem. Essa garota é linda e logo vai perceber isso. Vai acabar sendo descoberta por algum agente idiota e virando uma estrela.

— Duvido — disse Charlie com tristeza, pensando nela.

Garotas como ela eram baratas, e a maioria nunca saía da espelunca em que morava, principalmente com caras como Adam correndo atrás e se aproveitando delas. Então, começou o segundo ato.

Quando terminou, a multidão ficou louca. Fãs, fotógrafos e praticamente metade do público tentou subir no palco. Foi necessário uma dúzia de policiais para tirar Vana inteira dali, e Adam nem conseguiu entrar nos bastidores. Usou o telefone celular para ligar para o gerente de palco, que lhe disse que a roqueira estava bem e feliz com o resultado do show. Pediu para ele dizer a Vana que a veria na festa, e quando se virou para falar com Charlie, Maggie já estava lá. Ela quase perdera a blusa e a jaqueta tentando descer do palco, mas conseguira chegar até eles e, mais uma vez, agradeceu a Adam. Não fazia ideia do que tinha acontecido com sua amiga. Seria quase impossível encontrá-la no meio da multidão.

— Quer vir para a festa? — convidou Adam.

Ela parecia adequada para o grupo. Adam não teria vergonha de levá-la, ao contrário de Charlie. De qualquer forma, Charlie queria ir para casa. O show tinha sido mais do que suficiente para ele, apesar de ter curtido bastante. Só não precisava de mais estímulos esta noite. Adam sempre precisava. Adorava o lado lascivo daquela vida, e Maggie se encaixaria perfeitamente. Ficou felicíssima em ir.

Levou meia hora para os três conseguirem chegar até a calçada, e mais vinte minutos para encontrarem a limusine, mas finalmente encontraram e entraram. Iam para o East Side, para um clube particular que tinha sido alugado para a festa. Charlie sabia que haveria muitas mulheres, bebidas e drogas. Não era sua praia. Adam também não usava drogas, mas não tinha nada contra mulheres e bebidas. E gostava muito das duas coisas.

Maggie sentou-se em frente a eles com um olhar de êxtase no rosto, enquanto Adam olhava casualmente para a sua saia. As pernas dela eram ainda mais bonitas do que ele percebera antes. Tinha um corpo absolutamente inacreditável. Charlie também notara isso, mas em vez de olhar para a saia dela, olhou pela janela. Então, ela cruzou as pernas.

— Aonde estamos indo? — perguntou, empolgada, com uma voz infantil e um leve sotaque nova-iorquino. Não era exagerado, mas reconhecível. Adam pareceu não notar.

— Primeiro, vamos deixar Charlie. Talvez façamos uma parada para tomar um drinque em algum lugar, depois vou levá-la à festa.

E depois, ele esperava, a levaria para casa com ele, se ela quisesse. Nunca forçava ninguém a nada. Não precisava. Havia mulheres o suficiente em sua vida para mantê-lo feliz sempre. Mas ela parecia querer ir com ele, achava que isso não seria um problema. Já pegara milhares de garotas deste tipo, e elas ficavam tão excitadas de serem levadas a algum lugar, ainda mais em uma noite como esta, que quase sempre se jogavam em sua cama. Era raro isso não acontecer. Tinha certeza de que Maggie iria. Charlie também.

Charlie se despediu educadamente dela quando deixaram-no em casa. Disse que esperava vê-la de novo qualquer dia desses, o que sabia que era pouco provável. Mas o que mais podia dizer? Tenha uma boa noite na cama com Adam? E, por um estranho momento, ele desejou que ela não fosse. Era um alvo fácil, e ele queria que ela fosse melhor que isso ou que, pelo menos, tivesse uma chance justa. Estava impressionada demais com o lugar aonde Adam estava levando-a e com o assento que conseguira para ela no palco. Charlie teve vontade de dizer a Maggie para se respeitar mais. Mas algumas coisas não podiam ser mudadas. E era a vida de Adam, e a dela. Estava nas mãos deles o que aconteceria depois que ele saísse, não nas suas. Quase quis protegê-la do amigo, mas não podia fazer isso. Subiu no elevador pensativo, e quando entrou em seu apartamento, ficou olhando para o Central Park lá embaixo. Fora uma noite legal e ele se divertira. Estava cansado e, poucos minutos depois, foi se deitar.

Adam levou Maggie a um bar, como prometera, e ela tomou uma taça de vinho. Ele tomou uma margarita e, depois, um mojito; deixou que ela experimentasse. Ela gostou, mas disse que não tomava bebidas fortes, o que o surpreendeu. Ficou ainda mais surpreso com a revelação de que tinha 26 anos. Achara que era mais nova. Ela disse que às vezes trabalhava como modelo em feiras de negócios e que já fizera alguns catálogos, mas que trabalhava mesmo no Pier 92 e ganhava uma fortuna em gorjetas. Era fácil ver o porquê. Tinha um corpo que não se encontrava o tempo todo.

Chegaram à 1 da madrugada à festa, que estava apenas começando. Adam sabia que haveria muitas drogas rolando. Cocaína, ecstasy, heroína, crack, metanfetamina. A festa estava mais agitada do que de costume e ele logo percebeu que não era um bom ambiente para se ficar. Era assim depois de shows. Dançou um pouco com Maggie e, então, tirou-a de lá, levando-a para a limusine. Adam a convidou para ir para a sua casa tomar um drinque, e ela o fitou e balançou a cabeça.

— É melhor não. Já é tarde. Preciso trabalhar amanhã, mas mesmo assim obrigada.

Ele não fez nenhum comentário e deu o endereço dela para o motorista. Ficou horrorizado quando viu onde ela morava. Era uma das ruas mais perigosas que já vira. Era difícil imaginar uma garota com a aparência dela morando ali. Sua vida devia ser uma luta diária pela sobrevivência, e ficou com pena, mas também estava um pouco irritado por ela não querer passar a noite com ele.

— Espero que não tenha se importado de eu não ir para o seu apartamento, Adam — disse Maggie, desculpando-se, principalmente depois de tudo que ele tinha feito por ela. — Não costumo fazer essas coisas no primeiro encontro.

Ele ficou fitando-a, imaginando se ela realmente achava que haveria um segundo. Anotara seu telefone num papel que enfiara no bolso. Jogaria fora quando chegasse em casa. Aquela garota era diversão para uma noite, uma aventura, ou teria sido, mas não havia nenhum motivo para vê-la de novo. Poderia ter centenas iguais a ela quando quisesse. Não precisava de uma garçonete do Pier 92, por mais bonita que fosse ou por mais tentadoras que fossem suas pernas. Não teria sido diferente se ela tivesse ido para a casa dele. Só teria sido divertido.

— Não, eu entendo. Quer que eu a acompanhe até em casa?

O prédio dava a impressão de que ela sofreria uma tentativa de assassinato só de tentar chegar ao seu andar, mas ela estava acostumada e balançou a cabeça.

— Está tudo bem — agradeceu sorrindo. — Moro com mais três amigas. Duas dormem na sala; seria estranho se você entrasse lá. A esta hora, já devem estar dormindo.

Ele não conseguia nem imaginar viver daquela forma e não tinha a menor vontade. Só queria deixá-la ali e se esquecer das pessoas que levavam aquele tipo de vida. Ela não era problema seu, e não queria que fosse. Agora, só queria ir para casa.

— Obrigado, Srta. Mary Margaret O'Malley, foi um prazer conhecê-la. Nos vemos qualquer dia desses — respondeu, sendo educado.

— Espero que sim — disse Maggie sendo honesta, mas até ela sabia que era pouco provável.

Ele levava uma vida encantada. Conhecia pessoas como Vana, tinha credenciais para entrar nos bastidores de shows, andava em limusines e vivia em um mundo diferente. Ela era inocente, mas não tão burra quanto ele queria que fosse. Em vez de dizer boa-noite, poderia ter dito "Tenha uma vida bacana". Mas Adam sabia que era mais do que provável que ela não teria. O que a vida poderia ter reservado para uma garota como ela, por mais bonita que fosse? Qual saída tinha? Adam sabia a resposta. Nenhuma.

— Cuide-se — disse ele enquanto ela entrava no prédio com uma chave e se virava para fitá-lo uma última vez.

— Você também. E obrigada, foi uma noite fantástica. Mais uma vez obrigada pelo meu lugar maravilhoso.

Adam sorriu, desejando estar na cama com ela. Teria sido muito mais divertido do que ficar parado no fedor da vizinhança dela e congelando na rua enquanto a observava entrar. Maggie acenou então, e sumiu. Ele imaginou se ela estaria se sentindo como Cinderela ao entrar no prédio onde morava. O baile tinha acabado, e a limusine e o motorista se transformariam em uma abóbora e em seis ratos quando chegasse em casa.

Ele entrou no carro de novo e pôde sentir o perfume dela. Era barato, mas combinava com ela e tinha um cheiro agradável. Sentira quando dançaram juntos. Ficou surpreso ao perceber, enquanto voltava para casa, que estava deprimido. Era lastimável demais ver pessoas que viviam daquela forma e saber que não tinham saída. Maggie O'Malley moraria em prédios como aquele para sempre, a não ser que tivesse sorte, se casasse com um canalha barrigudo e se mudasse para o Queens, onde poderia relembrar os tempos em que morara em uma espelunca em Manhattan ou o terrível emprego em que bêbados idiotas levantavam sua saia todas as noites. Sentia-se um homem tão mau quanto eles. Teria ido para a cama com aquela garota, se ela quisesse. E no dia seguinte, já teria esquecido. Pela primeira vez em anos, Adam se sentiu um canalha total. Fez com que questionasse sua moral. Charlie estava certo. E se um cara tratasse Amanda dessa forma algum dia? Podia acontecer com qualquer um. Mas, desta vez, estava acontecendo com uma garota chamada Maggie que ele não conhecia e nunca conheceria. Tomou uma dose de tequila quando chegou em casa, pensando nela. Foi até a varanda de sua cobertura e imaginou como teria sido se ela tivesse ido até lá. Provavelmente excitante. Por um minuto ou dois, uma hora, ou uma noite. Era tudo que ela significava para ele, e teria sido: um pouco de diversão. Tirou as roupas e as jogou no chão perto da cama. Deitou com sua cueca samba-canção, como sempre fazia, e a esqueceu. Para ele, Maggie não existia mais. Ela voltara para sua vida, qualquer que fosse essa vida.

Capítulo 10

APESAR DO FATO DE saber que não havia nenhuma razão para isto, Charlie voltou ao centro infantil para dar uma olhada. Comprou donuts e sorvete para as crianças, um ursinho de pelúcia para Gabby e uns biscoitinhos para Zorro. Eles não saíam de sua cabeça desde que ele estivera lá. Mas não fora Gabby que o atraiu a voltar lá, e Charlie percebeu isso no momento em que entrou. Carole o marcara tanto quanto Gabby e seu cão-guia. Na verdade, até mais. Ele sabia que era uma loucura, mas não conseguiu resistir ao impulso. Ele passara a semana inteira com ela na cabeça.

— O que o trouxe de volta? — perguntou ela, curiosa ao vê-lo.

Desta vez, ele viera de jeans, uma blusa de moletom velha e tênis. Estava no pátio conversando com Tygue quando ela saiu de um grupo e o viu.

— Só dando mais uma olhada.

Ele chegara sem avisar, e por um momento ela achou que ele estava querendo surpreendê-los, o que considerou rude.

E então, Tygue contou a ela sobre o sorvete que ele levara para as crianças, e Gabby mostrou o ursinho de pelúcia e contou sobre os biscoitos para Zorro.

— Eles nos marcam profundamente, não é? — disse Carole ao levá-lo para seu escritório e oferecer uma xícara de café.

— Não, obrigado, estou bem. Sei que está ocupada. Não vou ficar muito tempo.

Não podia dizer a ela que estava passeando pelas redondezas, porque ali só havia o centro infantil e um monte de gente morando em prédios baratos, enquanto traficantes vendiam drogas nas portas. A única coisa que ele poderia fazer na vizinhança era comprar heroína ou crack.

— Foi legal da sua parte trazer presentes para as crianças. Eles adoram quando recebem uma visita. Eu gostaria de poder fazer mais por eles, mas nunca temos dinheiro suficiente. Preciso economizar o que temos para o que é importante, como salários, aquecimento e remédios. Eles iam gostar muito mais de tomar sorvete — disse ela, sorrindo para Charlie. E quando ela sorriu, ele de repente ficou feliz por ter ido até lá.

Desejara vê-la de novo, mas agora que estava vendo, não conseguia pensar em uma razão para justificar. Disse para si mesmo que admirava o trabalho que ela fazia, o que era verdade, mas era mais do que isso. Gostava de conversar com ela e queria conhecê-la melhor. Mas não conseguia explicar isso para si mesmo. Ela era uma assistente social, e ele administrava a fundação. Agora que tinham dado a ela o dinheiro de que precisava, além de relatórios financeiros, não havia mais nenhuma razão para se encontrarem. Suas vidas eram muito diferentes, não tinham uma desculpa para algum contato social. Ele sabia que ela desdenhava a vida que ele levava e o mundo de onde vinha. Era uma mulher que estava se sacrificando por um bando de crianças que lutavam pela sobrevivência. Ele era um homem que levava uma vida de luxo em que satisfazia seus próprios desejos.

— Posso fazer alguma coisa por você? — perguntou ela querendo ajudar, e ele balançou a cabeça. Não conseguia pensar em uma única desculpa para ficar mais tempo, embora quisesse.

— Não, mas vou voltar para ver as crianças de novo, se você não se importar. Gostaria de saber mais sobre Gabby.

— Ela está indo bem agora que tem o Zorro. Vai começar a estudar em uma escola especial no mês que vem. Achamos que ela está pronta.

— Ela vai sair daqui, então? — perguntou ele, preocupado com a menina, ao fitar Carole.

— Ainda não. Daqui a um tempo, vamos tentar arranjar um lar adotivo para ela e inseri-la de volta na sociedade. Mas não é fácil conseguir um lugar para quem possui necessidades especiais, por motivos óbvios. As pessoas que adotam crianças não estão aptas a lidar com uma menina cega e um cão-guia.

— E depois? — Nunca tinha pensado nisso antes, mas para uma criança como Gabby, a vida seria dura, mais dura do que para a maioria. Provavelmente para sempre.

— Se não conseguirmos encontrar pais adotivos para ela, vamos ter que colocá-la em um lar para crianças. Ao norte do estado há mais instituições deste tipo. Ela vai ficar bem.

— Não, não vai — disse ele, parecendo aflito.

Era como se tivesse descoberto um outro mundo cheio de pessoas com problemas que ninguém podia resolver. Neste caso, eram crianças. E nada do que acontecera tinha sido culpa delas.

— Ela vai ficar bem como todos os outros — disse Carole, com cuidado. — Talvez melhor, graças ao seu presente. Zorro vai ser um elemento imprescindível na vida dela.

— Você não se pergunta o que vai ser da vida deles depois que saem daqui?

A situação das crianças de que ela cuidava estava pesando em seu coração.

— Claro que sim. Mas é o que podemos fazer, Sr. Harrington — disse ela friamente, mais uma vez na defensiva.

— Charlie, por favor — interrompeu ele.

— Só podemos fazer o que temos condições. É como querer esvaziar o oceano com um dedal. Mas também temos histórias de sucesso. Crianças que conseguem lares adotivos maravilhosos com bons pais e têm uma vida melhor. Outros que são adotados por pessoas que os amam. Crianças para quem conseguimos cirurgias que não seriam feitas de outra forma. Gabby e o cão-guia dela. Alguns dos problemas deles, nós podemos resolver, outros, não. Simplesmente, temos de aceitar os limites, se não sofremos muito. — Ele nunca tinha visto tão de perto para onde seu dinheiro ia ou para quem. Nunca olhara nos rostos das crianças, e nunca conhecera uma mulher como Carole, que estava dedicando a vida para mudar o mundo para um punhado de almas de uma rua do Harlem. Desde que viera ao local pela primeira vez, poucos dias antes, sua vida e seu coração tinham virado de cabeça para baixo. — Aprendemos na faculdade que temos que ser profissionais, manter distância e não nos envolver muito. Mas, às vezes, é simplesmente impossível. Às vezes eu vou para casa à noite e fico deitada na cama chorando.

Agora era fácil para ele imaginar. Tinha feito o mesmo.

— Você deve precisar de uma pausa para respirar às vezes — disse ele, pensativo, querendo convidá-la para almoçar ou jantar, mas não tinha coragem.

— Preciso. — Ela sorriu de forma inocente para ele. — Faço ginástica, nado ou jogo squash quando não estou muito cansada.

— Eu também — disse ele, sorrindo. — Quero dizer, jogo squash. Talvez possamos marcar um jogo para qualquer dia desses.

Ela pareceu surpresa. Não conseguia pensar em nenhum motivo para fazerem isso. Quando olhou para ela, Charlie viu que seus olhos estavam inexpressivos. Para Carole, ele era apenas o presidente da fundação que acabara de dar 1 milhão de dólares para o centro infantil, só isso. Ela não podia nem imaginar ser amiga dele. Seu único contato com ele era o que já tinham. Profissional e cortês. E só devia a ele relatórios financeiros. Não fazia ideia de que ele estava tentando ser seu amigo. Nunca lhe ocorrera isso.

Ela o acompanhou até a saída alguns minutos depois, antes de começar o trabalho com outro grupo. Quando o deixou, ele ainda estava conversando com Tygue e disse que voltaria em breve. Poucos minutos depois, Charlie foi embora e pegou um táxi para a cidade. Jantaria com Gray e Sylvia naquela noite. Carole se esqueceu dele no minuto em que foi embora.

Quando ele chegou ao apartamento de Sylvia, Gray estava na cozinha, e ela abriu a porta. Estava usando uma bonita saia preta bordada e uma delicada blusa branca. Ela arrumara a mesa com muito bom gosto para eles, com velas brancas altas e um enorme jarro de tulipas no meio. Quisera que tudo estivesse perfeito, pois sabia o quanto Charlie significava para Gray, e gostara dele quando se conheceram. Queria que as amizades de Gray continuassem sólidas. Não tinha a intenção de atrapalhar a vida de Charlie. Sabia que não tinha esse direito. E não queria que ele atrapalhasse a deles. Havia espaço para ambos na vida de Gray, e ela queria provar isso para Charlie, recebendo-o de braços abertos para a vida deles. Ao fitá-lo, seu olhar foi carinhoso. Sabia o quanto ele ficara desconfiado dela quando Gray lhe contou que estavam envolvidos. Porém, não era nada pessoal. Tinha gostado dela quando se conheceram em Portofino, estava apenas preocupado com o que esse relacionamento significaria para ele e qual seria o impacto em sua vida. Como uma criança encarando uma nova babá ou um homem com quem a mãe está saindo. O que isso significaria? Charlie e Gray eram como irmãos, e qualquer peso acrescentado à balança poderia mudar tudo. Queria reassegurar ambos de que, embora seu peso tenha sido acrescentado à balança, eles ainda estavam seguros em seu mundo particular. Quando se sentou à mesa com eles e Gray abriu uma garrafa de vinho, ela se sentiu como a Wendy em *Peter Pan*, sentada para jantar com os Garotos Perdidos.

Charlie olhara à sua volta antes de se sentar e estava impressionado com a elegância do lugar e a quantidade de objetos interessantes e decorativos organizados no mesmo ambiente de forma tão agradável. Sylvia tinha um ótimo olho e um tom leve ao conversar. Sabiamente, ficou em segundo plano durante a noite, e todos estavam bem quando abriram a segunda garrafa de vinho e Charlie mencionou Carole e descreveu sua visita ao centro no Harlem.

— Ela é uma mulher incrível — elogiou ele, em um tom de voz que relevava sua profunda admiração.

Ele contou sobre Gabby e seu cão-guia, os outros que conhecera e as histórias das crianças. Já tinha ficado sabendo de incidentes de abuso infantil antes, mas nenhum tão feio e cruel quanto os que ela lhe contara. Ela não usava nenhum artifício. Agora ele percebia que outras organizações maquiavam as informações. Mas Carole foi direto ao ponto do que tinha em mãos e por que precisava do dinheiro. Ela não se desculpava por querer muito dele e já fizera alusão de que queria mais. Seu sonho era que o centro fosse grande. Por enquanto, não tinha escolha a não ser mantê-lo pequeno, mas um dia queria abrir um lugar ainda maior bem no coração do Harlem. Em alguns outros, este tipo de serviço também era necessário e fora rápida ao mostrar para ele que abuso infantil não era um problema só dos cidadãos de baixa renda, mas acontecia em casas na Park Avenue, no meio do luxo. De fato, na classe média, era muito mais difícil descobrir. Ela garantiu a ele que atos abomináveis contra crianças eram cometidos em toda cidade, todo estado, todo país, e em todos os níveis socioconômicos. Onde ela estava, em alguns aspectos, era mais fácil lidar. Ela travara uma guerra contra a pobreza, o abuso infantil, a negligência, a hipocrisia, a indiferença. Decidira combater as desgraças do mundo e não tinha tempo nem paciência para o tipo de mundo em que ele vivia, onde as pessoas se faziam de cegas, ignoravam o que acontecia à sua volta e se vestiam para ir a festas. Era ocupada demais e não tinha nenhuma vontade de pensar em trivialidades. O que queria era ajudar o próximo e salvar as crianças. Os olhos de Charlie se acendiam ao falar dela, e Sylvia e Gray o observaram. Ela tocara a mente e o coração dele com o que lhe mostrara.

— Então, quando vai levá-la para jantar? — provocou Gray, sentado com um braço em volta dos ombros de Sylvia.

Charlie curtira a noite com eles; a comida, para variar, estava gostosa, e a conversa tinha sido muito agradável. Ficou surpreso ao ver que gostou ainda mais de Sylvia do que em Portofino. Agora, ela parecia mais delicada e mais gentil, e tinha de admitir que era maravilhosa para seu amigo. Ela até tinha sido legal com ele e o recebera de braços abertos.

— Que tal nunca? — disse Charlie com um sorriso triste. — Carole odeia tudo que eu represento. Quando eu a conheci, ela me olhou com desdém porque eu estava usando terno. — Sem mencionar o relógio de ouro.

— Ela está me parecendo bem durona. Pelo amor de Deus, você deu 1 milhão de dólares para ela. O que esperava que fizesse? Aparecesse lá de short e chinelo? — disse Gray, parecendo irritado pelo amigo.

— Talvez — disse Charlie, disposto a perdoá-la por ser grosseira com ele. Achava que o que ela estava fazendo na prática era mais importante do que qualquer coisa que fizera em toda a sua vida. Ele só assinava cheques e doava dinheiro. Ela estava nas trincheiras com aquelas crianças todos os dias, lutando pela vida delas. — Carole não tem paciência para a forma como todos nós vivemos e com o que fazemos. É praticamente uma santa, Gray.

Charlie parecia convencido disso, e Gray ficou desconfiado.

— Achei que você tinha dito que ela estudou em Princeton. Provavelmente é de alguma família rica, tentando reparar os pecados deles.

— Acho que não. Acredito que ela tivesse uma bolsa de estudos. Quando eu estava lá, havia muitas pessoas assim, e isso vem aumentando. Princeton não é mais tão elitista quanto antes. E isso é bom. Além do què, ela disse que odiou a universidade.

Embora tivesse feito parte de um bom grêmio. Mas havia muitas formas de entrar. Nem mesmo Princeton era mais só dos ricos. O mundo tinha mudado, e pessoas como Carole tinham contribuído para isso. Ele era antiquado para a nova era, vivendo da glória de sua família aristocrata. Carole era de uma geração completamente nova.

— Por que você não a convida para sair? — Gray o encorajou, e Sylvia concordou. — Ou ela é feia?

Isso não lhe ocorrera, dada a forma como Charlie estava animado. Por algum motivo, supusera que era atraente. Não conseguia imaginar Charlie ficando tão entusiasmado por causa de uma mulher feia, mas talvez neste caso tivesse acontecido. Ele a descrevera como a Madre Teresa.

— Não, ela é muito bonita, mas acho que não liga a mínima para isso. Não tem paciência para futilidades, apenas para as coisas reais.

E ele sabia que, do ponto de vista dela, não estava incluído nesse grupo, embora soubesse que ela nem tinha lhe dado uma chance, e provavelmente nunca daria. Ele não era nada mais do que o presidente da fundação.

— Como ela é? — perguntou Sylvia, interessada.

— Tem mais ou menos 1,80m, é loura, tem um lindo rosto, corpo em forma, sem maquiagem. Disse que nada e joga squash quando tem tempo. Tem 34 anos.

— Não é casada? — perguntou Sylvia.

— Acho que não. Não estava usando aliança e não me passou essa impressão, embora eu duvide que esteja sozinha.

Uma mulher com a aparência dela não poderia estar sozinha, disse para si mesmo, o que tornou a ideia de chamá-la para sair ainda mais ridícula. Poderia, porém, fingir que era para tratar de negócios da fundação e, então, conhecê-la melhor. Era uma artimanha que o atraía de alguma forma, embora se sentisse desonesto se escondendo atrás da fundação para conhecê-la melhor. Mas talvez Gray e Sylvia estivessem certos e valesse a pena tentar.

— Nunca se sabe com mulheres como ela — disse Sylvia, sabiamente. — Às vezes abrem mão de muita coisa para defender suas causas. Se ela gasta tanto tempo, energia e paixão como você disse, talvez não tenha ninguém.

— Descubra — disse Gray, encorajando-o de novo. — Por que não? Você não tem nada a perder. Descubra.

Charlie se sentia estranho ao conversar sobre ela e compartilhar seus sentimentos com eles. Sentia-se vulnerável falando sobre Carole com os dois, e um tanto quanto tolo.

Quando Gray abriu a garrafa de Château d'Yquem que Sylvia comprara para eles, Charlie já estava quase convencido, mas quando chegou em casa naquela noite, sabia a tolice que era pensar em convidar Carole para jantar. Era velho demais, rico demais, conservador demais para ela. E, independentemente de seu passado, era óbvio que ela não se interessava por homens de seu tipo. Até rira dele por causa do relógio. Não conseguia nem se imaginar contando a ela que tinha um iate, embora a maioria das pessoas de seu mundo já tivesse ouvido falar do *Blue Moon*. Mas não poderia haver nada mais afastado do campo de interesses dela do que revistas de iates. Riu ao pensar nisso quando se deitou na cama naquela noite. As intenções de Sylvia e Gray eram boas, mas simplesmente não conseguiam compreender o quanto Carole era diferente e determinada com relação a seus ideais. Era só olhar para ela, e Charlie escutara bem seus comentários críticos sobre os grêmios de Princeton. Fora bem clara.

No dia seguinte, Charlie ligou para Gray para agradecer pelo jantar e dizer que fora uma noite muito agradável. Não fazia a menor ideia de aonde o relacionamento deles iria, ou se duraria, o que duvidava, mas por enquanto parecia uma coisa legal para os dois. E estava aliviado por ver que Sylvia não estava tentando interferir nem afastá-lo de seus amigos. Disse isso para Gray, que ficou feliz em saber que Charlie relaxara a respeito de Sylvia, e prometeu convidá-lo de novo.

— A sua comida até melhorou — implicou Charlie, e Gray riu.

— Ela me ajudou.

— Graças a Deus.

— Não se esqueça de ligar para a Madre Teresa e convidá-la para jantar — lembrou Gray.

Charlie ficou quieto por um momento e soltou uma gargalhada vazia.

— Acho que nós todos bebemos muito ontem à noite. Na hora, pareceu uma boa ideia, mas à luz do dia, estou vendo as coisas bem diferentes.

— Apenas convide. Qual é a pior coisa que poderia acontecer? — questionou Gray, parecendo um irmão mais velho, enquanto Charlie ficava reticente.

— Ela pode me chamar de babaca e desligar o telefone na minha cara. Além disso, seria estranho quando eu a encontrasse de novo.

Não queria se expor, embora não tivesse mais nada para fazer no momento. Não existia nenhuma mulher na sua vida há meses. Atualmente, estava cansado e diminuíra o ritmo de forma imperceptível. Não era mais tão divertido conquistar mulheres. Era mais fácil ir a jantares, festas e eventos sociais sozinho. Ou passar a noite com bons amigos, como fizera na noite anterior com Gray e Sylvia. Gostava mais disso que do esforço necessário para sair com alguém e cortejá-la até levá-la para a cama. Já fizera isso muitas vezes.

— E daí? — comentou Gray sobre a possibilidade de Carole desligar o telefone na cara dele. — Você já passou por coisas piores. Nunca se sabe, ela pode ser a mulher certa.

— Claro. Eu poderia vender o *Blue Moon* e construir o centro dos sonhos dela no Harlem, aí, talvez, ela aceitasse sair comigo.

— Droga. — Gray riu dele. — Nenhum sacrifício é grande demais para o amor.

— Não me venha com essa. Do que você abriu mão para ficar com Sylvia? Das baratas do seu apartamento? Dá um tempo.

— Liga para ela.

— Tudo bem, tudo bem — disse ele para Gray sair do seu pé; poucos minutos depois, prometeram se falar em breve e desligaram.

Charlie estava determinado a não ligar para Carole, mas a imagem dela o perseguiu a tarde toda. Foi para o seu escritório na fundação, depois para o clube, fez massagem, jogou squash com um amigo, depois ligou para Adam para agradecer pelo show, mas ele estava em reunião. Charlie deixou recado na secretária eletrônica e imaginou o que teria acontecido entre Adam e Maggie naquela noite. Provavelmente, o de sempre: Adam deixou-a fascinada dançando com ela, serviu litros de champanhe e ela acabou na cama dele. Charlie sentiu pena ao se lembrar dela. Apesar das roupas, Maggie tinha algo de inocente e doce. Às vezes, o comportamento de Adam em relação às mulheres e sua falta de consciência lhe davam repulsa. Mas como Adam sempre dizia, se elas estavam dispostas, ele jogava limpo. Nunca deixara ninguém inconsciente e depois estuprara. As garotas rastejavam aos pés dele com adoração, e o que acontecia depois disso era entre dois adultos donos de seu nariz. Charlie só não sabia se Maggie era tão adulta quanto parecia ou se tinha tanta prática nesse jogo. Ela não queria próteses de silicone nem plástica no nariz. Só queria um lugar melhor no show. Charlie não pôde deixar de pensar o que ela teve de fazer em troca. Estava pensando nisso quando saiu do clube depois do jogo de squash, pegou um táxi para casa e disse para si mesmo que estava ficando velho. A ética de Adam, ou a falta dela, e a forma como tratava as mulheres nunca o tinham incomodado antes. E como Adam sempre lembrava, tudo era permitido na busca de sexo e diversão. Mas, de alguma forma, isso não parecia mais tão divertido.

Eram quase 18 horas quando entrou em seu apartamento, escutou os recados e ficou parado olhando para o telefone. Será que ela ainda estava no escritório, ou em um grupo, ou será que já estava em casa? Lembrou que tinha um cartão dela na carteira, então pegou-o e fitou-o por um longo momento, depois ligou, sentindo-se nervoso e tolo. Ela era a primeira mulher que conhecia que o fazia sentir como se estivesse fazendo alguma coisa errada. Queria desculpar-se por seus privilégios, mas, ao mesmo tempo, foram esses privilégios que permitiram que doasse 1 milhão de dólares para que ela pudesse continuar salvando o mundo. Estava se sentindo como um colegial ansioso enquanto escutava o sinal do telefone. De repente, percebeu que estava rezando para ela não estar lá, e já ia desligar quando ela atendeu, parecendo sem fôlego·

— Alô?

Apesar de não dizer quem era ele reconheceu sua voz na mesma hora. Ligara para seu número particular.

— Carole?

— Sim.

Ela não reconheceu a voz dele.

— Aqui é Charlie Harrington. É uma hora ruim?

— De forma alguma — ela mentiu, coçando o queixo que acabara de bater enquanto corria para atender o telefone. — Acabei de sair de um grupo. Desci as escadas correndo quando escutei o telefone.

— Desculpe. Como está minha amiguinha? — Ele estava se referindo a Gabby, e Carole compreendeu na mesma hora. Sorriu e disse que ela estava bem. Perguntou como estavam as coisas no centro, se tinha algum novo progresso, e Carole começou a se questionar se ele ia continuar visitando e ligando o resto do ano. Era raro os presidentes das fundações que faziam doações telefonarem. Perguntou-se por que ele tinha ligado. — Não quero fazer nenhuma promessa que não possamos cumprir ou levantar falsas esperanças, mas você mencionou que havia outros programas que queria implementar e outras propostas de doações que gostaria de apresentar. Imaginei se não gostaria de me falar sobre esses planos em um almoço ou jantar qualquer dia desses.

Pegara o caminho covarde, sabia, escondendo-se atrás de sua fundação, mas pelo menos tinha ligado. Houve uma longa pausa.

— Para ser honesta, não estamos prontos para apresentar mais nenhum pedido de doação. Não temos equipe para trabalhar nos programas que quero, nem mesmo para preparar as propostas agora. Mas, sim, eu não me importaria em aceitar o seu convite para ver o que você acha dos nossos planos.

Não queria seguir em direções para as quais a fundação não estava pronta e perder tempo e energia.

— Eu ficaria feliz em escutar e dar uma opinião honesta sobre quais são os nossos verdadeiros interesses. No longo prazo, claro. — Seria impossível pedir para o conselho da fundação dar mais dinheiro para o centro quando tinham acabado de dar 1 milhão. Mas falar era fácil. — Na verdade, não poderíamos fazer muita coisa pelo centro até o ano que vem. Mas é bom você já ficar sabendo agora para que possa planejar uma estratégia de acordo, no início do nosso ano fiscal.

— De que lado você está?

Ela riu, e ele também, ao responder, sendo mais honesto do que ela imaginava.

— Do seu, claro. Você está fazendo um trabalho incrível.

Ele se apaixonara pelo centro para crianças que sofreram abuso que ela tinha criado, e se não fosse cuidadoso, sabia que se apaixonaria por ela também. De qualquer forma, por uma ou duas semanas, se tivessem sorte, talvez mais. O amor nunca durava muito para ele. Para Charlie, o medo era uma emoção mais forte do que o amor.

— Obrigada.

Carole pareceu ficar emocionada com a gentileza das palavras dele. Pareciam sinceras. Devagar, enquanto o escutava, ela baixou a guarda, já que ele era um bom contato.

— Quando você gostaria de sair? — perguntou ele de forma casual, satisfeito com o rumo da conversa.

Dera a opção de almoço ou jantar para que ela não se sentisse pressionada. Geralmente, esse era um sábio primeiro passo.

E talvez o último neste caso. Não havia nenhum indício na voz dela que sugerisse que estava interessada nele. Provavelmente não estava, mas ele teria uma ideia melhor quando se encontrassem e conversassem durante a refeição. Se a atração não fosse recíproca, ele não se exporia nem faria papel de bobo. Mas até agora, tudo bem.

— Eu não consigo mesmo sair na hora do almoço. Sempre fico aqui e como uma banana na minha mesa, quando consigo. Geralmente, ao meio-dia estou em algum grupo. E atendo crianças individualmente à tarde.

Ela reservara um grande pedaço do seu dia quando ele fora conhecer, mas não queria que isso se tornasse um hábito, nem para ele.

— Que tal jantar, então? — Ele prendeu a respiração. — Amanhã, talvez?

Ele tinha um jantar muito chato e o cancelaria feliz da vida para sair com Carole.

— Claro — disse ela, um pouco hesitante. Parecia um pouco confusa. — Não sei se vou conseguir organizar tudo até amanhã.

Tenho uma lista de programas que quero começar, mas ainda estão em rascunhos que nem sei onde guardei. Mas posso dizer o que tenho em mente.

Isso era tudo que ele queria, e não os programas que estava planejando, mas ela não fazia ideia. Ele parecia estar levando a conversa de forma tão improvisada quanto ela.

— Vamos só conversar e ver aonde chegamos, discutindo tudo. Para mim, as coisas às vezes funcionam melhor assim, de forma mais livre. Uma sessão de brainstorming com comida. O que me faz lembrar: onde você gosta de comer?

Ela riu da pergunta. Raramente saía para jantar. Quando chegava em casa depois do trabalho, estava exausta. Na maioria das noites, nem tinha energia para fazer ginástica, que era algo que gostava de fazer.

— Vamos ver. Os lugares que costumo frequentar: hambúrguer do Mo entre a 168th e a Amsterdam... Costeletas de porco da Sally na 125th, perto do metrô, quando estou voltando para casa... Delicatéssen da Izzy na West 99th e Columbus... Só frequento os melhores lugares. Acho que há anos não vou a um restaurante decente.

Charlie queria mudar isso e outros aspectos da vida dela, mas não tudo em uma noite. Queria ir devagar até que soubesse onde estava pisando.

— Acho que não posso competir com Mo e Izzy. A propósito, onde você mora?

Ela hesitou por um momento, e ele se perguntou, de repente, se ela morava com alguém. Parecia estar com medo de Charlie aparecer de repente.

— No Upper East Side, na altura da 90th.

Era uma vizinhança respeitável, e ele teve a sensação de que ela ficou constrangida de admitir. Imaginou se Gray não estava certo sobre o passado dela ser mais tradicional do que suas ideologias poderiam sugerir. Era muito dogmática no que acreditava. Ele esperava que ela dissesse que morava em algum ponto no Upper West Side, não no East Side, mas não questionou nem pressionou. Podia sentir o nervosismo dela. Charlie conhecia bem as mulheres, fazia isso havia muito tempo. Havia muito mais tempo que Carole, que não fazia a menor ideia de como ele era experiente ou do que tinha em mente. Se ela lhe desse a menor pista de que estava interessada, ele iria querer mudar a vida dela.

— Conheço um restaurante italiano bem tranquilo na East 89th. O que acha? — ofereceu ele.

— Perfeito. Qual é o nome?

— Stella di Notte. Não é tão romântico quanto parece. Significa Estrela da Noite em italiano, mas, na verdade, é um jogo de palavras. Stella é o nome da dona, que deve pesar uns 130 quilos. Ela mesma prepara e cozinha a massa, que é fantástica.

— Parece ótimo. Encontro você lá.

Charlie ficou um pouco surpreso com a sugestão dela. Não esperava que dissesse isso e, mais que nunca, desconfiou de que devia haver algum homem morando com ela. Estava determinado a descobrir.

— Não prefere que eu passe para pegá-la?

— Não — disse ela, sendo honesta. — Prefiro ir andando. Fico trancada aqui o dia inteiro, e moro na 91st. Preciso me exercitar, mesmo que sejam apenas alguns quarteirões. É uma forma de colocar a cabeça em ordem depois do trabalho.

Plausível, disse ele para si mesmo. Provavelmente havia algum homem de 35 anos deitado no sofá, vendo TV com um controle remoto na mão.

— Encontro você lá, então. Às 19h30? É tempo suficiente para você sair do trabalho?

— Está ótimo. O último grupo amanhã é às 16h30, então consigo chegar em casa por volta das 18h30. Acredito que não seja chique ou algo assim, é? — perguntou ela.

De repente, Carole pareceu nervosa. Quase nunca saía nem se arrumava. Imaginou se ele queria que ela usasse um vestidinho preto e pérolas. Não tinha nenhum dos dois, nem queria. Ele parecia o tipo, mas isto era trabalho. Não ia se arrumar toda para ele. Nesse caso, teria preferido ir ao Mo's. Não iria mudar seu estilo de vida por causa dele, por mais dinheiro que a fundação tivesse dado para o centro. Havia algumas coisas que não fazia mais e nunca mais faria. Arrumar-se era uma delas.

— Não, não é chique — garantiu ele. — Se quiser, pode até ir de calça jeans.

Embora esperasse que ela não aceitasse a sugestão. Adoraria vê-la usando um vestido.

— Se não se importa, eu vou de jeans mesmo, então. Não vou ter tempo de me arrumar. Nunca faço isso mesmo. Sou exatamente o que você vê.

Aparentemente. Jeans e tênis. Tudo bem. Nada de vestido.

— Vou escolher o mesmo — disse ele.

— Pelo menos, você pode usar o seu relógio nesse bairro — implicou ela, e ele riu.

— Que pena. Penhorei o relógio ontem.

— Por quanto?

Ela estava implicando. Ele parecia um cara legal. Apesar de tudo, queria ir àquele jantar. Não ia ao restaurante com um homem fazia quase quatro anos. E isso não ia mudar, exceto por um jantar de negócios com ele. Só um, disse para si mesma.

— Vinte e cinco pratas — ele respondeu à pergunta sobre o relógio.

— Nada mau. Então, nos vemos amanhã à noite — disse ela, e desligou.

E de repente, depois, uma lâmpada se acendeu na cabeça dele que o deixou aterrorizado. E se ele realmente estivesse louco?

E se os jeans e tênis significassem outra coisa? E se a linda viking de 1,80m de altura com coração de Madre Teresa não morasse com um homem? E se ele fosse ainda mais lerdo? E se ela fosse lésbica? Até aquele momento, isso não lhe ocorrera. Mas tudo era possível. Era óbvio que Carole não era uma mulher comum.

— Ótimo — disse Charlie para si mesmo, guardando o cartão na carteira, e ligou para o restaurante para fazer a reserva.

O que quer que ela fosse, ele descobriria amanhã. E até lá, só podia supor e esperar.

Capítulo 11

CHARLIE CHEGOU AO RESTAURANTE antes de Carole. Não contara a ninguém que a encontraria, nem a Sylvia e Gray. Ainda não tinha nada para revelar, exceto que teria um jantar informal da fundação, já que usara essa artimanha para convencê-la a vir. Não era um encontro. Fora para o restaurante andando. Era uma longa caminhada, mas, assim como ela, ele também precisava de ar. Passara o dia todo ansioso. E quando chegou ao local, já estava convencido de que ela era lésbica. Provavelmente, esse era o motivo para ela ter parecido indiferente em relação a ele. Era comum as mulheres reagirem a ele de alguma forma. Mas isso não tinha acontecido com Carole. Nas duas vezes em que se encontraram, ela só tratara de negócios. Profissional até a raiz dos cabelos, embora parecesse amorosa com todas as outras pessoas, principalmente com as crianças. Então, se lembrou de como ela e Tygue eram carinhosos e simpáticos um com o outro. Talvez fosse o homem na vida dela. Quando chegou ao restaurante, só sabia que havia um nó em seu estômago, uma sensação desconhecida para ele, e que ela era um mistério total, e talvez fosse continuar sendo, mesmo depois de jantarem juntos esta noite. Não tinha nenhuma certeza se ela se abriria com ele. Parecia bem fechada, como uma concha, o que lhe parecia um desafio ainda maior, além de seu impressionante cérebro.

Ela era totalmente diferente das socialites com quem costumava sair. Elas se arrumavam, dançavam, sorriam e iam a todos os lugares com ele, jogavam tênis e velejavam, e na maior parte do tempo o deixavam entediado. Esse era o motivo deste jantar com Carole Parker, que parecia não demonstrar o menor interesse nele, e Charlie nem sabia se ela era hétero ou homossexual. E mentira para convencê-la a sair para jantar. A situação era um completo absurdo.

Carole chegou cinco minutos depois e se juntou a Charlie à mesa de canto que Stella destinara a eles. Parecia sorridente e relaxada ao entrar, usando uma calça jeans branca, sandálias e uma camisa branca. O cabelo ainda estava molhado do chuveiro, e ela o prendera rapidamente numa trança. Não estava maquiada nem com as unhas, que eram bem curtas, feitas. Tinha uma aparência renovada e leve. Jogara um suéter azul-claro sobre os ombros, e ele pensou que, da forma como estava vestida, ela teria ficado perfeita no *Blue Moon.* Parecia uma velejadora ou jogadora de tênis; era alta, magra, com corpo atlético, e seus olhos eram de um tom de azul claro e brilhante, da mesma cor do suéter. Parecia uma modelo de comercial da Ralph Lauren, embora certamente fosse odiá-lo se dissesse isso. No fundo, sua essência combinava mais com Che Guevara do que com um estilista da moda. Ela sorriu para Charlie assim que o viu.

— Desculpe o atraso — disse, e se sentou, enquanto ele se levantava para cumprimentá-la.

Foram apenas cinco minutos que permitiram que ele se compusesse enquanto esperava. Não quis pedir o vinho até que ela chegasse e resolvessem o que iriam comer.

— Sem problemas. Nem percebi, já que não tenho mais relógio. Minha ideia era gastar no jantar os 25 dólares que ganhei — disse ele, sorrindo para ela, que deu uma gargalhada. Ele tinha um bom senso de humor. Ela nem se incomodara em levar bolsa, as chaves estavam em seu bolso, e não precisava carregar batom já que não usava mesmo. E, certamente, não faria isso para ele.

— Como foi o seu dia?

— Ocupado. Uma loucura. O de sempre. E o seu? — perguntou ela, parecendo interessada.

O que era novidade para ele. Não conseguia se lembrar da última vez que uma mulher lhe perguntara como estava, e quando isso aconteceu a pessoa pareceu não se importar nem um pouco com a resposta. Esta era diferente.

— Interessante. Passei o dia na fundação. Estamos tentando decidir quanto queremos gastar na esfera internacional. Existem alguns projetos muito bons necessitando urgentemente de ajuda nos países em desenvolvimento, mas não vai ser nada fácil implementá-los quando receberem o dinheiro. Tive uma reunião pelo telefone hoje com Jimmy Carter sobre esse assunto. Eles fazem vários trabalhos excelentes na África, e ele me deu alguns bons conselhos sobre o que fazer para fugir da burocracia.

— Parece legal — disse ela, sorrindo. — Projetos assim me fazem perceber como o nosso escopo aqui é pequeno. Quer dizer, o meu. Estou lidando com crianças em um raio de quarenta quarteirões de onde estou, às vezes menos. Quando pensamos a respeito, parece patético. — Ela suspirou ao se recostar na cadeira.

— Não é patético. Você está fazendo um trabalho maravilhoso. Não damos 1 milhão de dólares para pessoas que não estejam fazendo um trabalho incrível.

— Quanto a fundação doa por ano?

Ela vinha se perguntando isso desde que o conhecera. A fundação dele era muito respeitada nos círculos filantrópicos, e isso era tudo que sabia a seu respeito.

— Aproximadamente 10 milhões. Seu centro fez o nosso orçamento subir para 11, mas valeu a pena. — Sorriu e apontou para o cardápio. — Você deve estar morrendo de fome se tudo que come é uma banana no almoço.

Ele se lembrou do que ela tinha dito. Ambos pediram nhoque pois Charlie disse que era fabuloso, a especialidade de Stella. Naquela noite, estava servindo a massa com molho de tomate e manjericão, e no verão, que estava se prolongando naquele ano, Carole também achou perfeito. Ele pediu uma garrafa não muito cara de vinho branco e, assim que foram servidos, ela tomou um gole.

A comida estava tão gostosa quanto ele prometera, e eles conversaram sobre as ideias dela para o centro até a hora da sobremesa. Carole sonhava alto e sabia que teria que trabalhar muito, mas pelo que já conseguira até agora, ele sabia que era capaz de atingir tudo que planejava. Principalmente com a ajuda de fundações como a dele. Ele garantiu que outras também ficariam muito impressionadas, e que ela não teria problemas em conseguir o dinheiro com ele ou com qualquer outra pessoa no ano seguinte. Charlie estava realmente impressionado com tudo que ela fazia e com o cuidado com o qual já planejava o futuro.

— Você tem um sonho e tanto, Srta. Parker. Realmente vai mudar o mundo um dia. — Acreditava mil por cento nela. Era uma jovem notável. Aos 34 anos, conquistara mais do que algumas pessoas conseguem em uma vida inteira, e a maior parte disso sozinha, sem a ajuda de ninguém. Estava claro que o centro infantil era seu bebê, o que, mais um vez, o deixou curioso. — E você? O que mais faz quando não está trabalhando? Acredite, estou brincando. Não é de se admirar que você não tenha tempo nem para comer. Não deve nem dormir também.

— Não — garantiu ela. — É que me parece uma perda de tempo. — Ela riu ao dizer isso. — É só o que faço. Trabalho e crianças. Grupos. Passo a maioria dos finais de semana no centro, embora oficialmente não esteja trabalhando. Mas estar lá e ficar de olho nas coisas faz a diferença.

— Também me sinto assim em relação à fundação — admitiu ele —, mas, ainda assim, você precisa arrumar tempo para outras coisas, se divertir um pouco às vezes. O que é diversão para você?

— Trabalho é diversão para mim. Nunca fui tão feliz na minha vida desde que abrimos o centro. Não preciso de mais nada.

Confessou isso com honestidade, e ele percebeu, o que o deixou um pouco preocupado. Havia algo errado com a imagem que ela passava. Além de trabalho, alguma coisa estava faltando.

— Nada de marido, filhos ou relógio biológico lhe dizendo que precisa se casar? Isso é raro na sua idade. — Ele sabia que ela tinha 34 anos e fora para Princeton e Columbia, mas continuava não sabendo mais nada, mesmo depois do jantar. Só tinham conversado sobre o centro dela e a fundação dele. Do trabalho dos dois. De suas respectivas missões.

— Não. Nada de marido, nem filhos. Nada de relógio biológico. Joguei o meu fora alguns anos atrás. Desde então, sou mais feliz.

— O que quer dizer com isso? — ele pressionou um pouco, mas ela não pareceu se incomodar. Ele pressentia que se ela não quisesse responder a alguma pergunta, não responderia.

— As crianças do centro são meus filhos.

Carole parecia bem à vontade com o que dizia.

— Você diz isso agora, mas talvez algum dia vá se arrepender. Nesse aspecto, as mulheres não têm sorte. Precisam tomar certas decisões em determinada idade. O homem pode sempre fazer o papel de ridículo e formar uma família aos 60, 70 ou até 80 anos.

— Talvez eu adote uma criança quando tiver 80.

Ela sorriu, e, pela primeira vez, ele percebeu algum vestígio de tragédia. Conhecia bem as mulheres, e alguma coisa ruim acontecera com Carole. Não sabia por que nem como sabia, mas de repente sentiu. Ela era muito firme em suas respostas e em suas decisões. Na vida, ninguém tinha tanta certeza assim, a não ser que tivesse sofrido muito. Ele já passara por isso.

— Isso não me convence, Carole — disse ele, com cuidado. — Não queria assustá-la ou fazer com que retrocedesse. — Você é uma mulher que ama crianças. E tem que ter um homem em algum lugar da sua vida.

Depois de escutá-la a noite toda, ela não lhe parecia nem um pouco lésbica. Nada do que dissera sugeria isso, embora ele soubesse que podia estar errado, o que já acontecera uma ou duas vezes. Mas não parecia ser o caso. Carole era apenas fechada.

— Não, nenhum homem — disse ela simplesmente. — Não tenho tempo nem interesse. Já passei por isso. Não existe ninguém na minha vida há quatro anos.

No ano anterior, ela abrira o centro, como ele sabia. Ele se perguntou se alguma decepção amorosa fizera com que mudasse de direção, para curar suas feridas junto com as dos outros.

— É muito tempo na sua idade — disse ele gentilmente, e ela sorriu.

— Você fala como se eu tivesse 20 anos. Não sou tão jovem. Tenho 34. Para mim, já tenho idade suficiente.

Ele riu.

— Bem, não para mim. Tenho 46.

— Certo. — Ela virou o jogo rapidamente, querendo mudar o foco da conversa: — Você também não é casado nem tem filhos. Então, qual é o problema? E você? Por que o seu relógio não está gritando se é 12 anos mais velho do que eu?

Charlie não parecia ter mais do que 36, embora sentisse a idade que tinha. Ultimamente, vinha sentindo cada momento dos seus 46 anos. Mas, pelo menos, não aparentava. Nem ela, que parecia ter 20 e poucos. Juntos, formavam um belo par, tinham o biotipo parecido, quase como irmãos, como ele percebera quando notou pela primeira vez como ela era parecida com sua irmã, Ellen, e sua mãe.

— Meu relógio está gritando — confessou. — Só não encontrei a mulher certa ainda, mas espero que um dia eu consiga.

— Isso é besteira — disse ela simplesmente, olhando nos olhos dele. — Homens que passam a vida solteiros sempre dizem que não encontraram a mulher certa. Você não pode me dizer que, aos 46, ainda não a encontrou. Tem muitas por aí, e se não encontrou é porque não quer. Não encontrar a mulher certa é uma desculpa esfarrapada. Encontre outra, então — atalhou sendo direta, e tomou um gole de vinho enquanto Charlie a fitava.

Ela fora direto ao ponto e, pior ainda, tinha razão; ele sabia. Ela também. Parecia convencida do que tinha acabado de falar.

— OK, dou minha mão à palmatória. Alguma delas poderia ter sido a certa, se eu quisesse me comprometer. Sempre procurei a perfeição.

— E nunca encontrou, nem vai encontrar. Ninguém é perfeito. Você sabe disso. Então, qual é o problema?

— Morro de medo — disse ele com honestidade, pela primeira vez em sua vida, e quase caiu da cadeira quando se escutou falando isso.

— Assim é melhor. Por quê?

Ela era boa no que fazia, embora ele só tivesse percebido tarde demais. Alcançar o coração e as mentes das pessoas era seu trabalho, e o que amava fazer. Mas, instintivamente, ele sabia que ela não iria magoá-lo. Sentia-se seguro com Carole.

— Perdi meus pais aos 16 anos. Minha irmã cuidou de mim e depois morreu com um tumor no cérebro quando eu tinha 21. Foi isso. Fim da família. Acho que durante toda a minha vida achei que, se amasse alguém, essa pessoa morreria, me deixaria, desapareceria ou me abandonaria. Sempre preferi acabar com tudo antes.

— Faz sentido — disse ela calmamente, escutando a confissão e observando-o com atenção. Sabia que ele tinha dito a verdade. — E as pessoas morrem, vão embora, desaparecem. É assim que as coisas às vezes acontecem. Mas como você é o primeiro a desistir, certamente vai acabar sozinho. Não se importa com isso?

— Eu não me importava.

Passado. Ultimamente, isso o estava incomodando muito, mas não queria dizer isso a ela. Não ainda.

— Paga-se um preço alto na vida quando se tem medo... — disse ela, depois acrescentou: — ...medo de amar. Também não sou boa nisso. — Decidiu contar a ele. Assim como Charlie, ela se sentia segura com ele. Fazia muito tempo que não contava sua história, e a resumiu: — Eu me casei aos 24 anos com um amigo do meu pai, o presidente de uma grande empresa, um homem brilhante. Era pesquisador e fundou uma empresa farmacêutica bem conhecida. Mas era totalmente louco. Vinte anos mais velho que eu, e um homem extraordinário. Ainda é. Mas narcisista, doido, brilhante, bem-sucedido, charmoso, alcoólatra, sádico, perigoso, abusivo. Foram os piores seis anos da minha vida. Era um sociopata, e todo mundo vivia me dizendo como eu tinha sorte por ser casada com ele. Porque ninguém sabia o que acontecia por trás das portas fechadas. Sofri um acidente de carro, porque quis, acho. Eu só queria morrer. Ele vivia me torturando, então eu o deixava por um ou dois dias, e ele conseguia me convencer a voltar. Pessoas abusivas nunca perdem suas presas de vista. Quando eu estava no hospital depois do acidente, recobrei o juízo. Nunca mais voltei. Passei um ano escondida na Califórnia, conheci muita gente legal e descobri o que queria fazer. Abri o centro quando voltei para cá, e nunca olhei para trás.

— O que aconteceu com ele? Onde está agora?

— Ainda aqui. Torturando alguma outra pessoa. Tem uns 50 e poucos anos agora e se casou com uma debutante patética no ano passado, coitada. Ele é tão charmoso quanto doente. Ainda me liga às vezes, e me escreveu uma carta dizendo que ela não significava nada para ele e que ainda me amava. Eu nunca respondi, e nunca vou responder. Identifico as minhas ligações e nunca atendo as dele. Para mim, acabou. Mas não tive mais nenhuma vontade de tentar de novo. Acho que se pode dizer, de forma razoável, que tenho medo de compromisso — disse ela, sorrindo para Charlie — ou de relacionamentos, e minha intenção é continuar assim. Não tenho a mínima vontade de passar por tudo isso de novo. Nunca percebi como ele realmente era. Ninguém percebia. As pessoas só viam que era bonito, charmoso e rico. Vem de uma "boa família", e até mesmo os meus pais acharam que eu era doida durante muito tempo. Provavelmente, ainda acham, mas são educados demais para me dizer isso. Só acham que eu sou esquisita. Mas estou viva e minha mente está sã, o que me parecia questionável até eu bater com o carro na traseira de um caminhão na estrada, morrendo de medo. Acredite em mim, bater no caminhão foi muito menos doloroso e perigoso do que a vida que eu levava com ele. Meu ex era um sociopata completo, e ainda é. Então, joguei meu relógio biológico pela janela, junto com meus sapatos de salto alto, maquiagens, vestidos de festa e anéis de casamento e noivado. A parte boa é que não tive filhos com ele. Se tivesse, provavelmente teria ficado. E agora, em vez de um ou dois filhos, tenho quarenta. Uma vizinhança inteira, e Gabby e Zorro. E sou muito mais feliz do que era antes.

Ela se recostou e o fitou, a dor e o sofrimento expostos em seus olhos. Charlie podia ver que ela tinha estado no inferno, e era por isso que se importava tanto com as crianças com quem trabalhava. Ela própria estivera lá, embora de uma forma diferente. Ele sentira calafrios subirem pela espinha enquanto ela contava sua história. Fizera com que soasse rápido e simples, mas ele podia ver que não tinha sido assim. Vivera um pesadelo e, finalmente, acordara. Mas levara seis anos para conseguir, e devia ter sofrido demais no período. Ele estava triste pelo que acontecera com Carole. Mais triste do que ela imaginava. Mas ela ainda estava viva para contar a história e fazer um trabalho maravilhoso. Poderia estar acomodada, falando tolices, usando drogas ou bebendo, ou morta. Em vez disso, criara uma boa vida sozinha. Mas abrira mão de muita coisa.

— Sinto muito, Carole. Coisas ruins acontecem em algum ponto da nossa vida, acho. A vida é o que fazemos depois, quantos pedaços conseguimos catar no lixo e colar. — Ele sabia que ainda faltavam alguns pedaços grandes dele mesmo. — Você tem muita coragem.

— Você também. É um golpe duro perder a família toda na idade em que você perdeu. Ninguém nunca se recupera totalmente, mas é preciso ser corajoso o suficiente para não desistir. Espero que você seja — disse ela, gentilmente.

— Espero que você também seja — disse ele baixinho enquanto a fitava, agradecido pela honestidade que estavam compartilhando.

— Aposto em você. — Ela sorriu. — Gosto de como a minha vida está agora. É simples, fácil e descomplicada.

— E solitária — completou ele, abruptamente, enquanto ela terminava de falar. — Não me diga que não é. Você estaria mentindo e sabe disso. Também sou solitário. Todos somos. Quando se escolhe ser sozinho, ninguém nos faz sofrer, mas pagamos um preço alto. É uma coisa cara, e você sabe disso. Você pode não ter nenhuma cicatriz aberta. Mas quando vai para casa à noite, escuta o mesmo que eu, o silêncio, e encontra uma casa vazia. Ninguém pergunta como você está, ninguém dá a mínima. Talvez nossos amigos, mas ambos sabemos que não é a mesma coisa.

— Não, não é — disse ela, com honestidade. — Mas a outra opção é muito mais assustadora.

— Talvez um dia o silêncio seja ainda mais assustador. Às vezes sinto isso.

Principalmente nos últimos tempos. E o tempo não estava ao seu lado. Nem mesmo no dela por muitos mais anos.

— E então, o que você faz? — perguntou ela, curiosa.

— Fujo. Saio. Viajo. Visito amigos. Vou a festas. Saio com mulheres. Existem muitas formas de preencher esse vazio, a maioria artificial, e para onde quer que se vá no mundo, levamos a nós mesmos e nossos fantasmas. Já passei por isso também.

Ele nunca tinha sido tão honesto com alguma outra pessoa na vida além de seu terapeuta, mas estava cansado de artifícios e de fingir que estava tudo bem. Às vezes, simplesmente não estava.

— É, eu sei — disse ela baixinho. — Eu simplesmente trabalho até não aguentar mais, e digo para mim mesma que devo isso aos meus clientes. Mas o problema não são eles. Às vezes é, mas quase sempre sou eu. E se ainda me sobra alguma energia quando chego em casa, nado, jogo squash ou malho.

— Pelo menos faz bem para você. — Ele sorriu. — Estamos na pior, não? Duas pessoas com fobia de compromisso jantando e compartilhando segredos.

— Existem coisas piores. — Ela, então, o fitou com cuidado, perguntando-se por que ele a convidara para sair. Ela já não tinha mais certeza absoluta que era por causa de seus planos para o centro, embora não tivesse dívidas antes. — Vamos ser amigos — disse ela gentilmente, esperando fazer um acordo com ele, estabelecer logo as regras e os limites, algo que fazia muito bem.

Ele a fitou por um longo e difícil momento antes de responder. Desta vez, queria ser honesto. Na última vez, quando a convidou para sair, não fora. Mas queria ser antes que fosse tarde demais.

— Não posso prometer-lhe isso — disse ele, quando seus olhos igualmente azuis se encontraram. — Sempre cumpro minhas promessas, e não sei se poderei cumprir esta.

— Não vou mais sair para jantar com você a não ser que saiba que somos apenas amigos.

— Então, acho que vai ter que começar a almoçar comigo. Vou levar bananas para você e podemos nos encontrar na Sally's e nos sujarmos todos de costeleta de porco. Não estou dizendo que não podemos ser amigos ou que não seremos. Mas gosto mais de você do que apenas como amigo. Mesmo pessoas com fobia de compromisso às vezes têm romances ou encontros, não?

— Isto foi um encontro?

Ela o fitou, surpresa. Quando ele a convidou para jantar, a ideia não lhe passou pela cabeça. Realmente acreditara que ele queria falar sobre os negócios da fundação, mas agora gostava mais dele, o suficiente para querer ser sua amiga.

— Não sei — disse ele, vagamente. Ainda não estava preparado para admitir que tinha mentido ou usado uma artimanha para convencê-la a jantar com ele. Tudo era permitido na busca de sexo e diversão, como Adam dizia. Ou algo parecido. E isso tinha sido divertido; na verdade, mais interessante do que divertido, mas ainda não tinha tido sexo, e Charlie acreditava que demoraria muito para ter, se algum dia tivesse. — Não sei bem o que foi, além de duas pessoas inteligentes com interesses parecidos se conhecendo melhor. Mas, da próxima vez, gostaria que fosse um encontro.

Ela ficou ali sentada, miseravelmente, por um minuto, sem responder, querendo fugir, e então o fitou com olhos angustiados.

— Eu não tenho encontros.

— Isso foi ontem. Agora é hoje. Você pode pensar no amanhã quando ele chegar e ver o que quer fazer. Não precisa tomar nenhuma decisão ainda. Só estou falando sobre jantares, não de uma cirurgia do coração — disse ele, simplesmente.

Fazia sentido até para ele.

— E qual de nós você acha que viraria as costas primeiro?

— Aposto em você, mas vou avisar, não estou mais em tão boa forma quanto antes. Não corro mais tão rápido quanto antes. Você deve chegar primeiro.

— Você está me usando para comprovar a sua teoria do abandono, Charlie? De que todas as mulheres vão embora mais cedo ou mais tarde? Não quero ser usada para confirmar uma teoria neurótica — disse ela, e ele sorriu ao ouvir isso.

— Vou tentar não fazer isso, mas não posso prometer nada. Lembre-se, apenas jantar. Não um compromisso para a vida inteira. — Ainda não, pelo menos. Silenciosamente, ele avisou a si mesmo que deveria tomar cuidado com seus desejos. Coisas estranhas tinham acontecido. Embora não conseguisse pensar em nada melhor do que estar com ela, por quanto tempo durasse e quem chegasse à porta primeiro.

— Se você está procurando a "mulher certa", sair para jantar com alguém com fobia de compromisso não deveria ser uma prioridade na sua lista.

— Vou tentar me lembrar disso. Você não precisa ser minha terapeuta, Carole. Já tenho um. Apenas seja minha amiga.

— Acho que eu sou.

Ainda não sabiam sobre o resto, mas não precisavam. O futuro era para quem estava disposto a arriscar, se ela quisesse.

Charlie, então, pagou a conta e levou-a para casa a pé. Carole morava em uma pequena e elegante casa de arenito pardo, o que o surpreendeu, e ela não o convidou para entrar. Ele não esperava que fizesse isso. Achava que tudo tinha ido melhor do que se poderia esperar para um primeiro encontro.

Ela lhe disse que morava em um pequeno estúdio nos fundos. Também mencionou que era muito barato e que tivera sorte de encontrar o lugar. Charlie se perguntou se ela tinha feito algum acordo depois que se separou, já que mencionara que o marido era rico. Esperava que sim; pelo bem dela, deveria ter ficado com algo além de sofrimento.

— Obrigada pelo jantar — Carole agradeceu, educadamente, e então, com firmeza, acrescentou: — Não foi um encontro.

— Eu sei disso. Mas obrigado por me lembrar — disse ele com um brilho no olhar. Ele estava de camisa azul, calça jeans e um suéter da mesma cor do dela, com mocassins marrons de crocodilo sem meias. Estava muito bonito, e ela estava linda ao lhe dar boa-noite. — Que tal jantarmos na semana que vem?

— Vou pensar — disse ela, colocando a chave na porta, depois do quê acenou e desapareceu.

— Boa-noite — sussurrou ele para si mesmo com um pequeno sorriso, enquanto caminhava de cabeça baixa, pensando nela e em tudo que tinham compartilhado. Não olhou para trás e não viu que ela o observava pela janela do andar de cima se perguntando o que se passava na cabeça dele, enquanto ele fazia o mesmo. Charlie estava feliz. Carole, assustada.

Capítulo 12

DOIS DIAS DEPOIS DO JANTAR de Charlie com Carole, Adam parou em frente à casa de seus pais em Long Island na sua nova Ferrari. Já sabia que estava encrencado. Eles esperavam que Adam fosse à sinagoga com eles, que também era seu plano, assim como fazia todos os anos. Mas um dos seus astros do esporte ligou em pânico. A esposa tinha sido presa por furtar em uma loja, e ele admitiu que o filho de 16 anos estava envolvido com cocaína. Podia ser Yom Kippur para ele e seus pais, mas um jogador de futebol americano do Minnesota não sabia nada sobre o feriado judaico e precisava da ajuda de Adam. Estava sempre presente quando eles estavam em apuros, e desta vez não foi diferente.

De manhã, mandariam o filho para Hazelden, uma organização sem fins lucrativos para tratamento de viciados em bebidas alcoólicas e drogas; e, por sorte, Adam conhecia o promotor do caso de furto da esposa. Fizeram um acordo de cem horas de serviço comunitário, e o promotor prometeu não contar nada aos jornais. O jogador disse que ficaria devendo essa por toda a vida. E às 18h30, estava a caminho. Levou uma hora para chegar à casa dos pais em Long Island. Não conseguira ir à sinagoga mas, pelo menos, chegara a tempo de jantar. Sabia que sua mãe estaria furiosa, ele próprio estava decepcionado. Era o dia do ano em que ele realmente gostava de ir à sinagoga para expiar seus pecados do ano anterior e lembrar-se dos mortos. No resto do tempo, a religião tinha pouco significado na sua vida. Mas adorava a tradição dos feriados mais importantes e era grato por Rachel fazer seus filhos seguirem todas elas. Jacob tivera seu bar mitzvah no verão passado, e no dia em que leu da Torá em hebreu, Adam chegou às lágrimas. Nunca sentira tanto orgulho na vida. Podia se lembrar do próprio pai chorando no dele.

Sabia que nesta noite não haveria esses momentos de emoção. Sua mãe estaria furiosa por ele não ter chegado a tempo de ir à sinagoga com a família. Tudo sempre se resumia a ela. O fato de ele precisar cuidar de seus clientes em momentos de crise não significava nada, pois estava furiosa com o filho mais novo desde o divórcio. Era mais próxima de Rachel, até hoje, do que já fora dele, e Adam sempre tinha a impressão de que sua mãe gostava mais dela que do próprio filho.

Estavam todos sentados na sala de estar, logo após voltar da sinagoga, quando Adam entrou. Estava usando gravata e um terno Brioni, belamente cortado, azul-escuro, uma camisa branca feita sob medida e sapatos que brilhavam de tão engraxados. Qualquer outra mãe teria derretido ao vê-lo. Ele tinha uma boa estrutura e boa aparência, de uma forma exótica e étnica. Em dias de paz, que eram raros, quando era mais jovem, ela dizia que ele parecia um soldado da liberdade israelita, e às vezes se deixara fingir que tinha orgulho dele. Hoje em dia, tudo que dizia era que tinha vendido a alma para viver em Sodoma e Gomorra e que sua vida era uma desgraça. Ela desaprovava tudo que ele fazia, desde as mulheres com quem sabia que saía, passando pelos clientes que representava até suas viagens para Las Vegas a negócios, ou para ver seus boxeadores em lutas pelo título ou shows de seus rappers. Desaprovava até Charlie e Gray e dizia que eram dois fracassados que nunca tinham se casado e nunca se casariam e que andavam para cima e para baixo com mulheres da vida. E toda vez que via fotos de Adam nos tabloides com alguma mulher com quem estava saindo ou atrás de Vana ou de um outro cliente, ligava para dizer que ele era uma total desgraça. Ele tinha certeza de que esta noite não seria diferente.

Não ir à sinagoga no Yom Kippur era a pior coisa que podia fazer, na opinião dela. Também não fora para casa no último ano-novo judaico. Estava em Atlantic City resolvendo uma disputa contratual que irrompera quando um de seus mais importantes cantores fez um show bêbado e desmaiou no palco. Os feriados judaicos não significavam nada para seus clientes, mas significavam muito para sua mãe. O rosto dela parecia de pedra quando entrou na sala de estar. Estava tão estressado e ansioso que chegou a ficar pálido. Ir à casa dos pais sempre fazia com que se sentisse como um garoto de novo, o que não era uma lembrança feliz. Fora tratado como um intruso e uma decepção desde o dia em que nascera.

— Olá, mãe, desculpe o atraso — disse ao se aproximar dela e inclinar-se para beijá-la, mas ela virou o rosto. Seu pai estava sentado no sofá fitando os pés. Embora tenha escutado o filho entrar, não levantou o olhar para vê-lo. Nunca levantava. Adam beijou a cabeça da mãe e se afastou. — Desculpem todos, não pude evitar. Um cliente estava passando por uma crise. O filho está vendendo drogas e a esposa estava prestes a ser presa. — A justificativa não significava nada para ela, era apenas mais artilharia para seu canhão.

— Você trabalha para pessoas adoráveis — disse ela, com um tom de voz cortante. — Deve ter muito orgulho.

O sarcasmo transbordava de suas palavras. Adam viu a irmã olhar para o marido e seu irmão franzir a testa e desviar o olhar. Podia perceber que seria uma daquelas noites maravilhosas que o deixavam com dor de estômago durante dias.

— É esse trabalho que sustenta meus filhos — disse Adam, tentando parecer alegre, enquanto se dirigia para o aparador e se servia um drinque. Bem forte. Vodca pura com gelo.

— Você não consegue nem se sentar antes de se embebedar? Não conseguiu ir à sinagoga no Yom Kippur, não cumprimentou a sua família de forma decente e já vai beber? Qualquer dia desses, Adam, você vai acabar no AA.

Não havia muito que ele pudesse dizer. Poderia ter dito uma piada a respeito com Charlie e Gray, mas nada que acontecia com a sua família se transformava em algo engraçado. Todos pareciam estar de luto enquanto esperavam a empregada dizer que o jantar estava servido. Era a mesma afro-americana que trabalhava com eles havia trinta anos, embora Adam não conseguisse entender por que ela continuava lá. Sua mãe ainda se referia a ela como "a *schwartze*", mas hoje em dia ela devia saber mais iídiche do que Adam. Era a única pessoa que Adam gostava de ver nas suas raras visitas à casa dos pais. O nome dela era Mae. Sua mãe sempre se questionava com um olhar de reprovação que tipo de nome era Mae.

— Como foi na sinagoga? — perguntou ele, educadamente, tentando começar uma conversa enquanto sua irmã Sharon cochichava com a cunhada, Barbara, e seu irmão Ben falava de golfe com o cunhado deles, cujo nome era Gideon, mas como ninguém gostava dele, fingiam que não tinha nome.

Na sua família, quando uma pessoa não agradava, ignoravam seu nome. Ben era médico, e Gideon, corretor de seguros. O fato de Adam ter se formado com grandes honras em direito em Harvard tinha sido anulado por ter se divorciado porque sua esposa o deixou, uma tragédia pela qual, na opinião de sua mãe, ele certamente era culpado. Se fosse um homem decente, por que uma moça como Rachel o abandonaria? E olhem as garotas que namorou desde então. Os mantras eram intermináveis, e Adam já sabia todos de cor. Era um jogo que nunca conseguia ganhar. Ainda tentava, mas nem sabia por quê.

Mae finalmente veio chamá-los para o jantar, e quando todos se sentaram em seus lugares de costume, Adam viu que sua mãe o encarava do outro lado da mesa. Era um olhar que faria concreto derreter. Seu pai estava na outra extremidade, com os casais sentados um de cada lado. As crianças estavam comendo na cozinha, e Adam ainda não as tinha visto. Estavam jogando basquete e fumando escondidos do lado de fora. Os filhos dele nunca vinham. Sua mãe os via sozinhos com Rachel. O lugar de Adam ficava entre o pai e a irmã, como se alguém tivesse colocado seu prato ali na última hora. A perna da mesa sempre ficava entre seus joelhos. Ele não se importava, mas achava que era um sinal de Deus de que não havia lugar para ele nesta família, ainda menos nos últimos anos. Desde que se divorciara de Rachel e se tornara sócio de sua firma pouco antes disso, era tratado como um pária e fonte de sofrimento e vergonha para sua mãe, em particular. Suas conquistas, que eram consideráveis no mundo real, não significavam nada aqui. Era tratado como uma criatura do espaço sideral, e às vezes se sentia um ET, ficando mais pálido a cada minuto e louco para ir para casa. A pior parte era que aqui era a sua casa, por mais que fosse difícil de acreditar. Para ele, todos pareciam estranhos e inimigos e o tratavam assim.

— Então, por onde tem andado ultimamente? — perguntou sua mãe no primeiro silêncio, para que todos pudessem escutá-lo listar lugares como Las Vegas e Atlantic City, onde havia jogos, prostitutas e hordas de mulheres vadias, todas intimadas por Adam.

— Ah, por aí — disse Adam, sendo vago. Conhecia o jogo. Era difícil evitar as armadilhas, mas sempre tentava. — Estive na Itália e na França em agosto — lembrou ele, embora já tivesse falado com ela desde então.

Não tinha por que dizer a ela que tinha ido a Atlantic City na semana anterior para cuidar de outra crise. Que bom que ela não sabia onde ele estava no ano-novo judaico e não esperou que ele viesse passar em casa. Ele só se esforçava para vir no Yom Kippur. Adam olhou para sua irmã, que sorriu. Por um instante, em uma alucinação momentânea, ele a viu com cabelos compridos arrepiados e brancos e caninos para fora. Sempre pensava nela como a Noiva de Frankenstein. Ela tinha dois filhos, que ele raramente via, que eram iguais a ela e Gideon. Ele ia ao bar mitzvah de todo mundo, mas depois disso não os via mais. Seus sobrinhos e sobrinhas eram como estranhos, e admitiu para Charlie e Gray que preferia que fosse assim. Insistia que todos na sua família eram esquisitos, e pensavam exatamente o mesmo dele.

— Como foi em Lake Mohonk? — perguntou Adam à mãe. Não fazia a menor ideia de por que ela ainda ia lá. Seu pai ganhara uma fortuna no mercado de ações quarenta anos antes, e eles poderiam viajar para qualquer lugar do mundo. Sua mãe gostava de fingir que ainda eram pobres. Odiava aviões, por isso nunca se aventuravam muito longe.

— Foi muito bom — disse ela, pensando em mais alguma coisa para torturá-lo.

Costumava usar tudo que Adam dizia contra ele. O truque era não fornecer nenhuma informação, além das que ela já sabia pelos tabloides, que comprava religiosamente, ou pela televisão. Às vezes, ela lhe mandava recortes com suas fotos mais feias, atrás de um de seus clientes sendo algemado e preso. Sempre escrevia bilhetinhos do tipo: "Caso você não tenha visto..." Quando eram muito ruins, mandava três cópias, em envelopes separados, com bilhetinhos que começavam assim: "Eu esqueci de mandar...?"

— Como está se sentindo, pai?

Essa costumava ser a próxima tentativa de Adam para puxar uma conversa, e sempre tinha a mesma resposta. Quando era garoto, se convencera de que o pai tinha sido substituído por um robô por criaturas do espaço sideral. O robô que eles deixaram tinha alguma peça quebrada que atrapalhava a sua fala. Era capaz, mas precisava levar um chute para falar, e então, se percebia que a bateria tinha acabado. A resposta padrão do pai para a pergunta costumava ser "muito bem", enquanto fitava o prato, não olhava para o filho e continuava comendo. Afastar-se mentalmente e recusar-se a entrar na conversa fora a única forma que seu pai encontrara para sobreviver a um casamento de 57 anos com sua mãe. Ben ia fazer 55 anos no inverno, Sharon acabara de completar 50, e Adam fora um acidente nove anos depois, aparentemente daqueles que não valiam a pena nem discutir nem abordar, apenas quando fazia alguma coisa errada.

Não conseguia se lembrar de alguma vez que a mãe tivesse lhe dito que o amava ou de palavras de carinho desde que nascera. Sempre fora, mesmo quando criança, um constrangimento e um aborrecimento. A melhor coisa que eles faziam por ele era ignorá-lo. A pior era repreendê-lo, evitá-lo, censurá-lo e bater nele, todas as alternativas tinham sido trabalho de sua mãe enquanto o criava, e ela ainda fazia isso agora que o filho tinha 41 anos. Só não conseguia mais bater.

— Então, quem você está namorando agora, Adam? — perguntou sua mãe enquanto Mae trazia a salada.

Ele supôs que, como não tinha ido à sinagoga e precisava ser punido por isso, ela começaria a usar a artilharia pesada mais cedo desta vez. A regra costumava ser esperar até depois da sobremesa para fazer essa pergunta, durante o café. Ele já tinha aprendido havia muito tempo que não tinha resposta certa. Nesse assunto ou em qualquer outro, se dissesse a verdade, a casa desabaria.

— Ninguém. Tenho estado muito ocupado — respondeu, sendo vago.

— Aparentemente — disse sua mãe enquanto caminhava até o aparador, com rapidez e a coluna ereta. Ela era magra e pequena e estava muito bem apesar de seus 79 anos. Seu pai estava com 80, mas era muito forte, pelo menos fisicamente.

Ela, então, pegou um exemplar do *Enquirer* no aparador e passou pela mesa para que todos pudessem ver. Não mandara ainda o recorte com essas. Parecia que estava guardando para o feriado para que todos pudessem ver, não apenas Adam. Ele viu que era uma fotografia tirada no show de Vana. Havia uma garota ao seu lado com a boca aberta e os olhos fechados, com jaqueta de couro e os seios quase pulando para fora da blusa preta. A saia era tão curta que parecia não estar usando.

— Quem é *esta*? — perguntou a mãe, com um tom de voz que sugeria que ele estava mentindo.

Adam olhou a foto por um minuto e não estava se lembrando, mas então se lembrou. Maggie. A garota para quem conseguira um lugar no palco e que levara para seu prédio horrível. Teve vontade de dizer à mãe para não se preocupar, pois não dormira com ela, então obviamente ela não contava.

— Apenas uma garota que estava ao meu lado no show — disse ele, sendo vago mais uma vez.

— Ela não estava com você?

Ela estava dividida entre alívio e decepção. Teria que escolher outra arma.

— Não. Eu fui com Charlie.

— Quem?

Ela fingiu não se lembrar. Para Adam, esquecer o nome de seus amigos era apenas mais uma forma de rejeição.

— Charlie Harrington. — Aquele que você sempre finge esquecer.

— Ah. *Aquele*. Deve ser gay. Nunca se casou.

Marcou mais um ponto e agora estava no controle. Se dissesse que Charlie não era gay, ela ia querer saber como ele sabia, o que poderia ser incriminativo. E se ele se esquecesse do quanto era perigosa e resolvesse concordar com ela, só para se livrar da batata quente, a informação inevitavelmente voltaria para assombrá-lo depois. Já tentara com outros assuntos. Era melhor não dizer nada. Em vez disso, ele sorriu para Mae, que estava passando os pães de novo, e ela piscou. Era e sempre fora sua única aliada.

Ele se sentia como se tivesse passado algumas horas no inferno quando todos se levantaram da mesa depois do jantar. O nó no seu estômago já estava do tamanho de um punho fechado quando ele observou todos se sentarem nos mesmos lugares de sempre, onde estavam antes do jantar. Olhou em volta e percebeu que não podia mais aguentar. Foi para o lado da mãe para o caso de ela ter vontade de abraçá-lo, o que não acontecia com muita frequência.

— Desculpe, mãe. Estou morrendo de dor de cabeça. Acho que é enxaqueca. O percurso é longo, então é melhor eu ir logo.

Estava desesperado para abrir a porta e sair correndo.

Ela o encarou por um longo momento, com os lábios apertados, e assentiu. Já o punira adequadamente por não ter ido à sinagoga com a família. Estava livre para ir embora. Ele cumprira sua tarefa de bode expiatório. Era um papel que ela designara a Adam desde que nascera, já que tivera a audácia de chegar em sua vida quando ela achava que não teria mais filhos. Ele tinha sido uma agressão inesperada e não desejada contra seus chás e jogos de bridge, e fora punido por isso. Sempre. E ainda era. Sempre tinha sido uma fonte de inconveniência, nunca de alegria. Os outros foram influenciados por ela. Ben ficara mortificado ao saber que sua mãe estava grávida quando tinha 14 anos. Aos 9, Sharon se sentiu ultrajada pelo intruso em sua vida. Seu pai estava jogando golfe e não disponível para comentários. E, como vingança final, ele foi criado por uma babá e nunca os via. Como percebeu depois, esse castigo acabou se tornando uma bênção. A mulher que cuidou dele até os 10 anos era amorosa, atenciosa e boa, a única pessoa decente na sua infância — até o décimo aniversário de Adam, quando ela foi sumariamente despedida e não recebeu permissão para se despedir. Às vezes, ele ainda se perguntava o que tinha acontecido com ela, mas como já não era jovem na época, supunha que já devia estar morta. Durante anos se sentiu culpado por não tentar encontrá-la, nem ao menos escrever para agradecer por sua generosidade.

— Se você não bebesse tanto e não saísse com essas mulheres da vida — pronunciou sua mãe —, não teria enxaqueca.

Ele não sabia o que as mulheres da vida tinham a ver com isso, mas não perguntou. Aceitou a palavra dela; era mais simples.

— Obrigado pelo ótimo jantar.

Ele não fazia ideia do que tinha comido. Provavelmente rosbife. Nunca olhava o que estava comendo na casa deles. Apenas suportava.

— Ligue para mim qualquer dia — disse ela de forma austera.

Ele assentiu e resistiu à vontade de perguntar por quê. Era outra pergunta que ninguém poderia responder. Por que ele ia querer ligar para ela? Não queria, mas ligava por respeito e pelo hábito, uma vez por semana, e sempre rezava para ela não estar em casa para que pudesse deixar um recado, de preferência com o pai, que entre o alô e o tchau mal conseguia pronunciar quatro palavras, que geralmente eram: "Vou avisar a ela."

Adam se despediu de cada um e depois de Mae, na cozinha, saiu da casa e entrou na sua Ferrari soltando um enorme suspiro.

— Que merda! — disse em voz alta. — Eu odeio essas pessoas.

Depois de desabafar, ele se sentiu melhor e ligou o carro. Dez minutos depois, estava na Long Island Expressway bem acima do limite de velocidade, já se sentindo bem melhor. Tentou ligar para Charlie para poder escutar a voz de um ser humano normal, mas ele não estava em casa, então deixou um recado maluco na secretária eletrônica. Enquanto dirigia, se pegou pensando em Maggie. A fotografia dela no *Enquirer* era horrível. Lembrava que ela era bem mais bonita. Do jeito dela, era uma garota bonita. Pensou nela por alguns minutos e se perguntou se deveria ligar. Provavelmente não, mas sabia que precisava fazer alguma coisa naquela noite para reabastecer seu ego. Havia muitas outras para quem poderia ligar, e fez isso quando chegou em casa, mas todas tinham saído. Era sexta-feira à noite, todas as mulheres que conhecia teriam saído com alguém. Só precisava de um pouco de contato humano, alguém para quem sorrir, com quem conversar e que o abraçasse. Nem precisava de sexo, só queria alguém para reconhecer o fato de que era um ser humano. Encontrar sua família o deixava sem ar; era como se vampiros tivessem lhe sugado todo o sangue. Agora precisava de uma transfusão.

Sentado em seu apartamento, Adam consultou sua agenda de telefones. Ligou para sete mulheres. Todas as vezes, quem atendeu foi a secretária eletrônica, e então pensou em Maggie. Desconfiou que ela provavelmente estaria trabalhando, mas, só por desencargo de consciência, decidiu tentar. Já tinha passado da meia-noite, e talvez estivesse em casa. Procurou na jaqueta de couro que usara naquela noite, no show de Vana, em busca do pedaço de papel em que ela anotara o número. Procurou em todos os bolsos e acabou encontrando. Maggie O'Malley. Discou o número. Sabia que era ridículo procurá-la, mas precisava conversar com alguém. Sua mãe o enlouquecia. Odiava a irmã. Na verdade, nem a odiava, simplesmente não gostava dela, assim como ela não gostava dele. Não fizera nada na vida além de se casar e ter dois filhos. Teria ficado feliz conversando com Charlie ou Gray. Mas sabia que Gray estava com Sylvia, e era tarde demais para ligar. E lembrou que Charlie tinha ido passar o final de semana fora. Então, ligou para Maggie. Sentiu uma onda crescente de pânico, como sempre sentia quando ia para casa, e agora estava se transformando em enxaqueca. De alguma forma, a mera presença de seus familiares trazia de volta as piores lembranças de sua infância. Deixou o telefone tocar umas 12 vezes e ninguém atendeu. Uma secretária eletrônica finalmente surgiu na linha, dizendo o nome de várias garotas, e ele deixou um recado para Maggie, se perguntando por que se dera ao trabalho. Como todas as outras pessoas que conhecia, Maggie não estava em casa naquela noite, e, assim que desligou o telefone, soube que tinha sido uma estupidez ligar. Era uma total estranha. Não poderia explicar-lhe como se sentia quando via sua família, ou como sua mãe sempre o magoava. Maggie era uma garota boba que ele arrastou consigo naquela noite por falta de outra melhor. Era apenas uma garçonete. Vê-la na foto que sua mãe usara para torturá-lo fez com que se lembrasse dela, e agora estava aliviado por não ter sido atendido. Nem tinham dormido juntos! O único motivo para ainda ter o número de telefone dela era porque se esquecera de tirar da jaqueta e jogar fora.

Apesar dos avisos constantes de sua mãe sobre o potencial alcoolismo, e de ela dizer que as enxaquecas podiam ser um resultado disso, ele se serviu um drinque antes de ir para a cama. Ficou deitado lá, tentando se recuperar da tensão da noite em Long Island. Detestava encontrá-los. Era uma excelente forma de tortura. Sempre levava dias para se recuperar. Qual era o objetivo de convidá-lo se sempre o tratavam como um pária? Ficou deitado na cama, pensando neles, enquanto a dor de cabeça de que sua mãe avisara começou a latejar. Levou quase uma hora para pegar no sono.

Uma hora depois, estava dormindo profundamente quando o telefone tocou. Sonhou que eram monstros do espaço sideral, tentando comê-lo vivo e fazendo sons estranhos. E o tempo todo sua mãe ficava rindo dele, sacudindo jornais na sua cara. Puxou o cobertor por cima da cabeça e sonhou que estava gritando e fugindo deles até perceber que era o telefone. Colocou o telefone no ouvido e ainda estava sonolento quando disse:

— ...lô...

— Adam?

Ele não reconheceu a voz e percebeu, ao acordar, que a dor de cabeça estava ainda pior do que quando se deitara.

— Quem é?

Ele não sabia e não se importava. Rolou na cama e já começava a dormir de novo.

— É Maggie. Você deixou um recado na minha secretária eletrônica.

— Que Maggie?

Ele ainda estava com muito sono para entender.

— Maggie O'Malley. Você me ligou. Acordei você?

— É, acordou. — Sua mente agora estava um pouco mais clara, então olhou para o despertador na mesinha de cabeceira. Passava um pouco das 2 horas. — Por que está me ligando a esta hora?

Conforme sua cabeça clareava, a dor ficava mais fraca. Mas sabia que se ficasse conversando com ela, teria dificuldades para voltar a dormir depois.

— Achei que fosse importante. Você me ligou à meia-noite. Acabei de chegar em casa do trabalho. Achei que ainda estivesse acordado.

— Não estou — disse ele, deitado na cama, pensando nela.

Uma ligação àquela hora devia ter parecido que era de alguém em busca de sexo. Mas ligar para ele às 2 da madrugada não era nem um pouco melhor. Na verdade, pior. E agora já era tarde demais para encontrá-la. Já tinha ido dormir.

— Por que você me ligou?

Ela parecia curiosa, mas um pouco constrangida. Tinha gostado de conhecê-lo e era grata pelo lugar que ele lhe conseguira no show. Mas ficara decepcionada por ele não ter ligado depois. Quando mencionou isso com as amigas de trabalho, elas acharam que ele não ligaria e que o fato de não ter dormido com ele tinha diminuído o interesse. Talvez se o tivesse feito, ele poderia sentir alguma coisa por ela, embora o maître tivesse dito exatamente o contrário.

— Só queria saber se você estava ocupada — disse Adam, sonolento.

— À meia-noite? — Ela parecia chocada, e enquanto ele acordava e se levantava para acender a luz, ficou um pouco constrangido. A maioria das mulheres que conhecia teria desligado o telefone na sua cara àquela altura, com exceção das que estavam realmente desesperadas. Maggie não estava, e pareceu ficar insultada com a explicação dele. — O que foi aquilo? Disque-sexo?

Ela interpretou assim. Mas no caso dele, fora penas um antídoto para o veneno da mãe. A marca do veneno dela tinha uma potência singular, e ele desejara encontrar uma alma generosa que pudesse lhe dar o antídoto de que precisava. E se favores sexuais estivessem incluídos, ele não se importaria. Era só um pouco mais estranho no caso de Maggie porque não a conhecia direito.

— Não, não foi um disque-sexo, eu só estava sozinho. E com dor de cabeça.

Até para os ouvidos dele a explicação soou patética.

— Você me ligou porque estava com dor de cabeça?

— É, mais ou menos — disse ele, parecendo constrangido. — Tive uma noite horrível com meus pais em Long Island. Hoje é Yom Kippur.

Ele adivinhou, corretamente, que com um sobrenome como O'Malley ela não saberia nada sobre Yom Kippur. A maioria das mulheres com quem saía não sabia.

— Bem, feliz Yom Kippur — disse ela, com um pouco de sarcasmo.

— Não exatamente. É o Dia da Expiação — ensinou.

— Por que não me ligou antes?

A desconfiança dela era justificável.

— Tenho andado muito ocupado.

Ele estava se sentindo pior a cada minuto. A última coisa de que precisava era ter que lidar com essa garota, para quem planejara nunca ligar, às 2 da madrugada. Bem feito, pensou, você ligou primeiro. Chega de disque-sexo para estranhas à meia-noite.

— É, eu também tenho andado ocupada — disse ela de maneira distinta, com seu sotaque nova-iorquino. — De qualquer forma, obrigada pelo lugar, e tenha uma boa noite. Você não ia me ligar de novo, ia?

Ela pareceu triste ao dizer isso.

— Aparentemente sim, já que eu liguei. Duas horas atrás — disse, parecendo irritado.

Ele não lhe devia nenhuma explicação, e agora sua dor de cabeça estava voltando com força total. As noites em Long Island sempre faziam isso. E Maggie não estava ajudando, ao contrário do que esperara.

— Não, você não ia me ligar. Minhas amigas disseram que você não ia.

— Você discutiu isso com elas?

Era constrangedor pensar nisso. Talvez a vizinhança inteira estivesse votando se ele ligaria ou não.

— Só perguntei o que elas achavam. Você teria me ligado se eu tivesse dormido com você? — perguntou, curiosa, enquanto Adam gemia, rolava na cama e fechava os olhos de novo.

— Pelo amor de Deus, como posso saber? Talvez sim. Talvez não. Quem sabe? Ia depender de se íamos gostar um do outro.

— Para ser honesta, não sei se gosto de você. Achei que gostasse na noite em que nos conhecemos. Agora eu acho que você só estava brincando comigo. Talvez você e Charlie tenham achado engraçado.

Ela parecia insultada. Pela limusine e pelos lugares aos quais ele a levara, era óbvio que tinha dinheiro. Caras como Adam se aproveitavam de garotas como ela o tempo todo e depois não ligavam nunca mais. Foi o que suas amigas lhe disseram, e, como ele não ligou, ela decidira que as meninas estavam certas. Ficou ainda mais feliz agora por não ter dormido com ele, embora tivesse pensado a respeito e decidido contra. Não o conhecia. E não estava disposta a trocar um lugar no palco pelo seu corpo.

— Charlie gostou muito de você — mentiu Adam.

Não fazia a menor ideia do que Charlie achava. Não conseguia se lembrar. Nenhum dos dois a mencionara de novo. Ela era apenas alguém que rapidamente passara pela tela do radar deles naquela noite e sumira, para nunca mais se verem. E estava certa. Ele não ia ligar. Até passar pelo pesadelo em Long Island. E nenhuma outra garota atendera. Estava desesperado por contato humano. E agora estava tendo mais disso do que queria.

— E você, Adam? Também gostou de mim?

Ela o estava pressionando. Adam abriu os olhos de novo e fitou o teto, perguntando-se por que estava conversando com ela. Era tudo culpa de sua mãe. Bebera o suficiente para achar que a maioria das coisas em sua vida era culpa dela. O resto, de Rachel.

— Olhe, por que você está fazendo isso? Eu não a conheço. Você não me conhece. Somos estranhos. Estou com uma dor de cabeça horrível e dor de estômago. Minha mãe acha que sou alcoólatra. Talvez eu seja. Acho que não. Mas independentemente do que eu seja, estou me sentindo um merda. Nasci em uma família infernal e acabei de passar a noite com eles. E isso não é fácil não. Estou irritado. Odeio meus pais, e eles também não gostam de mim. Não sei por que eu liguei para você, mas liguei. Você não estava em casa. Por que não deixamos as coisas acabarem assim? Apenas finja que nunca recebeu o recado. Talvez eu estivesse em busca de sexo mesmo. Não faço a menor ideia de por que te liguei, exceto pelo fato de estar me sentindo um merda. E sempre me sinto um merda quando vejo minha mãe.

Ele estava ficando emocionado, enquanto Maggie escutava em silêncio do outro lado da linha.

— Sinto muito, Adam. Eu também não tive pais maravilhosos. Meu pai morreu quando eu tinha 3 anos. E minha mãe era alcoólatra. Não a vejo desde que eu tinha 7 anos.

— Então, quem criou você?

Ele não fazia ideia do porquê de estar puxando conversa, mas ficou curioso.

— Uma tia me criou até os 14. Aí ela morreu e fui para um lar adotivo até me formar no ensino médio. Na verdade, não me formei. Fiz o supletivo aos 16. Depois disso, fiquei sozinha no mundo.

Estava sendo direta, e não demonstrou nenhuma necessidade de que sentissem pena dela.

— Meu Deus. Parece que você passou por maus bocados.

Mas muitas das mulheres que conhecia tinham histórias parecidas. O tipo de parceiras com quem saía raramente tinha tido uma vida fácil, a maioria tinha sido molestada por parentes, saído de casa aos 16 anos e ido trabalhar como modelo ou atriz. Eram poucas as mulheres que ele conhecia cujas vidas haviam sido normais ou que tinham debutado como as que saíam com Charlie. Maggie não era diferente. Ela só soava mais filosófica e não falava como se esperasse que ele fosse fazer alguma coisa. Não esperava que ele pagasse próteses de silicone para ela para compensar o fato de sua mãe ter sido uma prostituta ou por ter sido molestada pelo pai. O que quer que tivesse acontecido em seu passado, Maggie parecia em paz. Na verdade, sentia-se solidária a Adam.

— Você não tem nenhuma família? — Ele estava intrigado.

— Não. É chato nos feriados, mas vejo meus pais adotivos de vez em quando.

— Acredite em mim — disse Adam, sendo cínico —, não ter família é uma bênção. Você não ia querer ter uma como a minha.

Maggie não tinha certeza se concordava com ele, mas não estava disposta a discutir isso às 2h30. Estavam de papo furado havia meia hora. E ela ainda acreditava que ele ligara em busca de sexo, o que, na opinião dela, era uma grosseria e um insulto. Perguntou-se para quantas outras mulheres ele ligara e se teria telefonado para ela se alguma outra tivesse ido ao seu encontro. Aparentemente, nenhuma tinha, já que era óbvio que ele estava sozinho e dormindo profundamente quando ela ligara.

— Eu geralmente acho que gostaria de ter uma família, mesmo que fosse ruim. — E, então, ela percebeu que estava bem acordada, apesar da hora, e que agora ele também estava. — Você tem irmãos?

— Maggie, poderíamos falar sobre isso uma outra hora? Ligo para você amanhã. Conto a história completa da minha família. Prometo. — Nesta hora ela escutou um barulho, e ele gemeu e gritou: — Merda! — Parecia que tinha se machucado.

— O que houve?

Ela ficou preocupada.

— Acabei de levantar da cama e bati com o dedão na mesinha de cabeceira e o despertador caiu em cima do meu pé. Agora, além de cansado e triste, estou machucado.

Ele falava como um menino de 5 anos prestes a chorar, e ela prendeu o riso.

— Você está um caco. Talvez devesse voltar a dormir.

— Não brinca. Estou sugerindo isso há meia hora.

— Não seja grosso — repreendeu ela. — Sabe, às vezes você é muito grosso.

— Agora você está falando como a minha mãe. Ela sempre me fala coisas assim. Você acha educado ela me mandar recortes de jornais com as minhas piores fotos, ou quando meus clientes estão sendo presos? Ou me chamar de alcoólatra e dizer o quanto ama a minha ex-esposa, apesar de ela ter me chifrado e me dado um pé na bunda e depois se casado com outro?

Ele estava ficando emotivo de novo, enquanto voltava para a cama e Maggie escutava.

— Isso não é grosseria. É maldade. Ela diz esse tipo de coisa para você? — Maggie parecia surpresa e, mais uma vez, solidária. Embora estivesse quase gritando com ela, Adam percebeu que era uma boa pessoa. Tinha percebido isso na noite em que se conheceram. Só não tinha espaço em sua vida para alguém como ela. Queria sexo, glamour e excitação. Ela não lhe proporcionava nenhum dos três, embora tivesse um corpo fantástico. Mas, como ela não quisera compartilhar seu corpo com ele, Adam não tinha como saber o quanto se divertiria. Ela lhe dera algumas lições de moral bobas, como aquela sobre não fazer no primeiro encontro. Se esse fosse o problema, com Adam não haveria um segundo. E agora ela estava conversando com ele quase às 3 da madrugada e escutando-o reclamar da mãe. Maggie nem parecia se importar, embora a ligação dele tivesse sido claramente em busca de sexo. Apesar de não aprovar esta intenção, ainda não tinha desligado. — Você não devia deixar que ela falasse coisas assim para você, Adam — disse ela, gentilmente.

Sua mãe também tinha sido má, e então, uma noite, sem se despedir, ela fora embora.

— Por que você acha que estou com dor de cabeça? — disse Adam, quase aos berros de novo. — Porque guardo tudo.

Ele percebeu que estava falando como um maluco, e se sentia exatamente assim. Aquela ligação estava funcionando como terapia, sem sexo. Era a conversa mais estranha que já tivera. Estava quase arrependido de ter atendido o telefone, e ao mesmo tempo não estava. Gostava de conversar com Maggie.

— Você não pode guardar seus sentimentos. Talvez devesse conversar com ela qualquer dia desses e simplesmente dizer como se sente. — Adam deitou na cama e revirou os olhos. O ponto de vista dela era um pouco simplista, mas com muita compaixão. Mas Maggie também não conhecia a mãe dele. Sorte dela. — O que você tomou para a dor de cabeça?

— Vodca e vinho tinto na casa da minha mãe. E uma dose de tequila quando cheguei em casa.

— Isso é muito ruim. Tomou uma aspirina?

— Claro que não, e acredite em mim, conhaque e champanhe são piores.

— Acho que você deveria tomar uma aspirina, um Tylenol ou coisa parecida.

— Não tenho nada aqui — disse ele, deitado na cama e sentindo pena de si mesmo.

Mas, de uma forma estranha, era legal conversar com ela. Era realmente uma pessoa boa. Se não fosse, não estaria escutando ele reclamar dos pais e contar todas as suas desgraças.

— Por que você não tem Tylenol em casa? — E então ela pensou em uma opção. — Você é da Ciência Cristã?

Uma vez conhecera um. Ele nunca tomava remédio nem ia ao médico. Só rezava. Para ela, parecia estranho, mas funcionava com ele.

— Não, claro que não. Lembra? Hoje é Yom Kippur. Sou judeu. Foi assim que a confusão começou. Por isso que fui jantar com meus pais. Yom Kippur. E eu não tenho aspirina em casa porque não sou casado. Pessoas casadas têm essas coisas. As esposas compram. A minha secretária compra aspirinas para o meu escritório. Sempre me esqueço de comprar para a minha casa.

— Você deveria sair e comprar amanhã, antes que esqueça de novo.

Ela tinha uma voz infantil, mas gostosa de escutar. No final, ela lhe dera exatamente o que ele precisava: compaixão e alguém com quem conversar.

— Eu devia ir dormir um pouco — lembrou ele. — E você também. Amanhã eu te ligo. E desta vez eu realmente vou ligar.
— Pelo menos, para agradecer.

— Não, não vai — disse ela, triste. — Não sou elegante o suficiente para você, Adam. Naquela noite, vi o tipo de lugar que você frequenta. Você provavelmente sai com mulheres lindas e chiques.

E ela era apenas uma garçonete do Pier 92. Tinha sido um acidente do destino eles terem se conhecido, e outro o fato de ele ter deixado um recado na secretária eletrônica dela naquela noite. Acidente número três: ela ter ligado de volta e o acordado.

— Você está falando como a minha mãe de novo. É o tipo de coisa que ela diz. Ela não aprova. Acha que eu deveria ter encontrado outra moça judia anos atrás e me casado de novo. E já que você comentou, as mulheres com quem saio não são mais elegantes que você.

Talvez as roupas delas fossem um pouco mais caras, mas quando esse era o caso, alguma outra pessoa tinha pago por elas. Em muitos aspectos, embora sua mãe não fosse concordar com ele, Maggie era mais respeitável que elas.

— Então por que nunca se casou de novo?

— Não quero. Já sofri uma vez; muito, na verdade. Minha ex-esposa se mostrou igualzinha a minha mãe. E não tenho a menor vontade de tentar de novo.

— Você tem filhos?

Ela não lhe perguntara isso na noite em que se conheceram, tinha muita coisa acontecendo. Não teve tempo.

— Tenho. Amanda e Jacob, de 14 e 13 anos, respectivamente.

Ele sorriu ao dizer isso, e Maggie percebeu esse prazer na sua voz.

— Onde você fez faculdade?

— Não posso acreditar nisso — disse ele, achando engraçado o fato de continuar respondendo às perguntas dela. Era como um vício. — Harvard. Eu me formei em direito com louvor.

Era algo arrogante de se dizer, mas não estavam cara a cara mesmo, e tudo que dissesse ao telefone era válido.

— Eu sabia — disse ela, parecendo animada. — Simplesmente sabia. Sabia que tinha ido para Harvard. Você é um gênio! — Pela primeira vez, uma reação apropriada. Ele ficou deitado na cama e sorriu. — Isso é impressionante!

— Não, não é — disse ele, sendo mais modesto desta vez. — Muitas pessoas estudam em Harvard. Na verdade, por mais que eu odeie admitir isso, Rachel, a Terrível, se formou lá com mais louvor que eu e passou no exame da ordem na primeira tentativa. Eu, não.

Estava confessando todas as suas fraquezas e pecados.

— Quem se importa, já que ela era uma vadia?

— Obrigado por dizer isso.

Ele pareceu satisfeito. Sem nenhuma intenção, encontrara uma aliada.

— Desculpe. Eu não devia dizer isso da mãe dos seus filhos.

— Devia sim. Eu digo o tempo todo. Ela é. E eu a odeio. Bem — ele se corrigiu —, não a odeio, mas não gosto dela. — Afinal, era um feriado religioso. Mas ele presumia que Maggie fosse católica, então podia dizer. — A propósito, você é católica?

— Eu era, mas hoje em dia não curto mais essas coisas. Às vezes vou à igreja e acendo uma vela, mas só. Acho que não sou nada. Quando eu era criança, queria ser freira.

— Isso teria sido um enorme desperdício de um rosto lindo e de um corpo espetacular. Graças a Deus você desistiu.

Estava sendo sincero.

— Obrigada, Adam. É legal escutar isso. Mas eu realmente acho que você deveria ir para a cama agora ou amanhã vai estar com uma dor de cabeça ainda pior.

Não tinha pensado isso na última meia hora, enquanto conversava com ela, mas de repente percebeu, ao olhar para o relógio, que não estava mais com dor de cabeça. Eram 4 da madrugada.

— Que tal tomarmos café da manhã juntos amanhã? A que horas você acorda?

— Geralmente, às 9. Mas amanhã vou dormir até mais tarde, é meu dia de folga.

— O meu também. Vou te buscar ao meio-dia e levá-la a algum lugar legal para um *brunch*.

— O que você quer dizer com legal?

Ela pareceu preocupada. A maioria de suas roupas era das colegas que moravam com ela. Nada do que estava usando na noite em que se conheceram era dela, e por isso é que a blusa estava muito apertada. Ela tinha o maior busto da casa, mas não disse nada disso para Adam, que adivinhou o motivo da preocupação dela. Muitas garotas com quem ele saía estavam no mesmo barco.

— Que tal uma boa calça, saia ou short jeans? — Estava tentando dar-lhe opções.

— Saia jeans está ótimo para mim. — Ela parecia aliviada.

— Perfeito. Vou usar o mesmo. — Ambos riram, e ele anotou o endereço dela de novo, no bloco que tinha na mesinha de cabeceira. Geralmente, quando fazia alguma anotação no meio da noite, algum dos seus clientes tinha sido preso. Desta vez, tinha sido muito mais divertido. — Obrigado, Maggie. Eu me diverti muito esta noite.

Mais até do que se a tivesse encontrado. Dessa forma, conversara mesmo com ela, não tentara seduzi-la e também não sabia se o *brunch* no dia seguinte seria para isso. Talvez acabassem ficando amigos. Já tinham começado bem.

— Também me diverti. Fiquei feliz por você ter me ligado, mesmo que quisesse só sexo — implicou ela.

— Eu *não* estava atrás de sexo — insistiu ele, mas não a convenceu, nem a si mesmo. Ele estava sim atrás de sexo, mas conseguira algo muito melhor. E não estava mais com dor de cabeça.

— Tá bom. — Maggie assoviou. — Foi também para isso. Qualquer ligação depois das 10 é disque-sexo, e você sabe disso.

— Quem fez essas regras?

— Eu — disse ela, rindo.

— Vá dormir um pouco, senão vai estar horrorosa amanhã. Não, não vai. Você é muito nova para ficar horrorosa, mas eu vou.

— Não, não vai. Acho você um homem muito bonito.

— Boa-noite, Maggie — disse ele, baixinho. — Você vai me reconhecer amanhã pelas olheiras. — Entre os comentários sobre Harvard e a beleza dele, Adam começara a realmente gostar dela. Maggie fazia com que se sentisse muito bem, com ou sem dor de cabeça. Tinha sido um bom final para uma noite terrível. Ela compensara todo o sofrimento por que sempre passava em Long Island. — Nos vemos amanhã.

— Boa-noite — disse ela suavemente, e desligou. Quando foi para a cama, ela se encolheu embaixo do cobertor e se perguntou se ele realmente apareceria. Homens faziam coisas assim. Faziam promessas e as quebravam. Decidiu se arrumar e esperar de qualquer forma, no caso de ele vir. Mas mesmo se não viesse, tinha sido bom conversar com ele. Era um cara legal, e ela gostava dele.

Capítulo 13

MAGGIE ESTAVA SENTADA no sofá da sala esperando por ele, no dia seguinte. Era quase meio-dia e estava um sol lindo. O primeiro sábado de outubro. Estava de minissaia jeans, uma camiseta cor-de-rosa justa que pegara emprestada de uma amiga e sandálias douradas. Puxara o cabelo para trás desta vez e o amarrara com um lenço cor-de-rosa, prendendo-o em um rabo de cavalo que fazia com que parecesse ainda mais nova. Desta vez, colocara pouquíssima maquiagem. Tinha ficado com a impressão de que Adam achara que ela exagerara nesse quesito na noite em que se conheceram.

Quando olhou de novo para o relógio eram 12h05 e ele ainda não tinha aparecido. Todas as suas amigas tinham saído, e ela estava começando a se perguntar se ele realmente viria. Talvez não. Decidiu esperar até as 13 horas, e se ele não aparecesse, ela sairia para uma caminhada no parque. Não havia motivo para ficar deprimida se ele não viesse. Não contara para ninguém, portanto ninguém riria dela se ele lhe desse o bolo. Estava pensando nisso quando o telefone tocou. Era Adam, e ela sorriu no momento em que escutou a voz dele. Mas então, logo imaginou se ele não estaria ligando para cancelar. Parecia estranho ele ligar e não tocar a campainha.

— Oi, tudo bem? — Ela tentou soar casual, para que ele não pensasse que estava decepcionada. — Como está a sua dor de cabeça?

— Que dor de cabeça? Esqueci o número do seu apartamento.

— Onde você está?

Ela ficou surpresa. Ele estava vindo, afinal. Antes tarde do que nunca, e só tinham se passado dez minutos.

— Estou aqui embaixo. — Ele estava no celular. — Desça. Fiz uma reserva para o almoço.

— Já estou indo.

Ela desligou e desceu correndo as escadas, antes que ele mudasse de ideia e desaparecesse. Na sua vida, era raro as pessoas fazerem realmente o que diziam. E ele tinha feito.

Ela saiu pela porta do prédio, e ele estava sentado ali como um astro de cinema em sua Ferrari vermelha novinha em folha. Era a que ele usara para ir a Long Island na noite anterior e que a sua família inteira educadamente ignorara. Seus pais tinham Mercedes, assim como sua cunhada e seu irmão; seu cunhado tinha uma BMW, e sua irmã não dirigia. Ela esperava que as outras pessoas virassem suas vidas de cabeça para baixo, parassem o que quer que estivessem fazendo, para levá-la aos lugares. Na opinião deles, uma Ferrari era tão inaceitável e vulgar que nem merecia atenção. Mas Adam amava.

— Ai, meu Deus! Olha só este carro! — Maggie estava parada ali, olhando para ele, pulando na calçada. Adam sorriu ao observá-la, então abriu a porta e disse para ela entrar. Ela nunca vira nada assim, exceto nos filmes, e ia andar em um carro desses com ele. Mal podia acreditar. Gostaria que alguém que conhecesse os visse naquele momento. — É sua? — perguntou, animada.

— Não. Eu roubei. — Ele riu dela. — Claro que é minha, merda, vamos encarar, eu me formei em Harvard. — Ambos riram, e então ela entregou um pacotinho para ele. — O que é isso?

— Um presente para você. Fui na farmácia e comprei hoje de manhã.

Ela tinha comprado uma cartela de Tylenol para ele, no caso de ter outra dor de cabeça.

— Que gentileza a sua — disse ele, sorrindo. — Vou guardar para a próxima vez que encontrar minha mãe.

Adam dirigiu pelo Central Park. Estava uma bela tarde. Parou na Third Avenue em um restaurante que tinha mesas na calçada e um jardim. Ele pediu ovos Benedict para ambos após ela garantir que também gostava. Maggie nunca experimentara, mas quando ele os descreveu, achou que pareciam gostosos. Depois, ficaram sentados a uma mesa no jardim e tomaram vinho, e quando finalmente saíram do restaurante, foram dar uma caminhada. Ela adorava olhar vitrines com ele e conversar sobre as pessoas que ele representava. Adam falou de seus filhos, do fim do seu casamento e do sofrimento que fora para ele, e depois falou de seus dois melhores amigos, Charlie e Gray. No final da tarde, ela sentia como se soubesse tudo sobre ele, e também contara, com cuidado, algumas coisas a seu respeito.

Maggie era mais reservada que ele e parecia preferir não falar sobre si. Contou algumas histórias sobre sua infância, seus pais adotivos, as pessoas com quem trabalhava. Mas era óbvio para os dois, e sempre fora, que a vida dela era muito menos excitante do que a dele. Na maior parte do tempo, tudo que fazia era comer, dormir, ir ao cinema e trabalhar. Parecia que não tinha muitos amigos. Disse que não tinha tempo para estar com eles. Trabalhava muitas horas no Pier 92, e foi vaga quando ele lhe perguntou o que fazia. Ela sorriu e disse: "Só trabalho." Ele ficou surpreso em como estava sendo fácil. Era bom conversar com ela e, embora levasse uma vida simples, parecia sábia sobre os caminhos da vida. Já vira muita coisa, algumas não muito agradáveis, para uma mulher de 26 anos. Maggie parecia mais jovem do que era, mas tinha a cabeça de alguém bem mais velho. Mais velho até do que Adam, em alguns aspectos.

Voltaram para o carro dele às 18 horas, e ela pensou que odiava ver que o dia estava acabando. Foi como se ele tivesse lido os seus pensamentos. Virou-se para Maggie com uma expressão triste.

— Que tal se eu colocar alguns bifes na churrasqueira da minha varanda para nós?

— Ótima ideia — disse ela, sorrindo. Ele disse que tinha carne no freezer.

Maggie só vira prédios como o que ele morava em filmes. O porteiro os cumprimentou quando entraram e sorriu para ela. Era uma mulher bonita, e as pessoas olhavam aonde quer que fossem. Adam apertou o botão do elevador que dizia cobertura, e assim que ela entrou no apartamento dele, ficou parada em silêncio, apreciando a vista.

— Ai, meu Deus — disse ela, assim como falara da Ferrari. — Olhe só isso. — Ele morava no trigésimo segundo andar, e tinha uma varanda em volta de todo o apartamento, com piscina aquecida, espreguiçadeiras e churrasqueira. — É um filme — disse ela, fitando-a, boquiaberta. — Como isso pode estar acontecendo comigo?

— Apenas sorte, acho.

Ele implicou com ela. O que o deixava triste por ela, agora que a conhecia melhor, é que não tinha acontecido com ela e sim com ele. Depois do jantar, teria que voltar para o prédio horrível onde morava. Ele odiava a realidade dela. Maggie merecia muito mais do que o destino lhe reservara. Algumas coisas realmente não eram justas. Ele só podia oferecer a ela uma noite agradável, boas comidas, passar algum tempo juntos e mandá-la de volta para seu próprio mundo. Nada que fizesse mudaria a triste realidade dela, mas o engraçado era que ela não se importava. Não era nem um pouco invejosa e ficava feliz ao saber de qualquer outra faceta da vida dele.

Maggie era uma mulher diferente de todas as outras que Adam já conhecera. Sua aparência era igual à delas, mas não havia mais absolutamente nada igual. Era boa, gentil e engraçada, e tudo nela era real. Era inteligente e gostava de conversar sobre tudo. E para delírio de Adam, achava que ele podia andar sobre as águas. As outras mulheres com quem saía só queriam usá-lo. Queriam roupas, joias, cartões de crédito, apartamento, carros novos, cirurgias plásticas e indicações para trabalhos e participações em filmes. Todas as mulheres que ele conhecia pareciam ter um monte de compromissos. Mas Maggie parecia realmente querer estar com ele e se divertir. Tinha uma inocência irresistível que contrastava com todas as outras que passaram pela vida dele nos últimos anos.

Ela preparou uma grande salada enquanto ele pegava a carne no freezer e acendia a churrasqueira. Os bifes eram enormes, por isso eles comeram muito, depois tomaram sorvete na casquinha sentados na varanda e se sujaram enquanto um ria do outro. Tinha sorvete de morango até no pé de Maggie, mas ela parecia não se importar.

— Aqui — disse ele, querendo ajudar —, lave-os na piscina aquecida. Ninguém nunca vai saber.

Ele levantou a tampa e a água estava borbulhando e morna. Era grande o suficiente para pelo menos umas 12 pessoas, e ela sentou na beirada, colocou os pés para dentro e riu.

— Você deve dar muitas festas de arromba — disse Maggie fitando-o, sentada na beirada da piscina com sua saia jeans e camiseta cor-de-rosa. Mais que nunca, parecia uma criancinha.

— Por que diz isso? — respondeu ele, não querendo se comprometer. Não gostava de falar das outras mulheres que passaram pela sua vida, e achou que Maggie iria perguntar isso.

— Olhe tudo isso — disse ela, olhando à sua volta e depois para ele de novo. — Piscina aquecida, cobertura, varanda, churrasqueira, apartamento enorme, vista de matar. Droga, se eu morasse em um lugar assim, teria amigos o tempo todo. — Ela não seguira a direção que ele esperava.

— Às vezes eu faço — disse ele, sendo honesto. — Outras vezes, prefiro ficar aqui sozinho. Trabalho muito, às vezes é bom apenas relaxar. — Ela assentiu. Quando chegava em casa depois do trabalho, sentia-se assim também. E, então, ele acrescentou com um olhar gentil: — Estou adorando ficar aqui com você.

— Eu também — disse ela simplesmente, observando-o de onde estava sentada. — Por que você nunca se casou de novo?

— Como sabe disso? — Ele parecia confuso.

— Você disse isso no telefone ontem à noite — explicou ela, e ele assentiu. Estivera tão sonolento durante boa parte do tempo que se esquecera do que contara. Só se lembrava de como tinha sido bom conversar com Maggie. — Você não quer mais filhos? Ainda é jovem.

Era o tipo de pergunta que as mulheres costumavam lhe fazer e nunca gostavam das respostas que recebiam. Mas ele sempre era honesto. Acreditava em propaganda verdadeira, independentemente de as mulheres acreditarem ou não. A maioria não acreditava. Ele simplesmente se tornava um desafio maior quando dizia a verdade.

— Gosto dos dois filhos que tenho. Não preciso me casar. Não quero mais filhos. E o casamento não foi uma experiência muito boa para mim. Eu me divirto muito mais sendo solteiro do que quando era casado.

— Aposto que sim — disse Maggie, rindo dele. — Como qualquer cara que tivesse todos os brinquedos que você tem.

Ela era a primeira mulher que concordava com ele. A maioria tentava convencê-lo de que casamento seria melhor. Maggie não fez isso. Parecia achar que ele estava certo.

— É mais ou menos como eu vejo as coisas — concordou Adam. — Por que abrir mão de tudo isso por uma mulher que poderia me decepcionar e me fazer infeliz?

Maggie assentiu. Ele não conseguia pensar em nenhuma que não o decepcionaria e que o faria feliz. Para ela, isso era triste.

— Você tem muitas namoradas?

Ela desconfiava que sim. Ele parecia o tipo de homem que tinha. No mínimo, a Ferrari indicava que era um homem cheio de vida.

— Às vezes — respondeu, sendo honesto de novo. — Não gosto de me sentir preso. Para mim, a liberdade é muito importante. — Ela assentiu. Gostava do fato de ele não tentar esconder quem era. Estava tudo aberto para quem quisesse ver. — Às vezes fico um tempo sem sair com alguém.

— E agora? — perguntou ela, com um olhar travesso. — Muitas, nenhuma, ou poucas?

Ele sorriu para ela.

— Vou precisar responder a um questionário de novo? — Ela lhe fizera muitas perguntas na noite anterior. Parecia ser seu estilo. — Não estou saindo com ninguém específico agora.

— Está fazendo testes? — implicou ela, parecendo mais mulher do que antes.

Era uma garota linda. À luz do dia, podia ver isso melhor do que na noite em que se conheceram.

— Está se candidatando para a vaga?

— Talvez — disse ela, sendo honesta. — Ainda não tenho certeza.

— E você? — perguntou ele, em voz baixa. — Está saindo com alguém?

— Não. Não namoro ninguém há um ano. Acabei descobrindo que o último cara com quem saí era traficante de drogas e foi preso. Por um tempo, ele pareceu um cara legal. Eu o conheci no Pier 92.

— Eu não trafico drogas, se isso a preocupa — garantiu ele. — Tudo que você está vendo ganhei com o suor do meu trabalho.

— Não estava preocupada com isso. — Ele se levantou, então, e foi colocar uma música. A noite parecia estar ficando romântica. Quando voltou, ela fez outra pergunta, que considerava importante: — E se nós sairmos um dia? Você sairia com outras mulheres ao mesmo tempo?

— Talvez. Eu não a colocaria em risco, se é com isso que está preocupada. Sou cuidadoso e fiz um teste de HIV há pouco tempo.

— Eu também — disse Maggie.

Tinha feito depois que o traficante fora preso.

— Se você está me perguntando se eu juraria exclusividade a você, Maggie, provavelmente não. Pelo menos, não no início.

Onde as coisas podem dar depois disso? Quem sabe? Gosto de ter muitas opções, e na sua idade, você também deveria. — Ela assentiu. Não amava o que estava escutando, mas fazia sentido e, pelo menos, ele era honesto. Não faria promessas e depois a trairia. Mas sairia com outras pessoas. E ela também poderia. — Mesmo se namorássemos, gosto de ter vidas separadas. Sou solteiro há muito tempo, quase 11 anos, e acho que vou continuar assim. Não quero me enrolar na vida de ninguém.

— Ainda acho que você está errado — disse ela, bem à vontade — sobre se casar de novo, mas a vida é sua. Quero esperar um bom tempo para me casar. Sou muito jovem. Ainda tem muita coisa que quero fazer, pelo menos nos próximos anos. Mas um dia, eu gostaria de me casar e ter filhos.

— E deve mesmo.

— Quero dar aos meus filhos tudo que não tive. Como uma mãe, por exemplo — disse ela baixinho.

— Também nunca tive uma — disse ele, ao se aproximar de onde ela estava sentada na beira da piscina aquecida, batendo os pés como uma criança. — Nem toda mãe é realmente uma mãe de verdade. A minha certamente não foi. Eu cheguei como uma surpresa quase dez anos depois da minha irmã e 14 depois do meu irmão, e todo mundo parecia irritado comigo por isso. Eles nunca deveriam ter tido outro filho.

— Que bom que tiveram — disse ela baixinho, enquanto ele estava de pé ao seu lado. — Eu teria ficado bem triste se eles não tivessem tido.

Ela levantou o olhar para ele e sorriu.

— Obrigado — disse ele, e então abaixou-se e beijou-a.

Depois sugeriu que tomassem um banho na piscina aquecida juntos. Ele tinha um maiô novinho para ela usar, exatamente do tamanho certo. Tinha uma pilha deles no armário, e disse para ela escolher o de que mais gostasse. Ele realmente era um perfeito solteirão preparado para tudo. Se não tivesse sido honesto, isso a teria incomodado, mas como ele fora, não havia interesses escusos nem segredos entre eles.

Ela vestiu o maiô e entrou na piscina, e no momento seguinte, ele apareceu, usando sunga, e entrou junto com ela. Ficaram lá sentados conversando e se beijando por um longo tempo, e então tiraram as roupas de banho quando a noite caía em Nova York, em uma noite quente de outubro. Ficaram deitados lado a lado por muito tempo, e então ele a enrolou em uma toalha e carregou-a para dentro. Deitou-a em sua cama e desembrulhou-a como um presente. Ela estava maravilhosa deitada ali na cama dele. Nunca vira um corpo tão bonito quanto o dela em toda a sua vida. Ficara surpreso ao descobrir até que ela era loura natural. Não havia nada falso em Maggie O'Malley. Cada centímetro dela era real.

Fez amor com ela, e se surpreenderam com a forma perfeita com que seus corpos se encaixaram. O quanto curtiram ficar com o outro foi mais uma surpresa, e até riram e falaram coisas bobas de vez em quando. Ela se sentia totalmente à vontade com ele. Ficaram deitados um ao lado do outro na cama, depois voltaram para a piscina aquecida. Ela disse que era a melhor noite de sua vida, o que era fácil de acreditar. Tivera uma vida tão difícil até aquele momento, e ainda tinha. Para ela, era mais do que surreal, sabendo que teria de voltar para o seu apartamento e seu emprego, que nada na sua existência mudaria, mas nos momentos que passou com ele, experimentou uma vida que nunca imaginara. Adam sabia que seria interessante e desafiador para Maggie se continuassem saindo juntos, enquanto ela ficaria indo e voltando entre dois mundos.

Fizeram amor mais uma vez antes de ela ir embora. E desta vez foram totalmente espontâneos, e a paixão que sentiram os surpreendeu.

Ele convidou-a para passar a noite. Embora não costumasse fazer isso, queria ficar com ela. Detestava mandá-la de volta para o pesadelo onde morava. Mas ambos teriam que se acostumar a isto: ela, a voltar, e ele, a deixá-la ir. Não estava propondo que ela ficasse ali para sempre, apenas que desse uma trégua na vida que levava, e Maggie disse que para ela estava bom. Mas ainda achava melhor voltar para casa naquela noite.

Ele insistiu em levá-la de carro. Não queria que ela pegasse um táxi. O lugar onde ela morava era muito perigoso. Ela fora boa para ele, ele também queria ser bom para ela. No caminho de casa, ela se sentiu como Cinderela de novo, ainda mais desta vez porque a Ferrari era dele, e não uma limusine alugada.

— Não vou convidá-lo para subir — disse, enquanto ele a beijava.

— Você provavelmente tem um marido e dez filhos que está escondendo de mim — sussurrou ele, implicando, e ela riu.

— Só cinco.

— Tive um dia maravilhoso com você — disse ele, sendo sincero.

— Eu também — disse ela, e o beijou de novo.

— Te ligo amanhã — prometeu, e ela riu.

— Tá... com certeza...

Ela saiu da Ferrari, subiu as escadas, entrou no prédio, acenou e desapareceu, e lembrou-se das últimas palavras que ele dissera. Esperava que ele ligasse mesmo, mas não contava com isso. Maggie sabia melhor que ninguém que nada na vida era certo.

Capítulo 14

ADAM LIGOU COM FREQUÊNCIA para Maggie na semana depois do Yom Kippur. Ela passou a noite com ele várias vezes. Acabara de passar para o turno do dia no Píer 92, então os seus horários eram bem adequados para ele. Amava passar a noite com ele. Tudo parecia perfeito, e ambos se prenderam ao acordo que tinham feito. Ela não fazia nenhuma pergunta sobre o futuro, não tinha motivo para isso, e nas noites em que não se viam, nenhum dos dois perguntava quem o outro tinha encontrado ou o que tinha feito.

De fato, Adam estava tão envolvido com ela que mesmo nas noites em que não a via ligava para ela, geralmente tarde, antes de ir dormir. Em duas ocasiões, ficou surpreso e até um pouco chateado ao descobrir que ela não estava em casa. Mas não contou que ligara e não deixou recado na secretária eletrônica. Quando se encontraram de novo, ela não disse nada sobre ter saído. Ele admitiu para si mesmo que não encontrá-la em casa, esperando a ligação dele, o irritou. Mas nunca disse nada. Ambos continuaram alegando liberdade e colhendo os benefícios dela. Adam não dormiu com mais ninguém durante as primeiras semanas do relacionamento deles, não tinha vontade, estava ficando cada dia mais viciado em Maggie. E ela lhe dissera abertamente que não havia mais ninguém em sua vida. Mas conforme as semanas passavam, havia noites em que ele ligava e não havia ninguém em casa. Percebeu conforme o tempo passava que detestava cada vez mais isso. Fazia com que pensasse que deveria começar a sair com outras mulheres um dia desses, para não ficar tão envolvido com ela. O Halloween já estava chegando e ele ainda não fizera nada a respeito. Após um mês, ainda era exclusivamente dela. Era a primeira vez que fazia isso em muitos anos.

Adam estava um pouco chateado porque ele e Charlie não tinham se visto muito desde que o amigo voltara, no mês anterior. Toda vez que ligava e convidava Charlie para algum lugar, ele já tinha um compromisso. Adam sabia que ele tinha uma vida social intensa e muito trabalho na fundação, mas estava irritado por não terem tempo de se encontrar. O lado positivo disso é que tinha mais tempo para ficar com Maggie. Ficava cada vez mais ansioso e preocupado com o que ela fazia quando ele não estava por perto. Conforme o tempo foi passando, ainda havia noites que não passavam juntos e que ela também não estava em casa. Nunca lhe dizia aonde tinha ido. Simplesmente reaparecia feliz e contente no dia seguinte, caía na cama dele, mais feliz que nunca, com seu corpo totalmente irresistível. Ele estava cada dia mais louco por ela. Sem saber, ela estava ganhando dele no seu próprio jogo. Todas as opções que ele fora tão veemente em dizer que queria no início tinham um significado menor a cada dia. A julgar pelo número de vezes que ela não estava em casa quando ele ligava tarde da noite, ela parecia estar aproveitando mais a liberdade do que ele.

E Adam vira Gray menos ainda. Falara com ele várias vezes, mas Gray estava curtindo sua deliciosa vida doméstica com Sylvia e não queria ir a lugar algum. Adam finalmente mandou e-mail para os dois e os intimou para uma noite só de homens dois dias antes do Halloween. Já fazia quase um mês desde que tinham se visto. Fazia anos que isso não acontecia, e os três reclamaram que os outros desapareceram.

Encontraram-se em uma churrascaria na cidade, que era um dos lugares favoritos dos três. Adam chegou primeiro. Os outros dois entraram logo depois, e ele pôde perceber que Gray engordara. Não muito, mas o suficiente para o rosto parecer mais cheio. Disse que ele e Sylvia cozinhavam muito juntos, e ele nunca parecera tão feliz. Eles estavam namorando havia dois meses e se conheciam havia três. Gray disse que ainda não tinham tido nenhum problema. Seus dois amigos estavam felizes por ele, mas ainda achavam que estava muito no início. Gray disse que nunca discutiam e se sentiam felizes um com o outro. Não ficava mais em seu estúdio, passava todas as noites na casa dela. Mas insistia que ainda não moravam juntos oficialmente. Estava apenas "ficando" na casa dela. O trocadilho parecia uma distinção trivial para Charlie e Adam, mas, aparentemente, fazia com que Gray se sentisse melhor do que dizer que estavam morando juntos.

— E você? — perguntou Adam para Charlie de forma questionadora. — Onde se enfiou o mês todo?

— Tenho saído muito — disse Charlie sendo misterioso, e Gray sorriu.

Charlie admitira para ele poucos dias antes que seguira seu conselho e estava saindo com Carole Parker. Nada tinha acontecido ainda, mas estavam jantando juntos várias vezes e se conhecendo melhor. Viam-se várias vezes por semana, mas até agora ele ainda nem a beijara. Avançavam devagar, e Charlie admitiu prontamente que ambos estavam morrendo de medo de se magoar.

Adam percebeu o olhar conspiratório no rosto de Gray e forçou Charlie a lhe contar.

— Meu Deus, o que está acontecendo com vocês dois? Gray praticamente está morando com Sylvia, ou melhor, *está* morando com ela, só não quer admitir para si mesmo, e parece que você também está prestes a mudar de time. Precisamos conversar sobre o código de ética dos solteiros.

Ele reclamou sem ressentimentos, estava feliz pelos amigos. Ambos queriam encontrar alguém e já estavam muito atrasados. Não tinha tanta certeza sobre si mesmo. Seu relacionamento com Maggie parecia estar no rumo certo, mas estava destinado a não ir a lugar algum, como tinham combinado no início. Estavam apenas se encontrando e mantendo vidas separadas, fazendo o que queriam quando não estavam juntos. Mas quando estavam, ela era uma mulher e tanto, e ele adorava ficar com ela. Parecia nunca se cansar dela e vinha ficando irritado com seu espírito independente. Isso nunca tinha lhe acontecido antes. Ele era sempre o independente nos relacionamentos, mas Maggie era ainda mais. Parecia precisar de muito tempo sozinha, o que ele sempre quis também, mas não com ela.

— E você? — perguntou Charlie diretamente para Adam na hora da sobremesa. — Não tem falado nada sobre o que anda aprontando. Está saindo com alguém? Ou apenas umas dez, como de costume?

Adam saía com mais mulheres do que Charlie já conseguira contar. De preferência, ao mesmo tempo.

— Estou saindo com uma garota há quase um mês — disse Adam com cuidado. — Nada de mais. Concordamos que não é nada sério. Ela sabe que não quero me casar.

— E ela? O relógio já está gritando? — perguntou Charlie, interessado, e Adam balançou a cabeça.

— Ela é muito nova para ter um relógio. Essa é a vantagem de sair com meninas mais novas.

— Meu Deus — disse Gray, revirando os olhos —, não me diga que ela tem 14 anos. Você vai acabar parando na cadeia um dia desses se não tomar cuidado.

Eles adoravam implicar com ele por causa das garotas com quem saía. Adam sempre dizia que era inveja da parte deles.

— Podem relaxar, caras, ela tem 26 e é uma pessoa muito legal, com um corpo espetacular. — E uma cabeça ótima, algo que ele não se deu ao trabalho de mencionar, ou seus amigos achariam que estava completamente perdido, o que estava começando a temer que tivesse acontecido. Quando estava se apaixonando pela mente de uma mulher, sabia que estava encrencado. Na verdade, os três estavam, mas nenhum deles estava pronto para admitir para os outros ou para si mesmos. E nenhum dos três relacionamentos passara pelo teste do tempo ainda. Não tinham sobrevivido à primeira discussão ou às decepções comuns do dia a dia que aconteciam com todo mundo. Ainda estavam inebriados com a novidade e a diversão. O que aconteceria depois ainda precisava ser visto.

Os três ficaram ali sentados, conversando e bebendo, até depois da meia-noite, curtindo a companhia dos amigos. Tinham sentido saudades um do outro no último mês e nem tinham se dado conta disso. Estavam tão ocupados fazendo outras coisas e curtindo as mulheres com quem estavam envolvidos que nem tinham percebido a parte vital que um era na vida dos outros e do vazio que ficava quando não se encontravam. Prometeram se ver com mais frequência. Enquanto isso, começaram a falar sobre política, dinheiro, investimentos, arte, em homenagem à nova galeria de Gray, graças a Sylvia, e suas respectivas ocupações. Adam tinha conquistado mais dois novos clientes, e Charlie estava satisfeito com o progresso na fundação. Deixaram o restaurante com relutância e foram os últimos a sair.

— Vamos fazer uma promessa — disse Gray antes de cada um entrar em seu táxi e seguir seu caminho. — Não importa o que vai acontecer com as mulheres com quem estamos saindo ou com as outras que virão depois delas, vamos nos ver sempre que pudermos, ou pelo menos falar ao telefone. Senti saudade de vocês. Amo Sylvia e amo *ficar* com ela — olhou para os amigos com um sorriso —, mas também amo vocês.

— Amém — apoiou Charlie.

— Combinadíssimo — concordou Adam.

No momento seguinte, cada um entrou em um táxi e voltou para a própria vida e mulher. Adam ligou para Maggie quando chegou em casa, mesmo sendo tarde, e ficou furioso ao ver que ela não estava. Era quase 1 da madrugada. O que ela estava fazendo? Com quem?

Dois dias depois, Charlie foi à festa de Halloween que Carole tinha organizado para as crianças do centro. Ela pedira a ele para vir fantasiado, e ele prometera trazer bolinhos para a garotada. Ele amava visitar o lugar. Já a levara para almoçar duas vezes, uma no Mo's e uma no Sally's, mas a maioria das vezes que se encontravam era para jantar depois do trabalho. Era relaxante e parecia mais discreto. Nenhum dos dois queria se tornar alvo de fofocas. Ainda não tinham decidido se estavam vivendo uma amizade ou um romance, era um pouco de ambos, e até que decidissem, não queriam sofrer a pressão de outras pessoas sabendo. Adam e Gray eram os únicos para quem Charlie contara, e nem isso contou a ela quando se falaram na manhã seguinte. Disse apenas que se divertira muito com os amigos, e ela ficou feliz. Carole ainda não conhecia nenhum dos dois, mas por tudo que Charlie falava, sabia que ambos eram homens interessantes e dignos a quem Charlie não era apenas leal como também dedicado. Dizia que os dois eram como irmãos para ele, e ela respeitava isso. Para Charlie, que não tinha mais nenhum parente de sangue no mundo, os amigos tinham se transformado na sua família.

As crianças estavam encantadoras em suas fantasias na festa de Halloween. Gabby estava vestida de Mulher Maravilha, e Zorro estava usando uma camiseta com um S, e ela disse que ele era o supercachorro. Havia Minnie Mouses, Tartarugas Ninja e Homens-Aranha, muitos fantasmas e bruxas. Carole estava usando um chapéu preto alto e pontudo com uma peruca verde, calça preta e blusa de gola alta também preta. Ela disse que precisava se movimentar muito com as crianças para usar alguma fantasia mais elaborada. Mas o rosto estava pintado de verde e os lábios, com batom preto. Na verdade, ultimamente, vinha usando maquiagem quando saía à noite. Charlie percebeu imediatamente e a elogiou quando saíram no primeiro encontro oficial. Ela ficou vermelha com o elogio e disse que se sentia boba, mas continuou usando de qualquer forma.

Charlie foi à festa fantasiado de Leão Covarde de *O Mágico de Oz*. Sua secretária a conseguira em uma loja de fantasias de teatro.

Todas as crianças se divertiram, os bolinhos fizeram um enorme sucesso e Charlie também trouxera uma tonelada de balas de Halloween, já que eles não poderiam pedir na vizinhança. Era perigoso demais, e a maioria era muito pequena. Já eram quase 20 horas quando Charlie e Carole foram embora. Tinham combinado de sair para jantar, mas ambos estavam exaustos e tinham comido muitas balas. Charlie comera umas cinco barras de Snickers, e Carole tinha uma fraqueza irresistível por abóboras de chocolate recheadas de marshmallow.

— Eu o convidaria para ir à minha casa — disse ela, cautelosa —, mas está muito bagunçada. Fiquei fora a semana toda.

Tinham jantado na rua praticamente toda noite, exceto quando ele saíra com Adam e Gray.

— Você quer ir ao meu apartamento tomar um drinque? — perguntou ele, bem à vontade.

Ela ainda não tinha ido lá. Sempre a levava para sair; já tinham ido a vários restaurantes de que ambos gostaram, e alguns de que não gostaram.

— Eu adoraria — ela sorriu —, mas não vou ficar muito. Estou exausta.

— Eu também — concordou ele.

O táxi desceu a Quinta Avenida e parou no endereço dele. Ele saiu usando sua fantasia de leão, e ela, com a peruca e o rosto verdes, e o porteiro sorriu e os cumprimentou como se ele estivesse de terno e ela, de vestido. Subiram no elevador em silêncio, sorrindo um para o outro. Quando ele abriu a porta do apartamento, acendeu as luzes e entrou, ela o seguiu com cautela e olhou à sua volta. Era um lugar bonito e elegante. Havia lindas antiguidades em todos os cantos, a maioria que ele herdara, e algumas que comprara no decorrer dos anos. Carole atravessou devagar a sala de estar e admirou a vista do parque.

— Isto é maravilhoso, Charlie.

— Obrigado.

Sem dúvidas, era um lindo apartamento, mas recentemente ele o vinha achando deprimente. Tudo lhe parecia tão velho e desgastado, e o lugar estava sempre tão quieto quando chegava em casa... Era estranho, mas ultimamente se sentia mais feliz no barco. Exceto o tempo que passava com ela.

Carole parou e olhou uma mesa cheia de fotografias, enquanto ele ia buscar taças de vinho e acender o resto das luzes. Havia muitas fotos de seus pais, uma muito bonita de Ellen e várias de outros amigos. Tinha uma muito engraçada dele com Adam e Gray no barco naquele verão. Foi tirada quando estavam na Sardenha junto com Sylvia e seus amigos, mas só os Três Mosqueteiros apareciam, mais ninguém. Havia também uma fotografia do *Blue Moon* de lado, ancorado no porto.

— É um barco e tanto — disse ela, ao pegar a taça de vinho que ele lhe entregava.

Charlie ainda não tinha contado a ela sobre o barco, estava esperando o momento certo. Era constrangedor, mas sabia que mais cedo ou mais tarde teria de contar a ela que tinha um iate. No início, ele achou que parecia um pouco pretensioso, mas agora que estavam se vendo tanto e pensando na possibilidade de namorar, ele queria ser honesto. Não havia segredo algum que ele era um homem rico.

— Eu, Adam e Gray passamos o mês de agosto nele todos os anos. Esta foto foi tirada na Sardenha. Nós nos divertimos muito — disse ele, um pouco nervoso, enquanto ela assentia e tomava golinhos de vinho, e então seguiu-o para o sofá e se sentou.

— De quem é o barco? — perguntou ela, de forma casual. Carole já contara a ele que sua família era toda de velejadores e que passara parte de sua juventude em veleiros. Ele esperava que ela gostasse do barco, embora fosse uma lancha e, geralmente, velejadores não gostassem. Mas não havia dúvidas de que era lindo. — Vocês alugam?

Charlie estava agindo normalmente e sorriu para o rosto verde dela. Sua fantasia de leão parecia tão idiota quanto, e ele relaxou no sofá, cruzou as pernas peludas, enquanto o rabo do leão levantava atrás dele, e ela riu. Era um casal e tanto.

— Não, nós não alugamos — respondeu ele à segunda pergunta antes da primeira.

— É de Adam?

Charlie mencionara que ele era muito bem-sucedido e que sua família tinha dinheiro. Ele balançou a cabeça. E respirou fundo.

— Não. É meu.

Houve um silêncio enquanto ela olhava bem nos olhos dele.

— Seu? Você nunca me disse isso — disse ela, com uma expressão de total surpresa. Era um iate enorme.

— Fiquei com medo que você não aprovasse. Eu tinha acabado de voltar quando nos conhecemos. Passo três meses no barco viajando pela Europa todo verão, e duas semanas no inverno no Caribe. É um lugar maravilhoso.

— Tenho certeza que sim — disse ela, pensativa. — Nossa, Charlie, é enorme.

Era um sinal claro de como ele era rico e um enorme contraste com o estilo de vida e de trabalho de Carole, e de tudo em que ela acreditava. Ela sabia da fortuna de Charlie, mas vivia de forma muito mais simples e discreta que ele. O eixo da sua vida era o centro no Harlem e as pessoas que ali estavam; não um iate navegando pelo Caribe. Charlie sabia que, em essência, ela era mais espartana que ele. E não queria que ela gostasse menos dele por causa de suas extravagâncias. Não queria assustá-la.

— Espero que não seja um balde de água fria para você — disse ele, com calma. — Adoraria que você viajasse comigo nele um dia; se chama *Blue Moon*.

Sentiu-se melhor por contar a ela, embora ainda não soubesse o que ela achava. Parecia um pouco chocada.

— Qual é o tamanho dele? — perguntou Carole, curiosa.

— Duzentos e quarenta pés.

Carole assoviou em resposta e tomou um grande gole de vinho.

— Meu Deus... eu trabalho no Harlem... e você tem um iate de 240 pés... é uma discrepância. Mas, por outro lado — disse ela, desculpando-o da extravagância —, você me deu 1 milhão de dólares para gastar com as minhas crianças. Acho que se você não tivesse esse tipo de dinheiro, também não poderia nos ajudar. Então, talvez seja uma compensação.

— Espero que sim. Não quero que uma coisa estúpida como um barco seja um empecilho entre nós.

Ela o fitou solenemente com olhos apaixonados.

— Não vai — disse ela devagar. — Pelo menos, espero que não. — Ele não era nem um pouco exibido, e ela podia perceber o quanto o barco era importante na vida dele e o quanto ele o adorava. Era só um barco muito, muito grande. — Você passa muito tempo fora no verão — disse ela, pensativa.

— Talvez no ano que vem você possa ir comigo — disse ele, cheio de esperanças. — E eu não preciso ficar tanto tempo. Este ano, eu não tinha nenhum motivo para voltar logo, então fiquei mais tempo do que de costume. Às vezes, tenho medo de voltar para cá. Fico muito solitário. — Ele olhou ao seu redor ao dizer isso, e depois para ela. Então, sorriu. — Eu me divirto no barco, principalmente com Adam e Gray. Mal posso esperar para você conhecê-los. — Mas nenhum dos dois estava pronto para isso ainda. Ambos queriam mais tempo para firmar um relacionamento. Então, ao olhar para ela, ele pensou em alguma coisa e passou o braço em volta de seus ombros. Estava com vontade de fazer isso havia dias. — Agora você sabe meu pior segredo. Eu tenho um iate.

— É tão ruim quanto parece?

— É. Nunca fui preso. Nunca fui processado por nenhum crime, nem por mau comportamento. Não tenho filhos, nem legítimos nem ilegítimos. Nunca pedi falência. Nunca fui casado nem roubei a esposa de ninguém. Escovo meus dentes toda noite antes de dormir, mesmo quando estou bêbado, o que não é muito comum. Sempre passo o fio dental. Pago os meus tíquetes de estacionamento. Vamos ver, o que mais...

Ele parou para respirar, e ela riu. O rabo do leão estava para cima.

— Você parece tão bobo com esse rabo.

— E você, minha querida, está absolutamente maravilhosa com esse rosto verde.

Assim que disse isso, ele a beijou, e quando parou, ela estava sem fôlego. Tinha sido uma noite cheia de surpresas, mas até agora boas, embora ainda estivesse um pouco chocada com o tamanho do barco. Para ela, parecia mais um transatlântico do que um navio comum.

— Sempre quis beijar uma mulher com lábios negros e rosto verde — sussurrou ele, e ela riu.

Então, ele a beijou de novo. Desta vez, ela o abraçou. Estava despertando sentimentos nela dos quais se esquecera e que reprimira por anos. Mergulhara de corpo, alma e coração no trabalho e se esquecera de tudo mais. Mas nos braços de Charlie, ela se lembrou da doçura de um beijo e do quanto era bom ser amada por um homem.

— Obrigada — sussurrou ela, enquanto ele a abraçava.

Tivera muito medo de fazer isso com ele, de ficar tão perto e de se permitir o risco de se apaixonar de novo. Gentilmente, ele a levara para seu mundo particular, e ela se sentia segura ali. Assim como ele se sentia com ela.

Ele andou pelo apartamento todo com Carole, mostrou alguns de seus tesouros e os pertences que mais amava. Fotografias de seus pais e de sua irmã, quadros que comprara na Europa, incluindo um notável Degas que estava pendurado sobre a sua cama. E depois de ela observá-lo por um momento, saíram do quarto. Ainda parecia cedo demais para ficarem muito tempo ali, mas o Degas dele fez com que começassem a falar sobre balé. Ela disse que dançava quando mais jovem.

— Eu levava muito a sério quando tinha 16 anos, depois desisti — disse ela arrependida, mas ele entendeu melhor agora a postura dela e a graciosidade com que se mexia.

— Por que desistiu?

Ela sorriu envergonhada ao responder:

— Fiquei muito alta. Seria condenada para sempre a ficar na última fila de todos os corpos de baile. As primeiras bailarinas são sempre pequenas, ou pelo menos eram. Acho que hoje são mais altas, mas não tanto quanto eu.

Sua altura tinha algumas desvantagens, embora não muitas na opinião de Charlie: adorava o fato de ela ser alta e flexível. Conseguia ser feminina e elegante ao mesmo tempo, e ele era consideravelmente mais alto que ela, o que não era nenhum problema.

— Você gostaria de ir a um balé qualquer dia desses?

Os olhos dela se iluminaram com o convite, e ele prometeu que iriam. Havia tantos programas que queria fazer com ela. A diversão estava apenas começando.

Ela ficou lá até quase meia-noite, e ele a beijou várias vezes. Acabaram na cozinha, onde fizeram um lanche antes de ela ir embora. Não tinham jantado apropriadamente naquela noite, apenas muitos bolinhos e balas, até a hora em que prepararam sanduíches e se sentaram à mesa, conversando.

— Sei que isso parece ridículo, Charlie. — Ela estava tentando explicar a ele como se sentia. — Durante toda a minha vida, sempre odiei as extravagâncias, o esnobismo e a arrogância dos ricos. Nunca quis ser especial, a não ser se eu mesma ganhasse, e não se algum parente tivesse. Sempre quis ajudar as pessoas pobres que não tiveram nenhuma sorte na vida. Eu me sinto culpada quando faço coisas que outras pessoas não podem, ou quando gasto mais dinheiro que eles, então eu não faço. Não que eu possa. Mas se eu pudesse, não faria. Eu sou assim.

Ele já sabia disso, então não ficou surpreso. Ela nunca falava da família, por isso ele não fazia ideia se tinham dinheiro. Levando em consideração a forma como ela vivia e a vida a que se dedicava, ele desconfiava que não. Talvez um pouco, mas não muito. Não havia nada nela, além de sua aparência aristocrática, que sugerisse que vinha de uma família rica. Talvez uma boa e sólida família com poucos meios que provavelmente se esforçou muito para mandá-la para Princeton.

— Eu entendo — disse ele enquanto terminavam o lanche. — Você está horrorizada por eu ter um barco?

— Não — respondeu ela, pensativa. — É só uma coisa que eu não teria mesmo se pudesse. Mas você tem todo o direito de gastar seu dinheiro da forma que quiser. Você ajuda tantas pessoas por intermédio da fundação! É que eu sempre achei que devia viver na pobreza e dar tudo que tenho para os outros.

— Às vezes, é bom guardar um pouco e aproveitar a vida.

— Eu aproveito. Mas prefiro dar a minha parte. Me sinto culpada em ter um salário no centro. Sempre acho que as outras pessoas precisam mais do que eu.

— Você precisa comer — salientou ele.

Ele se sentia muito menos culpado que ela. Herdara uma enorme fortuna muito novo e cumprira de forma responsável seu papel todos esses anos. Gostava do luxo em que vivia, de seus quadros, dos objetos que colecionava e, principalmente, do barco. Nunca pedia desculpas a ninguém por isso, exceto, indiretamente, a Carole, agora. Suas filosofias eram muito diferentes, mas ele esperava que nem tanto.

— Talvez eu seja muito extremista — admitiu ela. — A austeridade faz com que eu sinta que estou reparando meus pecados.

— Não sei que pecados — disse ele, sério. — Estou vendo uma mulher maravilhosa que se dedica de corpo e alma aos outros e que trabalha até a exaustão. Não se esqueça de se divertir um pouco.

— Eu me divirto com você, Charlie — disse ela, suavemente. — Sempre me divirto quando estamos juntos.

— Eu também.

Ele sorriu e beijou-a de novo. Amou beijá-la e desejava poder fazer mais, mas não ousou ainda. Sabia o quanto Carole tinha medo de se envolver, de se magoar de novo, e ele também tinha seus próprios medos com que lidar. Tinha as mesmas preocupações e estava sempre esperando o defeito fatal vir à tona. No caso dela, esse defeito era óbvio, não estava escondido. Ficava bem exposto, como uma bandeira. A descendência dela era bem diferente da dele. Ela era uma assistente social, dedicada ao trabalho no Harlem e arisca com relação ao mundo dele. Não era uma debutante nem socialite e desaprovava seu modo de viver, embora aprovasse Charlie totalmente. Mas, para ele, a grande questão era se ela conseguiria superar suas reservas e aceitar o estilo de vida dele. Se fossem ficar juntos, ela teria de fazer as pazes com essa discrepância, e ele também. Neste momento, achava que podiam. Dependia mais de Carole, neste ponto, do que dele. Ela seria a pessoa que deveria estar disposta a perdoar as extravagâncias do mundo dele, sem querer fugir.

Ele a levou de volta de táxi e a beijou em frente à casa dela. Ela não o convidou para subir, mas dissera mais cedo que a casa estava uma bagunça. Ele não conhecia o estúdio dela, mas podia muito bem imaginar o desafio de se morar em apenas um cômodo. E ela tinha uma vida agitada.

Ele beijou a ponta do nariz dela antes de deixá-la, e ela riu ao ver que os lábios dele ficaram verdes. Ela ainda estava com o rosto pintado por causa da festa de Halloween.

— Te ligo amanhã — prometeu ele ao voltar para o táxi. — E vou providenciar os ingressos para o balé, talvez para a semana que vem.

Ela acenou e agradeceu de novo, e depois desapareceu na casa enquanto o táxi se afastava.

O apartamento de Charlie parecia vazio sem ela quando ele voltou. Gostava da forma como ela enchia seu ambiente, sua vida, seu coração.

Capítulo 15

A secretária de Charlie disse a ele na manhã seguinte que conseguira ingressos para o balé para sexta-feira à noite. Diziam que era uma excelente produção de *Giselle*. Ele deixou um recado contando para Carole e então se sentou para abrir a correspondência. O novo guia de bacharéis de Princeton chegara e, apenas pela diversão, procurou o nome de Carole. Sabia o ano em que ela tinha se formado, então era fácil encontrar. Ele folheou as páginas corretas e franziu a testa ao não encontrar o nome.

Pensou no ano que ela lhe dissera e procurou de novo. Não estava lá, o que era estranho. Obviamente, havia um erro. Um pouco depois, mencionou isso com sua secretária e decidiu fazer um favor a Carole poupando seu tempo, já que certamente ela ia querer corrigir o erro. Pediu para a secretária ligar para o escritório responsável pelo guia na universidade e reportar a omissão. Deu o nome completo dela, Carole Ann Parker, e o ano correto da formatura.

Estava absorto analisando um relatório financeiro no final daquela tarde quando sua secretária o chamou pelo interfone, e ele atendeu, um pouco distraído. Estava tentando entender umas projeções financeiras extremamente complicadas e precisou se concentrar no que ela dissera.

— Liguei para Princeton, como me pediu, Sr. Harrington. Dei o nome e o ano de graduação da Srta. Parker. Disseram que ninguém com esse nome se formou lá. Pedi que verificassem de novo, e eles fizeram. Acho que ela não foi para Princeton. Talvez esse seja o erro. O escritório que faz o guia dos bacharéis insiste em que ela nunca estudou lá.

— Isso é um absurdo; me dê o número do telefone. Eu mesmo vou ligar.

Estava irritado com a estupidez deles e sabia que Carole também ficaria. Sabia até o grêmio estudantil do qual ela fizera parte. O currículo dela dizia que tinha se formado em Princeton.

Mas quando ligou, cinco minutos depois, disseram-lhe a mesma coisa. Foram até desagradáveis, dizendo que nunca cometiam erros como esse. Carole Ann Parker nunca se formara em Princeton. Na verdade, de acordo com os registros deles, quando verificaram mais a fundo, ninguém com esse nome nunca frequentara Princeton. Quando ele desligou o telefone, sentiu um arrepio frio subir pela espinha. Cinco minutos depois, sentindo-se um monstro, ligou para a Escola de Assistência Social de Columbia. Eles lhe disseram o mesmo. Ela nunca frequentara Columbia também. Quando desligou o telefone, sabia que tinha encontrado o defeito fatal. A mulher por quem estava se apaixonando era uma fraude. Independentemente de quem fosse e de quão boas fossem suas intenções no centro, ela não tinha nenhum dos diplomas que dizia ter e conseguira 1 milhão de dólares de sua fundação com base em credenciais falsas e reputação enganosa. Era quase um crime, exceto pelo fato de que ela não queria o dinheiro para si, mas para ajudar os outros. Ele não tinha a menor ideia do que fazer com a informação. Precisava de tempo para pensar e digeri-la.

Quando Carole ligou de volta para Charlie naquela tarde, pela primeira vez nas seis semanas que se conheciam, ele não atendeu. Não poderia simplesmente desaparecer da vida dela, queria uma explicação. Mas, primeiro, precisava de tempo para digerir tudo, e dois dias depois a levaria ao balé. No momento, decidiu não dizer nada até lá, resolveria o problema depois. No final da tarde, ligou para ela e disse que o conselho da fundação estava passando por uma crise e que só poderia vê-la na sexta-feira. Ela disse que entendia perfeitamente e que esse tipo de problema também acontecia com ela. Mas quando desligou, Carole se perguntou por que ele estava tão frio. Na verdade, ele estava quase chorando. Sentia-se totalmente enganado e desiludido. A mulher que admirava desde o dia em que se conheceram era uma mentirosa.

Sofreu os dois dias enquanto esperava para encontrá-la e, quando pegou-a para o balé na sexta-feira, ela estava linda. Usava um vestido preto básico, saltos altos e um casaco de peles preto. Estava muito bem-vestida, e em suas orelhas havia até um par de brincos de pérola, que disse terem sido de sua mãe. Não acreditava mais em nenhuma palavra que ela dizia agora. Carole estragara tudo entre eles com as mentiras sobre Columbia e Princeton. Não confiava mais nela, e ela achou que Charlie parecia tenso e infeliz. Perguntou se estava tudo bem na hora em que as cortinas subiram, e ele assentiu. Mal falara com ela no táxi nem quando chegaram ao Lincoln Center. Carole achou que ele estava com a aparência péssima. Só podia supor que, desde que o vira pela última vez, alguma coisa horrível tivesse acontecido na fundação.

No intervalo, eles foram ao bar tomar um drinque, e antes que voltassem para seus lugares, ela pediu licença para ir ao toalete, e quando já ia se afastar, um casal se aproximou dela antes que pudesse evitar. Ela baixou a cabeça, como se quisesse se esconder deles; Charlie notou isso na mesma hora e gemeu por dentro. Disse apenas que eram amigos de seus pais e que não os suportava, e então desapareceu. Charlie, então, percebeu quem eram quando se aproximaram dele. Também os conhecia e não gostava deles. Eram alpinistas sociais insuportáveis.

A mulher discursou interminavelmente sobre a apresentação e disse que gostara mais da produção da temporada anterior. Ela continuou falando sem parar sobre os pontos fortes e fracos dos bailarinos e, então, fixou os olhos em Charlie e fez um comentário que, na hora, não fez nenhum sentido para ele.

— Bem, você causou uma reviravolta, não? — disse a mulher, parecendo esperta e asquerosa. Charlie não fazia ideia de sobre o que ela estava falando enquanto a fitava, desejando que Carole voltasse. Por mais furioso que estivesse com ela, era muito mais agradável ficar ao seu lado do que preso em uma armadilha com aquela mulher horrível e seu marido puxa-saco, ambos estavam grudados nele por saberem quem era. — Fiquei sabendo que ela quase teve um colapso nervoso quando o marido a deixou. De qualquer forma, não sei para que precisava dele, os Van Horn têm muito mais dinheiro que ele. Ele é apenas um novo-rico. Os Van Horn são a fortuna mais antiga do país.

Ele não fazia ideia de por que ela estava falando dos Van Horn. Conhecia Arthur Van Horn, mas não muito bem. Era um dos homens mais conservadores que já conhecera e, certamente, o mais tenso e mais chato, e Charlie não tinha o menor interesse em quanto dinheiro eles tinham.

— Os Van Horn? — perguntou Charlie, sem entender.

Ela parecia uma louca enquanto vomitava fofocas e detalhes de uma situação que o deixou confuso. Aparentemente, ela estava falando de alguma mulher Van Horn cujo marido abandonara. Para Charlie, tudo isso parecia mais do que um pouco louco, e ela o fitou como se ele fosse completamente estúpido.

— Os Van Horn. Eu estava falando da garota Van Horn. Não era ela quem estava com você quando me aproximei?

Ela olhou para ele como se fosse um demente e, então, ao fitá-la, ele de repente entendeu o que estava dizendo. Era como se um raio tivesse caído em sua cabeça.

— Claro, me desculpe. Eu estava distraído. A Srta. Van Horn, claro.

— Vocês dois estão saindo? — perguntou ela, com ousadia.

Mulheres como ela não tinham a menor vergonha de fazer perguntas. Tinham prazer em juntar informações para usar depois para impressionar os outros e mostrar que eram frequentadores nos melhores círculos sociais, embora não fossem. Eles conheciam as pessoas "certas", que não gostavam deles.

— Temos negócios em comum — disse ele, assentindo. — A fundação tem ajudado o centro dela. Eles estão fazendo um trabalho fantástico com crianças que sofreram abuso. A propósito, qual era o nome de casada dela? Você se lembra?

— Não era Mosley? Mossey? Alguma coisa assim. Que homem horrível. Ele fez uma fortuna enorme. Acho que se casou de novo com uma garota ainda mais nova que Carole. É uma pena que isso tenha mexido tanto com ela.

— O nome dele não era Parker, era?

Charlie agora era um homem com uma missão. Queria saber a verdade, de qualquer fonte que conseguisse. Mesmo de pessoas como esta repulsiva alpinista social.

— Claro que não. Esse é o nome de solteira da mãe dela. O Parker Bank, em Boston. Uma fortuna não tão grande quanto a dos Van Horn, mas significativa. Que bom para Carole, ela não tem apenas uma, mas duas fortunas para herdar. Algumas pessoas nascem com sorte — disse ela, enquanto Charlie assentia e via Carole se aproximando.

Era fácil encontrá-la na multidão com seus saltos altos, e ele acenou para avisar que a encontraria onde ela estava, agradeceu à sua informante e saiu. Descobrira tantas mentiras nos últimos dois dias que não sabia mais no que acreditar a respeito de Carole.

— Sinto muito por tê-lo deixado com aquela mulher horrorosa. Achei que se eu ficasse por perto, ela nunca nos deixaria. Ela falou demais?

— Falou — respondeu ele, sendo sucinto.

— Ela sempre fala. É a maior fofoqueira de Nova York, só fala sobre quem casou com quem, quem era o avô de fulano e o tamanho da fortuna que herdou ou construiu. Só Deus sabe onde ela consegue todas essas informações. Eu simplesmente não a suporto.

Ele assentiu, e ambos seguiram até seus lugares. A cortina subiu imediatamente, e Charlie se sentou, afastado dela, parecendo inflexível. Ele descobrira nos últimos dois dias que o defeito fatal de Carole não era o óbvio de ela ter vindo de uma outra realidade, ter um passado simples e se sentir pouco à vontade no mundo dele, e também não era o fato de ela ser uma fraude, como pensara na quarta-feira. Acabou descobrindo que o defeito fatal dela era muito mais simples. Era uma mentirosa.

Quando a apresentação acabou e as cortinas subiram, ela sorriu para Charlie e agradeceu.

— Foi realmente lindo. Obrigada, Charlie. Eu amei.

— Que bom — disse ele educadamente.

Prometera levá-la para jantar depois, mas não estava mais com a menor vontade. Não queria dizer a ela o que precisava dizer em público. Sugeriu que fossem para seu apartamento. Ela sorriu com a sugestão e disse que poderia preparar ovos mexidos para ele. Ele assentiu e mal conseguiu conversar com ela na rápida corrida de táxi até seu apartamento. Não fazia ideia do que havia de errado com ele naquela noite, mas era bem óbvio que ele estava chateado com alguma coisa. E ela não precisou esperar muito para descobrir.

Ele abriu a porta da frente e acendeu as luzes, entrou com passos largos pela sala de estar com ela logo atrás, e nem se incomodou em sentar. Virou-se para encará-la com um olhar ofendido.

— O que você achava exatamente que estava fazendo esse tempo todo com toda a sua maldita baboseira pretensiosa de não gostar de grêmios e eventos sociais e de pessoas ricas? Por que mentiu para mim? Você não é apenas uma garota simples que dedica a vida a salvar os pobres do Harlem. Vem do mesmo mundo que eu, frequentamos a mesma faculdade. Você está fazendo as mesmas coisas que eu pelas mesmas razões, e é tão rica quanto eu. Então não me venha com essa baboseira de que não se sente à vontade no meu mundo, Srta. Van Horn.

— Como você descobriu isso tudo? E não é da sua conta se sou rica ou não. Esta é a questão, Charlie. Não quero que as pessoas me admirem, respeitem ou beijem o chão onde piso por causa do meu avô. Quero que as pessoas gostem de mim e me respeitem pelo que sou. E não existe a mínima chance de fazer isso com um nome como Van Horn. Então, uso o nome da minha mãe. E daí? Quer me processar, pelo amor de Deus? Não devo explicações a você nem a ninguém.

Ela estava tão furiosa quanto ele.

— Não queria que tivesse mentido para mim. Queria que tivesse me falado a verdade. Como posso confiar em você se mentiu para mim sobre quem você é? Por que não me contou, Carole?

— Pelo mesmo motivo que você não me contou sobre seu iate. Porque achou que ia me assustar, me chocar ou me afastar de você, ou talvez porque estivesse com medo de eu estar atrás do seu dinheiro. Não estou, idiota, tenho o meu. E tudo que eu disse sobre não me sentir à vontade no seu mundo é verdade. Eu odiei esse mundo a minha vida inteira, cresci nele, fui impregnada por ele até o pescoço. Eu não quero participar de toda a pompa e a cerimônia desse lixo. Amo o que eu faço. Amo aquelas crianças. E é só o que quero agora. Não quero uma vida elegante. Não preciso. Eu odiava quando tinha essa vida. Abri mão dela quatro anos atrás, e sou muito mais feliz agora. E nunca vou voltar para aquele mundo, nem por você nem por ninguém.

Ela estava quase soltando fumaça pelas orelhas.

— Mas você nasceu nesse mundo. Pertence a ele, mesmo que não queira. Por que eu estava rastejando para me desculpar? Você poderia, pelo menos, ter aliviado essa. Poderia, pelo menos, ter me dito quem era em vez de me fazer de bobo. Quando ia me contar? Algum dia? Ou ia se fingir de Srta. Simples para sempre e me deixar rastejar e ajoelhar aos seus pés pedindo perdão por tudo que tenho, por quem sou e pelo meu estilo de vida? E agora que estou pensando melhor, não acredito que você more em um estúdio também. É dona da casa toda, não é?

Os olhos dele brilhavam de raiva. Ela mentira sobre tudo. Ela baixou a cabeça, depois levantou e o fitou.

— Sou. Eu ia me mudar para o Harlem quando abri o centro, mas meu pai não deixou. Ele insistiu que eu ficasse com a casa, mas eu não sabia como explicar a você.

— Pelo menos alguém na sua família tem bom-senso, mesmo que você não tenha. Você teria morrido lá, e isso ainda pode acontecer. Pelo amor de Deus, você não é Madre Teresa. É uma menina rica, da mesma forma que fui um menino rico muito cedo. E hoje sou um homem rico. E quer saber? Se as pessoas não gostam disso, danem-se. Porque eu sou assim. Talvez algum dia desses você pare de se desculpar também. Mas até que isso aconteça e você perceba que não tem problema em ser quem você é, não pode andar por aí mentindo para as pessoas e fingindo ser outra pessoa. Foi uma coisa horrível e estúpida de se fazer, e você fez com que eu me sentisse um idiota. Liguei para Princeton esta semana e disse a eles que tinham cometido um erro e deixado seu nome de fora do guia dos bacharéis. Eles me disseram que você nunca tinha estudado lá. Claro, eu achei que seu nome fosse Parker. Depois, achei que você fosse uma fraude. Mas agora vejo que não é uma fraude, apenas uma mentirosa. Em relacionamentos, as pessoas devem ser honestas com as outras, independentemente de qualquer coisa. Sim, eu tenho um barco. Sim, eu tenho muito dinheiro. Você também. Sim, é uma Van Horn. E daí? Mas como mentiu para mim dessa forma, não confio mais em você, não acredito em você e, para falar a verdade, não quero mais ficar com você. Até que descubra quem você realmente é e o que quer ser quando crescer, acho que não temos mais nada para dizer um ao outro.

Ele estava tão triste que tremia da cabeça aos pés, e ela também. Ela odiava saber que ele descobrira tudo dessa forma, mas, em alguns aspectos, estava aliviada. Detestara mentir para ele. Uma coisa era não contar às pessoas do centro quem era, mas com ele era completamente diferente.

— Charlie, só queria que você gostasse de mim pelo que sou e não por causa do nome do meu pai.

— O que achou? Que eu estava atrás do seu dinheiro? Isso é ridículo, e você sabe disso. Você transformou esse relacionamento em uma farsa, e as suas mentiras foram um desrespeito a mim.

— Eu só menti sobre o meu nome e de onde venho. Isso não é importante. Eu ainda sou eu. E peço perdão. Você está certo, eu não devia ter feito isso. Mas fiz. Talvez só estivesse morrendo de medo. E como você me conhecia como Carole Parker, era muito difícil explicar quem eu realmente era. Eu não matei ninguém, pelo amor de Deus, nem roubei seu dinheiro.

— Você roubou a minha confiança, o que é pior.

— Charlie, me desculpe. Acho que estou me apaixonando por você.

Ao dizer isso, lágrimas escorriam pelo rosto dela. Ela mesmo percebia que tinha estragado tudo e se sentia péssima por isso. Amava tudo nele.

— Não acredito em você. — Ele cuspiu as palavras. — Se você estivesse se apaixonando por mim, não teria mentido.

— Cometi um erro. As pessoas às vezes cometem erros. Eu estava com medo. Só queria que me amasse pelo que sou.

— Eu estava começando a amar. Mas só Deus sabe quem você realmente é. Eu estava me apaixonando por Carole Parker, uma garota simples que não sabia de onde vinha e que não tinha dinheiro nem nada em seu nome. Agora descubro que você é outra pessoa. Uma maldita herdeira, pelo amor de Deus.

— Isso é tão terrível? Você não pode me perdoar?

— Talvez não. O terrível foi a mentira, Carole. Essa é a parte horrível.

Ao dizer isso, ele se virou de costas para ela e ficou olhando o parque pela janela. Ficou assim, de costas para ela, por um longo tempo.

— Quer que eu vá embora? — perguntou ela, com a voz engasgada.

Ele não respondeu logo, depois assentiu e, finalmente, disse:

— Quero. Acabou. Eu nunca mais poderia confiar em você. Você mentiu para mim por quase dois meses. É muito tempo.

— Desculpe — disse ela baixinho.

Ele ainda estava de costas para ela. Não queria ver o rosto dela de novo. Doía muito. O defeito fatal estava ali pendendo entre eles.

Ela saiu silenciosamente do apartamento dele e fechou a porta. Ainda estava tremendo quando entrou no elevador e desceu. Disse para si mesma que a situação toda era ridícula. Ele estava furioso por ela ser rica, quando, de fato, ele era ainda mais rico. Mas não se tratava disso, e ela sabia. Ele estava furioso por ela ter mentido.

Carole pegou um táxi para casa e teve esperanças de que ele ligaria para ela naquela noite. Mas isso não aconteceu. Ele não ligou naquela noite nem no dia seguinte. Ela via seus recados na secretária eletrônica a toda hora. Semanas depois, ele ainda não tinha ligado. Finalmente, ela percebeu que ele nunca mais ligaria. O que ele dissera naquela noite era verdade. Disse que estava acabado e que não poderia mais confiar nela. Por melhor que tivessem sido as intenções de Carole, quebrara a confiança sagrada entre eles, que era a essência de um relacionamento. Ele não queria mais vê-la, falar nem estar com ela. Agora, sabia que estava apaixonada por ele, mas também sabia que isso não mudaria nada. Tinha perdido Charlie para sempre.

Capítulo 16

Duas semanas antes do Dia de Ação de Graças, Adam e Maggie estavam curtindo uma noite tranquila no apartamento dele quando, do nada, ela falou sobre o feriado. Ela ainda não tinha pensado a respeito, mas agora que estavam passando tanto tempo juntos, queria estar ao lado dele e queria saber se ele estaria com os filhos. Ainda não os conhecia, e ambos tinham concordado que ainda era muito cedo. Passavam quase todas as noites juntos, e ele amava ficar com ela, mas como disse, isso ainda era um test drive.

— Ação de Graças? — Ele olhou para ela sem entender. — Por quê?

— Você vai passar com os seus filhos?

— Não, Rachel vai levá-los para a casa dos sogros em Ohio. Nós alternamos os feriados. Este ano não vou passar com eles.

Ela sorriu, então. Esperava que isso significasse uma boa notícia. Não tinha um Dia de Ação de Graças de verdade, com pessoas de quem realmente gostasse, havia anos. Desde quando era bem pequena, se é que teve algum. Uma vez, cozinhara um peru junto à mãe, que estava bêbada demais para comer e desmaiou antes de estar assado. Maggie acabou comendo sozinha na mesa da cozinha. Mas, pelo menos, sua mãe estava lá, mesmo que inconsciente no quarto.

— Você acha que poderíamos passar juntos? — perguntou ela, se aninhando nele e fitando-o.

— Não, não podemos — disse ele, de forma amarga.

— Por que não?

Ela tomou a resposta como uma recusa imediata. As coisas estavam realmente bem entre eles, e a rudeza da resposta dele a surpreendeu e magoou.

— Porque eu tenho que ir para a casa dos meus pais. E não posso levá-la comigo.

Com um nome como O'Malley, a mãe dele teria um infarto. Além disso, não era da conta dela com quem ele estava namorando.

— Por que você vai para lá? Achei que você tivesse tido uma noite terrível no Yom Kippur.

O que ele estava dizendo não fazia o menor sentido para ela.

— É verdade. Mas isso não tem nada a ver. Na minha família, você é obrigado a aparecer nos feriados de qualquer maneira. Como um mandado de prisão. Não nos reunimos para nos divertir. É tradição e obrigação. Por mais que eles me deixem maluco, acho família importante. A minha é péssima, mas ainda sinto que preciso ir lá e mostrar respeito. Só Deus sabe por quê, mas sinto que devo isso a eles. Meus pais estão velhos, não vão mudar. Você não tem algum lugar para ir? — Ele pareceu infeliz ao fazer a pergunta. Detestava se lembrar de que teria de passar outro feriado terrível com sua família de novo. Odiava feriados, sempre odiara, por causa disso. Sua mãe dava um jeito de arruinar cada um deles. A única coisa boa era que seus pais celebravam Chanukah e não Natal, então podia passar o Natal com os filhos. Isso, pelo menos, era divertido. Os feriados em Long Island nunca eram. — Onde você vai passar o Dia de Ação de Graças?

— No meu apartamento, sozinha. Todas as outras vão para casa.

E ela, claro, não tinha para onde ir.

— Pare de tentar fazer com que eu me sinta culpado. — Ele estava quase gritando. — Minha mãe fazer isso já é o suficiente. Maggie, eu realmente sinto muito se você não tem para onde ir, mas não posso fazer nada a esse respeito. Tenho que ir para casa.

— Não consigo entender — disse ela, demonstrando sua tristeza. — Eles o tratam como um nada. Você me disse isso. Então por que vai para casa?

— Eu me sinto obrigado — disse ele, parecendo estressado. Não queria defender suas decisões para ela. Já era difícil o bastante da forma como era. — Não tenho escolha.

— Tem sim — insistiu ela.

— Não, não tenho. E não quero discutir isso com você de novo. As coisas são simplesmente assim. Voltarei para casa à noite. Podemos fazer algo no final de semana prolongado.

— Essa não é a questão. — Ela estava forçando a barra, e ele não estava gostando. Maggie estava pisando em um terreno perigoso. — Se isto é um relacionamento — pressionou ela, sabendo o perigo que corria —, então quero passar os feriados com você. Já estamos juntos há dois meses.

— Maggie, não me pressione — avisou ele. — Isto não é um relacionamento. Estamos saindo. É diferente.

— Ei, espera aí — disse ela com um tom de voz sarcástico. — Quem morreu e o coroou rei?

— Você sabia as regras quando entrou nessa. Você leva a sua vida. Eu levo a minha. Nós nos encontramos nos intervalos quando é possível para os dois. Bem, Ação de Graças não é possível para mim. Gostaria que fosse. Acredite em mim, gostaria mesmo. E eu adoraria passar com você se pudesse. Mas não posso. Ação de Graças com meus pais é uma obrigação. Volto para casa com enxaqueca, dor de estômago e dor de cotovelo, mas chova ou faça sol, eles esperam que eu vá.

— Isso é muito ruim — disse ela, fazendo bico.

— É mesmo — concordou ele. — Para nós dois.

— E que história é essa de isso não ser um relacionamento? E essa baboseira de nos encontrarmos nos intervalos?

— É isso que temos feito. Sem mencionar o fato de que estamos nos encontrando todo final de semana, o que já é muita coisa.

— Então, isso faz com que seja um relacionamento, não?

Ela continuava pressionando, não percebendo todos os sinais de advertência dele, o que era raro. Ela estava chateada porque não ia passar o Dia de Ação de Graças com ele. Isso deu-lhe mais coragem para desafiar as "regras" de Adam.

— Relacionamentos são para pessoas que querem se casar. Eu não quero. Já disse isso. Isso é outra coisa. Está dando certo pra mim.

Ela não disse mais nada depois disso, e na manhã seguinte, voltou para seu apartamento. Ele se sentiu culpado a tarde inteira sobre o que dissera. Era um relacionamento de verdade. Não estava saindo com mais ninguém, e, pelo que sabia, ela também não. Ele só não gostava de admitir, mas não gostava de magoá-la. E odiava o fato de não poder passar o Ação de Graças com ela. Odiava tudo isso. E se sentia um merda. Ela estava no trabalho quando ele ligou e deixou um recado carinhoso na secretária eletrônica.

Ela não retornou a ligação quando saiu do trabalho. E não apareceu no apartamento dele. Ele telefonou para ela naquela noite, e ela não estava. Depois disso, ligou de hora em hora até a meia-noite. Achou que ela estivesse fazendo joguinhos com ele, até que uma das colegas dela atendeu e disse que ela realmente não estava. Quando ligou de novo, disseram que estava dormindo. Ela não retornou as ligações dele. Na tarde seguinte, ele já estava soltando fumaça pelas ventas. Finalmente decidiu ligar para o trabalho dela, o que era raro.

— Onde você estava ontem à noite? — perguntou ele, tentando parecer mais calmo do que realmente estava.

— Achei que isso fosse apenas um namorico. E que nenhum de nós fizesse perguntas. Tenho que ver, mas acho que essas são as regras, já que isto não é um relacionamento.

— Olhe, me desculpe. Foi uma estupidez minha. Só estava chateado por causa do Dia de Ação de Graças. Me sinto um merda por deixá-la sozinha.

— Você *é* um merda por me deixar sozinha — corrigiu ela.

— Maggie, me dá um tempo. Por favor. Tenho que ir para Long Island. Juro por Deus, não tenho escolha.

— Tem sim. Eu não me importaria se você estivesse com seus filhos. Isso eu entenderia. Mas pare de ir passar os feriados com os seus pais e permitir que eles o castiguem.

— Eles são meus pais, eu preciso. Olhe, vá para meu apartamento hoje à noite. Vou preparar um jantar para você e vamos nos divertir.

— Tenho outra coisa para fazer. Chegarei às 9.

Ela parecia fria.

— O que você vai fazer?

— Não me faça perguntas. Vou chegar assim que der.

— O que quer dizer tudo isso?

— Preciso ir à biblioteca — disse ela, enquanto ele fumegava.

— Essa é a desculpa mais esfarrapada que já escutei. Tudo bem, nos vemos à noite. Chegue a hora que quiser. — Ele desligou na cara dela e pensou em dizer para que nem se desse ao trabalho de aparecer. Mas queria vê-la e saber o que estava acontecendo. Pelo menos duas noites por semana, ele ligava e ela não estava. Se estava saindo com alguma outra pessoa, ele queria saber. Era a primeira mulher a quem era fiel em anos. E estava começando a imaginar se ela o estava traindo.

Adam estava sentado no sofá, tomando um drinque e esperando por Maggie, quando ela chegou. Já eram quase dez horas e era o segundo drinque dele. Olhava o relógio de cinco em cinco minutos. Ela o olhou com uma expressão culpada quando entrou.

— Desculpe. Demorou mais do que imaginei. Vim assim que pude.

— O que você estava fazendo? Diga a verdade.

— Achei que não devíamos fazer perguntas — disse ela, parecendo nervosa.

— Não me venha com essa porcaria — gritou ele. — Você está saindo com alguém, não está? Isso é perfeito. Totalmente perfeito. Durante 11 anos, tive todas as mulheres que quis. Você aparece e, pela primeira vez em anos, sou fiel a você. E o que você faz? Transa com outro.

— Adam — disse ela calmamente, sentada em frente a ele, olhando bem nos olhos dele —, não estou transando com nenhuma outra pessoa. Juro.

— Então, onde está quando ligo para você à noite? Você só chega quase meia-noite. Nunca está em casa quando não está aqui. — Os olhos dele brilhavam, e sua cabeça latejava. Estava com dor de cabeça, e a mulher por quem era louco estava transando com outra pessoa. Não sabia se devia gritar ou chorar. Talvez fosse a justiça divina pelo que havia feito com as outras, mas certamente não era uma sensação boa agora que estava sentindo na própria carne. Estava louco por ela. — Onde você estava até agora?

— Já disse — falou ela calmamente. — Eu estava na biblioteca.

— Maggie, por favor... pelo menos, não minta para mim. Tenha coragem e me conte a verdade. — Vendo a aflição nos olhos dele, ela percebeu que não tinha escolha. Precisava contar a verdade. Não queria. Mas se ele achava que ela estava saindo com outra pessoa, merecia saber o que estava fazendo quando não estava com ele.

— Estou fazendo um curso preparatório para entrar na faculdade de direito — disse ela com um tom de voz baixo mas firme. Ele a fitou, boquiaberto.

— Você *o quê*? — Tinha certeza de que havia escutado errado.

— Quero fazer faculdade de direito e sei que vou levar uns cem anos para conseguir. Só posso fazer duas matérias por semestre. Não posso pagar mais do que isso. Tenho uma bolsa parcial. — Ela respirou fundo ao dizer isso. Era um alívio contar a verdade. — Eu estava na biblioteca até agora porque tenho um trabalho para entregar. Tenho provas na semana que vem.

Ele a fitou, incrédulo, depois abriu um sorriso.

— Você está brincando?

— Não, não estou brincando. Já faço isso há dois anos.

— Por que não me disse antes?

— Porque achei que ia rir de mim.

— Por que está fazendo isso?

— Porque não quero ser garçonete pelo resto da vida. E não estou procurando um homem para me salvar. Não quero depender de ninguém. Quero poder me cuidar sozinha.

O que ela disse deixou os olhos dele cheios de lágrimas. Todas as mulheres que conhecera ou namorara queriam se aproveitar dos homens, inclusive dele. Maggie estava lá trabalhando feito uma condenada, servindo mesas, estudando duas vezes por semana e sonhando em entrar para a faculdade de direito. Ela nunca lhe pedira um centavo. E com uma frequência maior do que ele gostaria, ela aparecia com uma sacola de supermercado ou um presentinho para ele. Era uma mulher incrível.

— Venha aqui — disse ele, acenando para ela chegar perto. Maggie se aproximou, e ele a abraçou. — Quero que saiba que acho você uma mulher sensacional. Você é a mulher mais sensacional que já conheci. Peço desculpas por ter sido um babaca. E peço desculpas por deixá-la no Dia de Ação de Graças. Prometo que vamos comemorar na quinta-feira e que nunca mais vou questioná-la sobre o que anda fazendo. E mais uma coisa — disse ele, fitando-a diretamente, mas com uma ternura que ela nunca vira antes —, quero que saiba que eu amo você.

— Eu também amo você — sussurrou ela. Ele nunca tinha lhe dito isso antes. — O que isso faz com as regras?

— Que regras? — Ele parecia confuso.

— Você sabe, as regras. Isso quer dizer que ainda estamos saindo ou agora isso é um relacionamento?

— Isso quer dizer que eu amo você, Maggie O'Malley. Danem-se as regras. Vamos resolvendo enquanto seguimos em frente.

— Vamos? — Ela parecia emocionada.

— Vamos sim. E da próxima vez que eu lhe disser quais são as regras, lembre-se de me avisar que estou falando um monte de besteiras. A propósito, sobre o que é o seu trabalho?

— Perdas e danos.

— Ah, merda. Amanhã me mostre o que já fez. Já bebi muito hoje para fazer isso agora.

Mas ambos sabiam que não tinha bebido tanto assim. Estava mais interessado em levá-la para a cama e fazer amor. Definitivamente, para isso não estava bêbado demais.

— Você vai mesmo me ajudar?

— Claro que sim. Você vai conseguir entrar na faculdade de direito e se formar em tempo recorde.

— Não posso fazer isso — disse ela seriamente. — Preciso trabalhar.

Não era um pedido de ajuda, era apenas a declaração de um fato.

— Discutiremos isso outra hora.

Ele a pegou nos braços e a carregou para o quarto.

— Você estava falando sério? — perguntou ela enquanto ele a colocava sobre a cama. — Ou está bêbado?

— Não, Maggie. Não estou bêbado. E eu falei sério. Eu amo você. Só demoro um pouco para perceber algumas coisas às vezes.

Embora dois meses não fosse tão ruim, ainda mais para ele. Ela sorriu, e ele apagou a luz.

Capítulo 17

GRAY LIGOU PARA CHARLIE uma semana antes do Dia de Ação de Graças e achou que ele parecia triste.

— O que você vai fazer no feriado?

— Na verdade, nada — respondeu Charlie.

Vinha pensando nisso. Estes dias eram sempre difíceis e ele odiava fazer planos. Achava que feriados eram para pessoas que tinham família se reunirem e compartilharem seu amor, e para pessoas que não tinham ninguém se sentirem ainda mais falta de tudo que tinham perdido e nunca mais teriam.

— Eu e Sylvia queremos saber se você gostaria de vir jantar conosco. Ela vai preparar o peru, então o jantar vai ser muito bom.

Charlie riu.

— Na verdade, eu adoraria.

Para ele, passar o feriado com o amigo era uma forma mais fácil e menos dolorosa.

— Carole será bem-vinda se quiser trazê-la.

— Não será necessário, mas obrigado mesmo assim — disse Charlie, parecendo tenso.

— Ela tem outros planos? — Gray pôde perceber que algo estava errado.

— Acredito que sim. Na verdade, não sei.

— Isso não está me parecendo bom — disse Gray, preocupado com o amigo.

— Não é. Nós brigamos feio duas semanas atrás. Eu e Carole somos coisa do passado. Foi divertido, mas por pouco tempo.

— Que pena. Suponho que tenha encontrado o defeito fatal.

— Ele sempre encontrava. Com certeza.

— Pode-se dizer que sim. Ela mentiu para mim. Não posso ficar com uma mulher em quem não confio.

— Acho que não.

Gray o conhecia bem o suficiente para saber que depois que encontrava o defeito fatal, Charlie não voltava atrás. Tinha cumprido sua tarefa. Gray disse para chegar ao apartamento de Sylvia às 18 horas, e alguns minutos depois, eles desligaram. Naquela noite, Gray contou a Sylvia a novidade ruim sobre Carole. Ela também ficou triste ao saber.

— Ele sempre faz isso — disse Gray, parecendo infeliz. — Sempre procura aquela coisinha, seja o que for, que mostra que ela não é uma santa e que não pode caminhar sobre a água, e então, pronto, vai embora e não volta atrás. Ele simplesmente não consegue perdoar as fraquezas das mulheres ou aceitar que pode amá-las apesar dos defeitos. Nunca consegue. Tem tanto medo de sair ferido ou de elas morrerem ou deixá-lo que aperta o botão de ejetar se a mulher tosse. Já o vi fazendo isso outras vezes.

— Acredito que ela tenha tossido — disse Sylvia, pensando no assunto.

Embora não conhecesse bem Charlie, sentia como se conhecesse só de escutar o que Gray dizia. Falava muito do amigo. Eram mais irmãos do que amigos. E em ambos os casos, a única família que tinham. Gray já contara a ela que tinha um irmão adotivo muito mais novo em algum lugar, mas não o via há anos, e não sabia mais onde ele estava. Charlie era seu irmão de coração. E, pelo que ela sabia da história dele, era fácil entender o que acontecia sempre. Ele morria de medo que a mulher em questão o abandonasse, então a largava primeiro.

— Ele não tem a menor flexibilidade, não se doa nem um pouco. — Ambos sabiam por experiência própria que em um relacionamento alguém tem de ceder. — Ele disse que ela mentiu. Merda, quem não mente de vez em quando? Acontece. As pessoas fazem burrices.

Sylvia assentiu, curiosa sobre o que tinha acontecido.

— Sobre o que ela mentiu?

— Ele não disse. Meu palpite, a julgar pela história dele, é que não foi nada tão importante, mas ele usou como exemplo, ou como desculpa. Para ilustrar que ela poderia mentir sobre coisas maiores. Geralmente, é assim que acontece. É como em um drama. Ele faz muitas caretas, geme e se diz chocado. Ele "não pode acreditar"... Vai por mim, conheço o enredo. Mas é uma pena. Ele vai acabar sozinho para sempre um dia desses.

Na verdade, já estava.

— Talvez seja isso o que ele quer — disse Sylvia, sabiamente.

— Odeio ver isso acontecendo com ele.

Gray deu um sorriso triste. Queria ver o amigo tão feliz quanto ele atualmente. Tudo entre ele e Sylvia era ótimo, e era assim desde que se conheceram. Às vezes, riam do fato de ainda não terem tido nenhuma discussão, nem a primeira briga. Sabiam que algum dia algo ia acontecer, mas ainda não tinha acontecido. Pareciam ser feitos um para o outro em todos os sentidos. A lua de mel ainda estava no auge.

Charlie chegou exatamente às 18 horas no Dia de Ação de Graças. Levou duas garrafas de um excelente vinho tinto, uma de Cristal e uma de Château d'Yquem. Tinham sido escolhidos para uma noite de ótimos vinhos, boa comida e bons amigos.

— Meu Deus, Charlie, podíamos abrir uma loja de bebidas com tudo isso — exclamou Sylvia. — Tudo do bom e do melhor.

— Pensei que se vamos ter uma ressaca amanhã, então é melhor que seja em grande estilo. — Ele sorriu.

Sylvia estava usando calças de veludo preto e uma suéter branca, e seu longo cabelo preto estava preso em um coque. Nas orelhas, havia brincos de brilhante, e ela abria um sorriso cheio de amor toda vez que seu olhar encontrava o de Gray. Charlie nunca vira o amigo tão feliz e isso o deixou emocionado. Tinham-se acabado os dias das loucas, das neuróticas, dos ex-namorados psicopatas ameaçando suas vidas, das mulheres que o deixavam para ficar com outro sem hesitar ou que tentavam colocar fogo em seus quadros antes de partirem para sempre. Sylvia era exatamente o que todo homem deveria ter. E era óbvio para qualquer um que os visse o quanto Gray significava para ela. Charlie ficou aliviado ao ver que ela o tratara como um rei. Ver isso aqueceu seu coração e, ao mesmo tempo, fez com que se sentisse excluído. Na companhia de pessoas que se amavam tanto, alguém sempre sentia falta do que não tinha. Era uma doce amargura. Sylvia preparara um jantar delicioso com a ajuda de Gray. A mesa estava linda, com toalha e guardanapos de linho perfeitos, assim como as flores que ela mesma arrumara. Gray estava vivendo bem e se deleitando com o amor que sentiam um pelo outro.

A conversa sobre Carole só surgiu no meio do jantar. Charlie não a mencionou, mas Gray não conseguiu mais suportar o suspense e trouxe o assunto à tona.

— Então, o que aconteceu com Carole? — Ele tentou soar casual, mas não teve sucesso, e Sylvia lançou-lhe um olhar de repreensão. Tinha certeza de que era um assunto doloroso e achava que Gray não deveria ter perguntado. Mas era tarde demais para impedir. Ele fora bem direto. Charlie não reagiu. — Sobre o que ela mentiu?

— Ah, uma coisinha pequena, quem ela é. Nem me disse o nome verdadeiro dela. Aparentemente, quer passar a vida incógnita e não achou que valia a pena me contar a verdade.

— Nossa, isso é mesmo ruim. Ela está se escondendo de algum ex-namorado ou coisa parecida? Algumas mulheres fazem isso.

Gray estava tentando encontrar desculpas para ela. Sabendo o quanto Charlie a achava maravilhosa, odiava ver o amigo desperdiçando mais uma boa mulher. Pelo menos, pela felicidade do amigo, queria tentar ressuscitar o romance. Mas pelo tom de voz gelado de Charlie, parecia que já estava morto e que os esforços bem intencionados de Gray tinham chegado tarde demais.

— Não — respondeu Charlie, devagar —, está se escondendo dela mesma.

— Eu já fiz isso, você também. Algumas pessoas fazem isso a vida toda.

— Acho que é isso que ela quer. Descobri por acaso. Primeiro, achei que estivesse mentindo sobre sua formação. Mas acabei descobrindo que era mais complicado que isso. Estava escondendo sua identidade de todo mundo. Finge ser uma garota simples que odeia o elegante mundo social e que só respeita as pessoas que trabalham duro, como ela, o que é admirável, mas, no caso dela, a origem humilde é só uma farsa. Ela fazia com que me sentisse culpado por tudo que sou e que tenho, pelo meu estilo de vida e por ter nascido rico. Tive até medo de contar sobre o barco.

— Então? Ela não é quem diz ser? É uma princesa disfarçada?

Para Gray, isso não parecia um crime que merecia pena de morte. Mas para Charlie, era.

— Descobri que é uma Van Horn. É tão "elegante" quanto eu, se quiser chamar dessa forma. Nem ousei mencionar a ela, mas pelo que sei o avô dela tem um iate maior que o meu.

— Uma Van Horn *Van Horn*? — Gray parecia surpreso.

— É.

Charlie disse isso como se ela tivesse dormido com seu melhor amigo à vista de todos no saguão do hotel Plaza, enquanto a imprensa filmava tudo.

— Nossa! Impressionante! Quer dizer, a história de ser uma Van Horn. Merda, Charlie, isso deveria facilitar as coisas para você. Por que está tão furioso? Você não vai precisar dar uma de Pigmalião aqui, que é uma tarefa difícil. Como dizem, "não dá para transformar uma prostituta em dama", mas muitas pessoas tentam e geralmente não dá certo. Ela tem pedigree, que talvez seja até melhor que o seu. É isso que o está incomodando? — perguntou Gray, sendo compreensivo, enquanto Sylvia parecia constrangida. Gray não estava escondendo sua opinião.

— Não, claro que não. Não estou com inveja do pedigree dela. — Charlie parecia irritado. — Só não gosto do fato de ela ter mentido. Carole me fez de bobo. Eu estava achando que ela poderia estar se sentindo intimidada pelo meu estilo de vida e por isso ficava pisando em ovos e me desculpando o tempo todo e, de repente, descubro que ela foi criada exatamente igual a mim. Ela pode detestar este mundo, mas também é seu berço de ouro. Resumindo, ela mentiu sobre tudo. E toda aquela humildade é só fingimento no caso dela.

Ele parecia furioso, e Gray riu.

— Não hesite em nos dizer o que realmente acha — implicou Gray. — OK, ela está fingindo ser uma ninguém. E daí? Não deve ser fácil usar esse nome fazendo o trabalho que ela faz. Nem o seu. Talvez ela não queira parecer um anjo que desceu das classes mais altas para ajudar os pobres. Ela quer ser um deles e não precisar lidar com tudo isso. Você pode culpá-la, Charlie?

— Posso sim. Tudo bem mentir para as pessoas com quem trabalha, se é isso que ela quer. Mas não foi certo mentir para mim. Ela me disse que morava em um estúdio de um único cômodo. Droga, ela mora em uma casa que deve valer uns 10 milhões de dólares em Upper East Side.

— Nossa, realmente como ela é repugnante — disse Gray com sarcasmo. — Estou chocado! E quanto você acha que seu apartamento na Quinta Avenida com vista para o Central Park está valendo? Cinco milhões? Dez? E vamos ver, quanto você pagou pelo *Blue Moon*? Não me lembro. Cinquenta milhões? Sessenta?

— Esta não é a questão. — Charlie o fitou, vermelho de raiva. — A questão é que se ela mentiu para mim sobre o nome dela, sobre quem é e como cresceu, poderia mentir para mim sobre qualquer outra coisa, e provavelmente já deve até ter feito isso.

— Talvez não — disse Gray, abruptamente. Para ele, parecia uma tempestade em um copo d'água. À custa de Carole. Charlie a estava culpando por tudo. Na opinião de Gray, não era uma luta justa. Com Charlie, nunca era. E no final, embora Charlie não visse as coisas assim, sempre acabava perdendo. Isso estava muito claro para Gray, principalmente agora. Toda a sua perspectiva de vida mudara nos últimos meses. — Talvez ela só quisesse ser como qualquer outra pessoa. Você também não deseja isso às vezes? Sempre quer ser Charlie Sumner Harrington? Aposto que não. Droga, Charlie, dê uma chance a ela. OK, você se sentiu um idiota quando descobriu quem ela era. Mas isso é tão terrível? Você realmente não pode perdoá-la por isso? Você é tão perfeito assim, Charlie?

— Eu não minto para as pessoas que amo. Nem minto para os meus amigos. Nunca menti para você.

— OK, é por isso que nos amamos. Mas vou lhe dizer uma coisa, eu não vou largar a Sylvia para me casar com você.

— Droga — disse Charlie, rindo. — Eu tinha esperanças de que você fizesse isso. — Olhou para Sylvia. — Desculpe, Sylvia, eu o vi primeiro.

— Não me importo em dividi-lo com você — disse ela, sendo honesta, e então decidiu dar sua opinião, independentemente do valor que teria: — Não quero me intrometer, e entendo o seu ponto de vista. Sempre fico preocupada também quando alguém faz alguma coisa que não gosto. Sempre acho que tem mais coisa escondida que ainda não sei, como a teoria da ponta do iceberg. Mas desconfio que, no caso dela, não fez isso por mal. Para pessoas como você e ela, nunca se sabe o que os outros querem ou quem estão vendo. Acho que Gray pode estar certo nesse caso, talvez ela só quisesse uma oportunidade de começar do zero. Ela deveria ter lhe contado isso em algum ponto. Foi falta de sorte você ter descoberto sozinho. Mas ela me parece uma mulher incrível, por tudo o que você disse, e vocês têm muito em comum. Talvez deva dar outra chance a ela. Todos nós precisamos de um tempo às vezes. E você sempre vai poder ir embora se descobrir alguma outra coisa de que não goste. Não está se comprometendo para a vida inteira. Todos nós sabemos que qualquer relacionamento tem compromisso. Infelizmente, nenhum de nós é perfeito. Talvez, em algum momento, você vá precisar que ela lhe perdoe. No final, é uma troca: um monte de coisas que você ama em alguém por algumas que não gosta. Contanto que a balança sempre fique positiva, vale a pena aguentar alguns defeitos. E para mim pareceu, antes de isso acontecer, que você gosta de muita coisa nela.

Sylvia ficou em silêncio enquanto Charlie a fitava. Ela viu dois poços de tristeza em seus olhos.

Na alma daquele homem tinha muita tristeza que ele nunca compartilhara. Havia lágrimas nos olhos dele quando desviou o olhar.

— Só não quero sofrer. A vida já é difícil o bastante da maneira que é.

Sylvia esticou o braço e tocou a mão dele, enquanto os três continuavam sentados à linda mesa que ela arrumara.

— É mais difícil sozinho. Eu sei — disse ela, com um nó na garganta.

Ele a fitou de novo e assentiu, mas não tinha certeza se concordava. Era difícil sozinho, mas era ainda mais difícil perder alguém que se ama. Sabia que ela também já tinha passado por isso. O suicídio do seu último namorado quase acabou com Sylvia.

— Eu não sei — disse ele, com tristeza —, talvez você esteja certa. Mas fiquei furioso. Eu me senti enganado e um completo idiota quando descobri. Ela tem uma aversão enorme ao próprio mundo e aos que vivem nele. Odeia tudo o que ele representa. Isso é normal ou saudável?

— Talvez ela não tenha tido uma vida fácil quando era criança — acrescentou Gray. — Sempre achamos que todo mundo teve uma infância boa. Não sabemos quem foi criticado, quem sofreu abusos, quem foi maltratado, quem foi negligenciado, quem foi molestado pelo tio. Simplesmente não sabemos. Todos temos a nossa bagagem para carregar. Ninguém está livre. Talvez a infância dela não tenha sido fácil. Já li muito sobre o pai dela, é um cara muito importante, mas não me parece nem um pouco carinhoso. Não sei, Charlie. Talvez você esteja certo, talvez ela seja apenas uma mentirosa que vai fazer você sofrer. Mas e se não for? E se ela for apenas um ser humano decente que se cansou de ser quem era e de crescer sendo a filha de um dos caras mais ricos que já existiram? Para um cara como eu, é difícil imaginar, mas você, acima de todos, deve saber que as responsabilidades que vêm junto com quem você é não são muito divertidas às vezes. Para dizer a verdade, adoro as coisas que você tem e me divirto muito no barco, mas, honestamente, quando olho bem, não sei se ia querer ser você algum dia. Para mim, parece muito trabalho e solidão. — Gray nunca fora tão sincero com o amigo, e Charlie ficou emocionado. Mais do que o amigo sabia.

— Você está certo, *dá* muito trabalho e é solitário às vezes. Mas não temos escolha. Em algum ponto, mais cedo ou mais tarde, lhe passam o bastão, no meu caso, mais cedo, e você tem de seguir adiante. Não dá para sentar e chorar e dizer que não quer jogar. Temos de fazer o melhor que podemos.

— Parece que ela é assim. Talvez ela só precisasse não ser quem é por um tempo.

Charlie parecia pensativo ao puxar alguns fiapos na toalha, pensando no que Gray e Sylvia tinham dito. Havia a possibilidade de ser verdade.

— A mulher que me disse quem Carole era também disse que ela quase teve um colapso nervoso quando seu casamento acabou. Um pouco antes, ela já tinha me dito isso. Parece que o ex-marido é um sociopata cretino. Eu o conheço, e não é um cara legal. Ele ganhou muito dinheiro sozinho, mas acho que é um merda. Tenho a sensação que ele pode ter se casado com ela porque Carole é uma Van Horn. — As coisas que Gray falou faziam sentido. Talvez ela precisasse de um tempo de tudo aquilo. Estava vivendo escondida havia quase quatro anos. Sentia-se mais segura nas ruas do Harlem do que no seu próprio mundo. Era uma afirmação triste sobre a vida dela e sobre tudo que tinha acontecido, e ele sabia que ela ainda não tinha lhe contado. Era simplesmente difícil demais para ela. — Vou pensar nisso — disse ele.

Todos respiraram aliviados quando o rumo da conversa seguiu outros caminhos. Tinha sido pesado falar sobre os sentimentos dele por Carole. Todos tinham suas questões, suas cicatrizes, seus sofrimentos e seus medos. A vida é sobre como conseguimos encarar seus altos e baixos sem desmoronar nem deixar o navio afundar.

Charlie ficou com eles até às 22 horas, conversando sobre o que cada um estava fazendo. Eles contaram histórias engraçadas sobre eles mesmos e sobre o outro, sobre morar junto. Ele falou da fundação, e o assunto de Carole não voltou à tona. Ao ir embora e abraçá-los, Charlie se sentia nostálgico. Ficava emocionado ao ver o quanto eles estavam felizes juntos, mas isso só aumentava a própria solidão. Não conseguia nem imaginar como era ficar assim, duas pessoas lentamente trançando suas vidas juntos depois de tantos anos sozinhos. Gostaria de experimentar, pensou, mas, ao mesmo tempo, também se sentia assustado. E se eles se cansassem um do outro ou um traísse o outro? E se um deles morresse ou ficasse doente? E se simplesmente se decepcionassem com o outro e a erosão do tempo e as aflições comuns da vida simplesmente desgastassem o relacionamento? E se alguma tragédia acontecesse na vida de um deles ou dos dois? O risco parecia muito alto.

Então, enquanto estava deitado ali na sua cama pensando neles naquela mesma noite, como se possuído por um poder mais forte do que ele, se inclinou e pegou o telefone. Seus dedos discaram o número dela antes que ele pudesse impedir, depois escutou a voz de Carole pelo telefone. Era quase como se outra pessoa tivesse ligado para ela, e ele não teve alternativa a não ser dizer alô.

— Carole?

Ele parecia quase tão surpreso quanto ela ao escutar a voz dele.

— Charlie?

— Eu... eu... eu só queria lhe desejar feliz Dia de Ação de Graças — disse ele, quase engasgando com a própria língua. Ela parecia chocada.

— Achei que nunca mais fosse falar com você. — Já tinham se passado quase quatro semanas. — Você está bem?

— Estou — disse ele, deitado na cama com os olhos fechados, saboreando a voz dela. Parecia que ela estava tremendo, e na própria cama, ao escutar a voz dele, ela realmente estava. — Jantei hoje com Gray e Sylvia. — Alguma coisa que eles disseram devia ter tocado sua alma de alguma maneira, ou ele sabia que nunca teria telefonado para ela. Pela primeira vez na vida, ele apertou o freio, parou, olhou em volta e, lentamente, voltou atrás. Estava na última curva e avistava terra de novo. — Foi legal. Como foi o seu dia?

Ela suspirou e sorriu ao escutar o som da voz dele. Era maravilhoso falar de assuntos mundanos.

— Como sempre é. Tudo errado. Ninguém na minha família nunca agradece. Eles são vergonhosamente autoconfiantes de como são maravilhosos. Nunca ocorreu a eles que as outras pessoas não têm o que eles têm, e talvez nem quisessem. Para nós, não é um feriado familiar, e sim sobre como somos maravilhosos por sermos Van Horn. Fico enjoada só de pensar. No ano que vem, vou passar o Dia de Ação de Graças no centro com as crianças. Prefiro comer sanduíche de peru, ou de pasta de amendoim com geleia, ou o que tivermos depois que o seu dinheiro acabar, do que tomar champanhe e comer faisão com a minha família. Simplesmente, me dá um nó na garganta. Além disso, detesto faisão. Sempre detestei.

Ele riu do que ela disse. Sylvia e Gray estavam certos. Talvez ele estivesse errado. Para ela, era uma tarefa difícil ser uma Van Horn. Ela queria ser como qualquer outra pessoa. Às vezes, ele também se sentia assim.

— Tenho uma ideia melhor — disse Charlie, calmamente.

— Que ideia? — perguntou ela, prendendo a respiração.

Não tinha a menor noção do que ele estava prestes a dizer, apenas amava o som da voz dele. E tudo nele. Amara desde o começo.

— Talvez no ano que vem, eu e você possamos passar o Dia de Ação de Graças com Sylvia e Gray. O peru estava uma delícia.

Ele sorriu ao se lembrar na noite aconchegante que passara com eles. Teria sido ainda melhor se ela estivesse lá.

— Eu adoraria — disse Carole com lágrimas nos olhos, e então decidiu lidar com sua traição. Não tinha pensado em nada além disso nas últimas quatro semanas. Suas motivações eram boas, mas sabia que tinha feito algo errado. Se queria ficar com ele e amá-lo, tinha de dizer a verdade, mesmo se ele não gostasse do que ouviria ou ela tivesse medo de dizer. Tinha de confiar nele o suficiente para permitir que ele visse quem ela era, independentemente do preço que tivesse de pagar. — Sinto muito por ter mentido para você — disse ela, triste. — Foi uma coisa estúpida de se fazer.

— Eu sei. Às vezes eu também faço coisas estúpidas. Todos fazemos. Eu fiquei com medo de contar para você sobre o meu barco.

Tinha sido um pecado por omissão, mas fizera pelas mesmas razões. Às vezes, era difícil se expor para todos verem. Você se transforma em um alvo fácil. Ele mesmo algumas vezes sentia como se tivesse um alvo desenhado nas costas, e aparentemente, ela também sentia o mesmo. Não era fácil viver assim.

— Eu adoraria conhecer o seu barco qualquer dia desses — disse ela, sendo cautelosa.

Não queria pressionar, estava apenas grata por ele ter ligado. Mais do que ele imaginava, enquanto lágrimas de gratidão escorriam pelos cantos de seus olhos, molhando o travesseiro. Chegara até a rezar pedindo que ele voltasse, e, desta vez, suas preces foram atendidas. Da última vez que fizera isso, elas não foram, quando seu casamento acabou. No final, Deus sabia o que estava fazendo.

— Você vai — prometeu Charlie. Algum dia, queria passar um tempo com ela no *Blue Moon*. Não podia pensar em nada melhor. — O que vai fazer amanhã?

— Nada. Pensei em passar no centro. O escritório está fechado, mas as crianças estão lá. Elas ficam impacientes nos finais de semana prolongados e feriados também são difíceis.

— Também são difíceis para mim — disse ele, sendo honesto com ela. — Eu odeio os feriados. É a época do ano que mais detesto. — Trazia muitas lembranças de pessoas amadas que se foram. O Dia de Ação de Graças era difícil. Mas o Natal era sempre pior. — Que tal almoçarmos amanhã?

— Eu adoraria.

Ela estava sorrindo ali, deitada na cama.

— Podemos dar uma passada no centro se você quiser. Juro que não vou de relógio de ouro — implicou ele.

— Talvez devesse usar a sua fantasia de leão. Você merece. Foi muito corajoso — disse ela, com uma voz repleta de admiração por ele ter ligado.

— Fui mesmo. — Tinha sido difícil para ele, mas estava feliz por ter ligado. Sabia que precisava agradecer a Gray e Sylvia. Graças a eles, conseguira coragem para ligar. — Passo para pegá-la ao meio-dia.

— Estarei pronta... E Charlie... obrigada.

— Boa-noite — disse ele baixinho.

Capítulo 18

A VIAGEM ATÉ LONG ISLAND parecia interminável, enquanto Adam se arrastava pela estrada na Ferrari. Não passara a noite anterior com Maggie porque não queria escutar seus comentários, apesar de verdadeiros, quando saísse para se encontrar com a sua família pela manhã. Deixara-a em casa na noite anterior e sabia que ela passaria o dia sozinha. Não havia nada que pudesse fazer. Achava que havia algumas coisas na vida que não mudavam e nem podiam ser evitadas. Este era o seu código de ética e seu senso de dever com seus pais, por mais doloroso que fosse. Ação de Graças com a sua família era uma responsabilidade da qual não podia se esquivar, por mais desagradável que fosse. Maggie estava certa, claro, mas nem mesmo isso mudava alguma coisa. Ir passar o dia com eles era como encarar um pelotão de fuziiamento. Apesar de irritado, estava grato pelo engarrafamento que o estava atrasando. Era quase como um adiamento. Um pneu furado também teria sido bom.

Estava quase meia hora atrasado quando finalmente chegou. Sua mãe lhe lançou um olhar penetrante quando entrou. Bem-vindo ao lar.

— Desculpe, mãe. O engarrafamento estava inacreditável. Cheguei o mais cedo que consegui.

— Você devia ter saído mais cedo. Tenho certeza de que se fosse para encontrar uma mulher, teria feito isso.

Alvo acertado. Primeiro tiro. Ele sabia que teria mais. Não havia por que tentar responder, então não tentou. Ponto para ela. Nunca para ele.

O resto da família já estava lá. O pai estava gripado. Os sobrinhos estavam do lado de fora. O cunhado tinha um novo emprego. O irmão fez piadas sobre o trabalho de Adam. A irmã chorou. Ninguém nunca falava sobre nada que lhe interessasse. A mãe disse que lera no jornal que Vana estava usando drogas, por que ele queria clientes assim? Que tipo de firma eles tinham, representando viciados em drogas e prostitutas? O estômago de Adam já estava devidamente embrulhado. Nada pior do que de costume, mas desconfortável mesmo assim. A mãe falou sobre envelhecer e disse que um dia desses não estaria mais lá e que era melhor curtirem-na enquanto podiam. A irmã olhava para o nada. O irmão disse que tinha escutado falar que as Ferraris eram muito mal construídas hoje em dia. A mãe falou animadamente de Rachel. O pai cochilou na poltrona antes do almoço. "Os remédios para a gripe", justificou a mãe. Mais uma vez, ela criticou o fato de ele ter arruinado o casamento com Rachel, dizendo que se tivesse sido um pouco mais atencioso, talvez ela não o tivesse deixado para ficar com outro, muito menos um membro da Igreja Episcopal. Será que ele não se preocupava por seus filhos estarem sendo criados por um cristão? Qual era o problema dele? Nem fora à sinagoga no Yom Kippur. Depois de tudo que tinham feito para lhe dar uma educação decente, nem ia mais ao templo, nem nos feriados, e saía com mulheres que pareciam prostitutas. Talvez quisesse se converter. Enquanto Adam escutava, o tempo parecia ter parado. Escutou a voz de Maggie. Pensou nela sozinha em seu apartamento em Nova York. Levantou-se na mesma hora em que Mae entrava para anunciar que o almoço estava servido. A mãe o fitou.

— O que houve? Você parece doente. — O rosto dele estava pálido.

— Acho que estou.

— Talvez esteja com gripe — disse a mãe, virando-se para dizer alguma coisa para o filho mais velho.

Adam não se moveu. Ficou parado exatamente onde estava, olhando para eles. Maggie estava certa. Ele sabia.

— Preciso ir embora — declarou para todos na sala, mas olhando para a mãe.

— Você está louco? Nem almoçamos ainda — disse ela, olhando diretamente para ele.

Mas o que quer que ela visse, Adam sabia que não era ele. Ela estava vendo o menininho que repreendera a vida toda, aquele que se intrometera na vida deles e nos jogos dela de bridge. Aquele que critica desde o dia em que nasceu. Não o homem que ele se tornara, com conquistas e sucessos, decepções e sofrimento Nenhum deles se importava com o seu sofrimento. Nem mesmo quando Rachel o deixou. A culpa era dele. Sempre era. Sempre, sempre, sempre era, e sempre seria. E talvez ele tivesse saído com mulheres que pareciam prostitutas. E daí? Elas eram mais legais com ele do que qualquer um na sua família já tinha sido. E não lhe davam aborrecimento. Só queriam próteses de silicone e plásticas no nariz, e usar algumas vezes o seu cartão de crédito. E Maggie nem isso queria. Não queria nada, exceto ele. Seu pai acordou, então, e olhou em volta. Viu que Adam estava em pé no meio da sala.

— O que está acontecendo? O que houve?

Ninguém se mexia na sala. Todos estavam olhando para Adam. Ele se virou para falar com o pai:

— Vou embora. Não suporto mais isso.

— Sente-se — disse a mãe, da mesma forma que teria falado se ele tivesse 5 anos e se levantado na hora errada. Aquela não era a hora errada. Era a certa. E já estava havia muito tempo atrasada. Maggie tinha razão. Ele não deveria ter ido. Deveria ter parado de vir anos atrás. Se não podiam respeitá-lo, se não se importavam com quem ele era e nem ao menos o enxergavam, se achavam que ele merecia tudo que Rachel o fizera passar e ainda fazia, então, talvez eles não fossem a sua família, afinal, ou não mereciam ser. Tinha seus filhos, que era tudo que queria, e eles não estavam ali mesmo. Essas pessoas eram estranhas para ele, e sempre tinham sido. E queriam que continuasse assim. Ele não queria mais. Tinha 41 anos e, finalmente, crescera. Já era tempo.

— Desculpe, pai — disse ele, com calma. — Simplesmente não posso fazer isso de novo.

— Fazer o quê? — Seu pai parecia confuso. Os remédios para a gripe estavam deixando-o um pouco desorientado, mas não tanto quanto parecia. Adam tinha a impressão de que ele sabia exatamente o que estava acontecendo, mas não queria lidar com a situação. Nunca queria. Era mais fácil assim. Hoje não era diferente. — Aonde você vai?

— Vou para casa — disse Adam, olhando à sua volta para as pessoas que, em anos, nunca tinham fracassado na tarefa de fazê-lo infeliz.

Eles nunca tinham permitido que entrasse na família. Então, agora, estava optando por ficar de fora.

— Você está doente — disse sua mãe, enquanto Mae estava parada na porta, sem saber se deveria ou não anunciar que o almoço estava servido. — Precisa de um médico. De remédios. De um terapeuta, Adam. Você é um homem muito doente.

— Só quando venho aqui, mãe. Toda vez que saio daqui, meu estômago fica embrulhado. Não preciso mais vir aqui e me sentir mal. Não estou mais disposto a fazer isso. Feliz Dia de Ação de Graças. Tenham um bom dia — disse ele, então virou-se e saiu da sala.

Não esperou mais nenhum comentário nem críticas. Bastava. Mae olhou enquanto ele saía e piscou. Ninguém tentou impedi-lo, ninguém disse uma palavra sequer naquele momento. Seus sobrinhos não o conheciam. Sua família não se importava. E ele também não queria mais se importar, não com pessoas que gostavam tão pouco dele. Imaginou que eles ficaram lá sentados se olhando, enquanto escutavam a Ferrari se afastar, depois se encaminharam para a sala de jantar. Ninguém mencionou seu nome de novo.

Adam acelerou o carro para chegar logo em casa. Havia menos trânsito na volta para a cidade. Fez o percurso em um bom tempo e estava rindo consigo mesmo. Pela primeira vez na vida se sentia livre. Realmente livre. Soltou uma gargalhada alta. Talvez sua mãe estivesse certa. Talvez fosse mesmo maluco. Mas nunca se sentira menos louco na vida. E seu estômago estava ótimo. Mas estava com fome. Na verdade, faminto. E tudo o que queria agora era Maggie.

Parou em um supermercado no caminho do apartamento dela. Tinha tudo de que precisava. Peru pré-recheado, pré-cozido, pré-pronto, menos pré-comido, com todos os enfeites. Comprou tudo: geleia de amora, batata-doce, biscoitos que só precisavam ser aquecidos, purê de batatas, ervilhas e torta de abóbora para sobremesa. Por 49,99 dólares comprou a ceia completa. Dez minutos depois, estava tocando a campainha. Maggie atendeu com uma voz cautelosa. Não estava esperando ninguém e ficou surpresa quando escutou a voz de Adam. Na mesma hora, ela apertou o botão para ele poder subir. Quando abriu a porta do apartamento, ela estava de camisola. Toda desarrumada: o cabelo despenteado e o rosto com manchas de rímel escorrido. Ele pôde perceber que antes ela estivera chorando. Ela o fitou boquiaberta, sem entender nada.

— O que houve? Por que não está em Long Island? — Parecia confusa.

— Vista-se. Vamos para casa.

— Onde? — Ele parecia um louco. Estava usando um terno cinza-chumbo, camisa branca e gravata. Os sapatos brilhavam. Estava imaculadamente vestido, mas seus olhos pareciam selvagens. — Você está bêbado?

— Não. Nunca estive tão sóbrio. Vista-se. Vamos sair.

— Para onde vamos?

Ela não se mexeu enquanto Adam olhava o apartamento. Era horrível, pior do que ele esperava. Nunca se dera conta de que ela morava em um apartamento com aquela aparência.

Havia dois colchonetes minúsculos no quarto e sacos de dormir nos dois sofás velhos da sala. Os dois abajures estavam quebrados. Nada combinava, tudo estava sujo, as persianas das janelas estavam quebradas e rasgadas, havia uma única lâmpada pendurada por um fio no meio da sala, e o carpete estava imundo. As molas dos dois sofás que tinham sido comprados em um bazar estavam na altura do chão, e uma caixa laranja servia como mesa de centro. Ele não podia imaginar alguém morando assim e ainda conseguir sair de casa pelo menos um pouco decente. Havia roupas sujas por todo o chão do banheiro e louças sujas em toda parte. Quando subiu, sentiu que o corredor do prédio cheirava a urina de gatos. Seu coração ficou apertado só de vê-la ali parada com sua camisola de flanela, que estava velha e gasta, mas fazia com que ela parecesse uma menininha.

— Quanto você paga por este lugar? — perguntou ele, abruptamente. Não quis dizer por esse "pulgueiro", mas era exatamente o que era.

— A minha parte são 175 dólares — disse ela, parecendo constrangida. Nunca tinha deixado que ele subisse antes, e ele nunca tinha pedido, e agora se sentia culpado por isso também. A mulher dormia na sua cama quase toda noite e ele dizia que a amava, e quando o deixava, voltava para isto. A situação era pior do que a de Cinderela limpando a casa da madrasta, esfregando o chão de joelhos. Era um pesadelo completo, e o resto do tempo, ela levava beliscões no bumbum no Pier 92. Antes disso, Adam não fazia ideia de como ela vivia. — É só o que posso pagar — disse ela, como se quisesse se desculpar, enquanto ele se esforçava para não chorar.

— Vamos, Maggie — disse ele suavemente, abraçando e beijando-a finalmente —, vamos para casa.

— O que você vai fazer? Não tem que ir para a casa dos seus pais?

Achou que talvez ele ainda não tivesse ido e tivesse vindo vê-la antes de sair da cidade. Em seus sonhos, ele a convidaria para ir à casa de seus pais. Mas ela não compreendia o quanto isso teria sido ruim.

— Já fui. E vim embora. Voltei para ficar com você. Não consigo mais suportar aquela porcaria.

Ela sorriu ao escutá-lo. Estava orgulhosa dele, e ele sabia. Pelo menos alguém estava. E ele também estava. Era a coisa mais ousada que já tinha feito na vida. Graças a ela. Maggie abrira seus olhos, e quando enxergou e escutou, não conseguiu mais tolerar. Ela fez com que se lembrasse de que tinha outra opção.

— Vamos sair para almoçar? — perguntou ela, passando a mão pelo cabelo. Estava totalmente desarrumada e só esperava vê-lo à noite.

— Não, vou preparar um jantar de Ação de Graças para você no meu apartamento. Vamos.

Ele se sentou em um dos sofás, que quase encostou no chão. Tudo parecia tão imundo que ele odiou ter que se sentar. Não conseguia nem se imaginar morando ali. Nunca lhe ocorrera que pessoas viviam assim. Muito menos ela. Fez seu coração se apertar. Ela levou vinte minutos para se vestir. Apenas colocou uma calça jeans, um suéter, uma jaqueta Levi's e botas, lavou o rosto e penteou o cabelo. Disse que tomaria banho e se maquiaria na casa dele, e também tinha roupas decentes lá. Detestava deixá-las no seu próprio apartamento porque suas colegas sempre pegavam e nunca devolviam, até os sapatos. Para ele, agora, parecia inconcebível ela sempre estar com a aparência tão boa. Era preciso ser mágico para sair de um buraco como aquele e parecer, agir e se sentir um ser humano, mas, de alguma forma, ela conseguia.

Ele a seguiu pelas escadas e, em dois minutos, saíram na Ferrari e seguiram para o apartamento de Adam. Ela o ajudou a levar as compras para cima e a preparar o jantar, depois tomou banho e eles fizeram amor. Maggie arrumou a mesa enquanto ele cortava o peru. O jantar deles de Ação de Graças foi na cozinha, ambos em robes de banho. Depois do jantar, eles voltaram para a cama, e ele a abraçou enquanto pensava em tudo que tinha acontecido naquele dia. Trilhara um caminho muito longo.

— Acho que temos um relacionamento, então — disse ele, puxando-a para mais perto e sorrindo.

— Por que está dizendo isso?

Maggie sorriu. Ela o achava muito bonito, da mesma forma que ele a achava.

— Acabamos de passar um feriado juntos, não foi? Talvez tenhamos até começado uma tradição. Mas, no ano que vem, vamos ter que nos vestir. Meus filhos vão estar aqui. E não vou levá-los para a casa da minha mãe.

Ainda precisava se decidir sobre o Chanukah, mas ainda faltavam algumas semanas. Não queria afastar os filhos dos avós, mas não estava mais disposto a se sacrificar e se ferir para agradá-los. Esses dias tinham acabado. Havia uma pequena chance de o que aconteceu hoje ter ensinado a família a tratá-lo melhor, mas duvidava. Agora, só sabia que estava feliz com Maggie e que seu estômago não doía. Isso era muito, uma melhora e tanto.

Já era domingo de noite quando ele perguntou a ela uma coisa que estava na sua cabeça o final de semana inteiro. Era um passo grande, mas depois de ver o apartamento dela, não conseguiria mais deixá-la voltar para lá. Estava morrendo de medo, mas, pelo amor de Deus, isso não era casamento, disse para si mesmo.

Estavam lavando as louças no domingo à noite antes de ela ir embora. Tinham comido as últimas sobras do peru no almoço. Estava delicioso. O melhor feriado de Ação de Graças que ele já tivera, e certamente o dela.

— Que tal você se mudar para cá? Sabe... tipo tentar... ver se dá certo... afinal, você já passa a maior parte do tempo aqui mesmo... e posso ajudá-la com seus trabalhos...

A voz dele hesitou um pouco quando ela se virou e o fitou, incerta. Estava emocionada, mas com medo.

— Não sei — disse ela, parecendo confusa. — Não quero depender de você, Adam. O que você viu é o que posso pagar. Se eu me acostumar com isto aqui e você me expulsar um dia, seria difícil voltar.

— Então não volte. Fique aqui. Não vou expulsá-la, Maggie. Eu amo você. E, por enquanto, está dando certo.

— Essa é a questão: "por enquanto". O que vai acontecer se não der certo depois? Não posso nem ajudar a pagar o aluguel.

Ele ficou emocionado com a intenção e ficou satisfeito consigo mesmo quando respondeu:

— Você não precisa. É meu.

Ela sorriu e o beijou.

— Eu te amo. E não quero me aproveitar de você. Não quero nada. Só você.

— Eu sei disso. E quero que você venha morar comigo. Sinto saudades suas quando não está aqui. — Ele abriu um sorriso que parecia de um bassê. — Fico com dor de cabeça quando não está aqui.

Além disso, ele gostava de saber onde ela estava.

— Pare de me deixar culpada. — Ela ficou parada fitando-o e, lentamente, assentiu. — OK... Vou me mudar para cá. Mas vou continuar pagando o meu apartamento por um tempo, para o caso de eu precisar. Se não der certo ou se enchermos o saco um do outro, eu volto.

Não era uma ameaça, era um passo sensato da parte dela, e ele a respeitava por isso. Sempre a respeitava.

Maggie ficou no apartamento naquela noite, e quando eles se aninharam e estavam prestes a pegar no sono, Maggie deu um tapinha no ombro dele, e Adam abriu um olho. Ela tinha uma mania de querer discutir assuntos importantes com ele ou tomar decisões que poderiam mudar suas vidas na hora em que ele estava pegando no sono. Outras mulheres já tinham feito isso antes, ele acreditava que tinha a ver com os cromossomos. Mulheres gostavam de conversar quando os homens queriam dormir.

— Hã? O quê?

Ele mal conseguia se manter acordado.

— Então, como podemos chamar isso agora?

Ela lhe pareceu bem acordada.

— Hã?

— Bem, se estamos morando juntos e passamos o feriado juntos, acho que isso realmente é um relacionamento, certo? Ou, já que estamos morando juntos, tem algum outro nome?

— Chama-se sono, e estou com muito sono... Você também precisa dormir... Amo você... Amanhã conversamos... As pessoas chamam de morar junto... Isso é bom... — Ele estava quase dormindo.

— É, eu sei — disse ela, sorrindo para si mesma, empolgada demais para dormir.

Ficou ali deitada olhando para ele, enquanto Adam se mexia, morto para o mundo, e roncava.

Capítulo 19

NA SEXTA-FEIRA, Charlie pegou Carole pontualmente ao meio-dia e levou-a para almoçar no La Goulue. Era um restaurante da moda na Madison Avenue, com um bom cardápio e frequentadores animados. Sentia-se menos obrigado a levá-la a restaurantes simples agora que sabia quem ela era, e ambos curtiram o almoço em um restaurante chique. A refeição estava deliciosa. Depois, passearam pela Madison Avenue, olhando as lojas.

Pela primeira vez, ela se abriu com ele sobre sua vida. Gray estava certo. Sangue azul e casas elegantes não tornam necessariamente uma infância feliz. Ela contou como seus pais eram frios e distantes, formais entre si e indisponíveis emocional e fisicamente para ela. Tinha sido criada por uma babá, nunca via os pais, disse que via a mãe como uma pedra de gelo humana. Não tinha irmãos para confortá-la, era filha única. Contou que às vezes passava semanas sem ver os pais e que eles não gostavam nem um pouco do rumo que escolhera para a sua vida. Ela passara a odiar tudo que seu mundo representava, a hipocrisia, a obsessão por bens materiais, a indiferença pelos sentimentos das pessoas e a falta de respeito por qualquer um que não tivesse nascido com aquela vida. Ao escutá-la, era óbvio que tinha sido uma criança solitária. Quando casou, saiu da indiferença gelada dos pais e passou a sofrer com os abusos do marido, que, como Gray suspeitara, só se casara por ela ser uma Van Horn. Quando ele finalmente a deixou, ela quis se divorciar não apenas dele, mas de tudo que o atraíra para ela e de valores que odiara a vida toda.

— Você não pode fazer isso, Carole — disse Charlie, gentilmente. Tinha vezes em que o mesmo também lhe passava pela cabeça, embora não no mesmo nível que ela, mas ela pagara um preço mais alto. — Precisa aceitar quem você é. Está fazendo coisas maravilhosas para as crianças com quem trabalha. Não precisa se despir de tudo que é para isso. Na verdade, pode aproveitar os dois lados.

— Eu não aproveitei a minha infância — disse ela, com honestidade. — Desde bem pequena, eu odiava tudo aquilo. Ou as pessoas queriam brincar *porque* eu era uma Van Horn, ou *não* queriam brincar comigo pelo mesmo motivo. Eu nunca sabia qual esperar, e começou a dar muito trabalho descobrir.

Ele entendia como isso acontecia e se lembrou de algo enquanto caminhavam. Hesitou mencionar o assunto com ela agora que tinham voltado a se ver depois de tanto tempo. Mas era como se nunca tivessem se separado. O braço dela estava entrelaçado ao dele enquanto caminhavam pela Madison Avenue, conversando como se nunca tivessem se separado. Charlie se sentia parte da vida dela, e Carole tinha exatamente a mesma sensação.

— Você provavelmente vai me matar por isto — começou ele com cuidado, enquanto atravessavam a 72nd Street. O tempo estava gelado agora, mas revigorante e claro. Ela estava de gorro de lã, cachecol e luvas de caxemira, e ele levantara a gola do casaco. — Vou a um evento todo ano que você provavelmente não vai querer ir, considerando tudo que já disse. Mas sempre acho que devo ir, e neste ano duas filhas de amigos vão ser apresentadas no baile das debutantes, o Infirmary Ball. Além das óbvias complicações sociais, é sempre uma festa divertida. Você iria comigo, Carole? — perguntou ele, cheio de esperanças, e ela riu.

Depois de todos os discursos que ela fizera dizendo o quando odiava o "mundo deles", sabia que ele provavelmente devia estar morrendo de medo de convidá-la para um evento em que as jovens de sangue azul eram apresentadas à sociedade. Era uma tradição esnobe e arcaica mas que certamente lhe era familiar. Ela virou-se para ele e sorriu.

— Odeio admitir isso — ela riu envergonhada —, mas eu também debutei lá. Meus pais também vão todo ano. Eu não vou desde o meu baile. Mas, com você, seria divertido. De outra forma, não iria.

— Isso é um sim? — perguntou ele, com um sorriso enorme.

Estava morrendo de vontade de levá-la a algum lugar e exibi-la em um lindo vestido. Amava vê-la no centro, mas ainda gostava de eventos formais como esse. Era divertido se arrumar todo de vez em quando, e o baile era a rigor.

— É um sim — disse ela, enquanto caminhavam. — Quando é?

Precisava comprar um vestido. Não usava um vestido longo havia anos. Podia até pegar um de sua mãe emprestado, mas não queria pedir. Elas usavam o mesmo tamanho. Queria estar linda para Charlie, e as roupas de sua mãe eram para mulheres mais velhas.

— Acho que daqui a algumas semanas. Vou confirmar quando for ao escritório.

Ela assentiu. Ir ao baile de debutantes com ele era um passo importante, como voltar para o seu mundo. Mas também sabia que agora seria apenas uma extravagância de uma noite, não um estilo de vida. Como turista, poderia lidar com a situação, embora não quisesse mais do que isso. Era um compromisso e um gesto que estava disposta a fazer por ele.

Ficaram em silêncio enquanto continuavam caminhando para a casa dela, e então viraram na 91 Street. Ambos já estavam congelados a esta altura. Parecia que ia nevar. Quando chegaram à porta da casa dela, Carole se virou para ele e sorriu. Podia convidá-lo para entrar, agora que ele sabia que não morava mais em um estúdio alugado nos fundos da casa.

— Você gostaria de entrar? — perguntou ela, com timidez, enquanto procurava a chave no fundo da bolsa, onde sempre estava.

— Você não se incomoda? — perguntou ele com cuidado.

Ela balançou a cabeça. Queria que ele entrasse. Já estava ficando escuro. Estavam juntos desde a hora do almoço e haviam feito uma refeição longa. Tinham muito tempo para compensar agora e admitiram, enquanto almoçavam, o quanto tinham sentido saudades um do outro. Ele sentira falta de conversar com ela, de saber o que fez e de compartilhar as complicações, as alegrias e os detalhes de sua vida. Tinha se habituado aos sábios conselhos dela no mês em que estavam juntos e sentira muito a sua falta, assim como ela sentira a dele.

Entraram em um pequeno e distinto vestíbulo na entrada da casa. Tinha um elegante piso de mármore preto e branco. Havia duas salas de estar pequenas no térreo, uma das quais levava a um belo jardim, e no andar de cima, havia uma bonita sala de estar com grandes e confortáveis poltronas e sofás, uma lareira e antiguidades inglesas que ela pegara em uma das casas de seus pais, com a permissão deles. Eles tinham mais guardadas. A casa era elegante mas, ao mesmo tempo, aconchegante, e, assim como Carole, diferenciada e alegre. Em todos os cantos, havia objetos significativos para ela, até lembranças feitas pelas crianças do centro. Era uma mistura maravilhosa de móveis antigos e novos, de objetos caros e baratos, que tinham sido feitos por crianças ou que ela encontrara em algum lugar nas suas viagens. Havia uma grande e confortável cozinha, e uma pequena de sala de jantar formal, com paredes vermelhas e quadros ingleses de caça que tinham sido de seu avô. No andar de cima, ficava o quarto dela, que era grande e ensolarado, e um quarto de hóspedes. Usava o último andar como escritório. Mostrou tudo a ele, que estava muito impressionado quando desceram para a cozinha.

— Nunca convido ninguém para entrar, por razões óbvias — disse ela com tristeza. — Eu adoraria poder convidar as pessoas para jantarem aqui de vez em quando, mas não posso.

Ela estava fingindo ser pobre e levando uma vida secreta. Charlie sabia que a vida dela devia ser solitária, assim como a dele, mas por razões diferentes. Os pais dela ainda estavam vivos, mas ela não gostava deles e nunca tivera a chance de se aproximar. Tinham sido emocionalmente ausentes durante toda a sua vida. Ele não tinha ninguém. Pegando caminhos diferentes, tinham chegado ao mesmo lugar.

Ela ofereceu chocolate quente na agradável cozinha, e os dois se sentaram à mesa enquanto escurecia do lado de fora. Mais uma vez, ele mencionou como odiava os feriados e os temia, como sempre fora. Carole não perguntou quais eram os planos dele para o Natal, achou que ainda era cedo para isso. Acabara de voltar para sua vida. Então, Charlie se ofereceu para acender a lareira, e eles se acomodaram no sofá da sala de estar principal e conversaram por horas. Suas vidas de espalhavam ao redor deles como peças de um quebra-cabeças que estavam, lentamente, juntando uma por uma: um pedacinho de céu aqui, uma árvore ali, uma nuvem, uma casa, um trauma de infância, uma decepção, um animal de estimação favorito, o quanto ele amava a irmã, o quanto ficou arrasado quando ela morreu, o quanto a infância dela tinha sido solitária. Tudo se encaixava perfeitamente, melhor do que poderiam ter planejado.

Já passava das 20 horas quando ela finalmente se ofereceu para preparar um jantar para ele, que, educadamente, sugeriu levá-la a um restaurante. Tinha começado a nevar, e ambos concordaram que estava muito mais agradável ali dentro. No final, prepararam massa e omeletes, em pé, juntos no fogão, além de pão francês, queijo e salada. Quando o jantar acabou, já estavam rindo de histórias que ela contava, e ele contou sobre os lugares exóticos que já fora de barco. Quando voltaram para a sala de estar, ele a pegou nos braços e beijou-a, e então, de repente, começou a rir.

— Do que você está rindo? — perguntou, um pouco tensa.

— Eu estava pensando no Halloween e no seu rosto verde. Você estava tão engraçada.

Tinha sido a primeira vez que ele a beijara, e os dois se lembravam bem. Tudo desabou sobre eles logo depois disso.

— Mas não tão engraçada quanto você com o rabo do leão em pé. As crianças ainda falam disso. Elas amaram. Acharam você muito legal, e foi algo em que a Gabby pôde se apoiar enquanto andava atrás de você durante a festa. — Não tinham ido ao centro naquele dia, e Carole disse que queria ir no dia seguinte. Charlie disse que gostaria de ir junto. Estava com saudades das crianças, principalmente de Gabby. — Eu disse a ela que você estava viajando. — Ele assentiu. Sentira falta de tudo isso, mas ainda mais de Carole. Então, ele a beijou de novo, e ela olhou bem no fundo de seus olhos. Havia algo tão tranquilo e gentil ali que ela sentia como se estivesse em casa. — Quer subir? — perguntou ela baixinho, e ele assentiu.

Não disse nada enquanto a seguia pelas escadas até o quarto, e então fitou-a por um momento interminável.

— Tem certeza disso?

Ele não queria pressioná-la. Lembrava-se bem da relutância dela em namorar, e isso tinha sido apenas dois meses antes. Muita coisa acontecera desde então, e a ausência de quatro semanas mostrou a ela que o amava. Estava disposta a correr o risco. Para Carole, tinha sido um tempo muito longo.

Ela assentiu em resposta à pergunta dele, e eles se acomodaram confortavelmente na cama grande, na qual ela dormia no meio quando estava sozinha. Agora, deitou ao lado dele, sentindo como se sempre tivessem estado ali. O amor que fizeram foi reconfortante e prazeroso, apaixonado e quente. Era exatamente o que ambos queriam tanto, intimidade tão desejada e igualmente compartilhada. A neve que caía do lado de fora naquela noite transformava o cenário em um cartão de Natal. Estar um nos braços do outro era um sonho.

Capítulo 20

O FINAL DE SEMANA de Ação de Graças foi tranquilo para Gray e Sylvia. Ela foi à galeria no sábado, já que tinha alguns assuntos para resolver, e Gray foi para o estúdio pintar. Na manhã de domingo, ficaram sentados na cama com o jornal *The New York Times* espalhado em volta deles, enquanto ele ensinava Sylvia a fazer palavras-cruzadas, depois fizeram amor e voltaram a dormir.

Não tinham nenhuma notícia de Charlie desde o jantar de Ação de Graças. Esperavam que ele tivesse seguido seus conselhos, mas não sabiam se ele seguiria. No domingo, havia 7 centímetros de neve do lado de fora pela manhã e, naquela noite, Sylvia preparou o jantar enquanto Gray lia um livro na sala de estar. Durante o jantar, estavam batendo papo quando Gray perguntou quando os filhos dela chegariam. Não tinha pensado nisso até agora, mas quando fez a pergunta, parecia preocupado. Sabia que conhecê-los lhe causaria ansiedade e medo de não aprovarem o romance.

— Poucos dias antes do Natal, acho. Gilbert disse que chega no dia 23, mas Emily costuma ser mais vaga. Ela vai pegar o avião no último minuto e chegar aqui como um furacão. É sempre assim.

— É disso que tenho medo — disse Gray, parecendo ansioso. — Sylvia, eu ainda não sei se é uma boa ideia.

— O quê? Meus filhos virem passar o Natal em casa? Está brincando? — Ela parecia abismada. Eles eram, como sempre tinham sido, a luz de sua vida. Não havia a menor chance de dizer a eles para não virem para casa, nem por ele faria uma coisa dessas. — O que está querendo dizer?

— Estou dizendo — disse ele, respirando fundo — é que não sei se estou pronto para conhecê-los. Acho que devo ficar no meu estúdio enquanto eles estiverem aqui. — Ela possuía um pequeno apartamento no andar de baixo que os filhos costumavam usar quando vinham para casa. Durante o resto do tempo, ela o usava como depósito, então não havia nenhum motivo para Gray não continuar com ela, e Sylvia já explicara isso a ele algumas semanas antes.

— Querido, eles vão amar você — disse Sylvia, tranquilamente, tentando dissipar os medos dele.

— Não lido bem com crianças.

— Eles não são crianças, são adultos.

— Isso é que o você acha. Filhos são filhos, não importa se têm 80 anos. Se uma mãe de 100 anos tem um namorado, o filho de 80 não vai gostar nem um pouco. É a lei da natureza.

Estava convencido do que dizia.

— Besteira, eles nunca deram nenhum trabalho para Gordon, e eram ainda mais jovens na época. — Gordon era o namorado dela que tinha morrido. — Confie em mim, eles são ótimos, você vai amá-los.

— Talvez não — disse ele, com tristeza, e ela o fitou preocupada.

— O que está dizendo?

Sylvia teve a sensação de que havia mais alguma coisa por trás disso. Sabia que ele estava ansioso por causa dos filhos dela, mas não a esse ponto.

— Estou dizendo que esse grau de envolvimento me deixa nervoso. Enquanto estamos só lidando um com outro, fico bem. Mas quando os filhos começam a aparecer, eu perco o rumo.

— Gray, pelo amor de Deus, isso é loucura. Eles só vão passar algumas semanas aqui.

Ela os levaria para esquiar depois do Natal e queria que Gray fosse. Eles já sabiam que havia um homem na vida dela e aceitaram bem. Ambos sabiam como ela estava sozinha desde a morte de Gordon.

— Talvez eu deva apenas ficar fora de cena até eles irem embora — disse ele, com firmeza, ficando mais decidido a cada minuto, e Sylvia parecia magoada, furiosa e chocada.

— Deixe-me ver se entendi as coisas direito — disse ela, com os dentes trincados. — Você não quer conhecer meus filhos e não quer me ver até eles irem embora. Entendi certo?

— Entendeu. Você pode ir ao estúdio me ver sempre que quiser.

— Dane-se — disse ela, começando a andar de um lado para o outro. — Não quero ficar em um relacionamento com um homem que não quer conhecer meus filhos. Eles são pessoas maravilhosas, e eu os amo. E também amo você. Eles são parte de mim, Gray. Você nem sabe exatamente quem eu sou sem conhecê-los.

— Sei sim. E também amo você — disse ele, parecendo mais do que apenas um pouco em pânico. Não esperara que a reação dela fosse ser tão extrema. — Mas não vou entrar em uma situação com a qual sei que não posso lidar. Não consigo encarar esse nível de compromisso. Simplesmente não consigo. Eu me conheço. Nunca quis ter filhos e não quero os filhos de ninguém também.

— Então você deveria estar saindo com uma mulher que não tem filhos.

— Talvez — disse ele, olhando para os próprios pés.

— Quando você decidiu tudo isso?

Estava horrorizada com tudo que ele tinha dito. Nunca esperara que fosse tão irracional assim.

— Assim que você me disse que eles viriam para o Natal. Pensei que eu simplesmente poderia sumir por algumas semanas.

— E no próximo verão? Também não vai à Europa comigo? — Ela gostava de ficar sozinha com os filhos, mas os motivos dele eram ridículos, e até cruéis. Aos olhos dela, ele não estava disposto a fazer o menor esforço para conhecer seus filhos nem para fazer parte de uma área importante da sua vida. — Eu queria que você fosse esquiar conosco — disse ela, parecendo decepcionada. Tinha alugado uma bonita casa em Vermont.

— Não sei esquiar. — Ele continuava firme.

— Nem eu. Mas eles sim. E sempre nos divertimos muito juntos.

— E vão se divertir esse ano também. Só que eu não estarei lá.

— Você é um merda! — exclamou ela, e foi para o quarto, batendo a porta ao entrar.

Quando saiu, duas horas depois, ele tinha voltado para seu estúdio, para passar lá a noite pela primeira vez em três meses. Era uma situação terrível, e quando ela ligou para ele, Gray disse que estava trabalhando e que não queria conversar.

— Dane-se — disse ela para si mesma, e continuou andando de um lado para o outro.

Não fazia a menor de ideia de como convencê-lo. Sabia o quanto a infância dele tinha sido ruim e como sua família era maluca. Logo no começo, dissera para ela que vida familiar não era para ele. Ela só não esperava que ele levasse isso aos extremos. Não queria nem vê-los. Só queria ela. Sylvia sabia que se ele continuasse firme, essa decisão teria um impacto profundo no relacionamento deles. Não sabia se deveria deixar as coisas acontecerem e esperar para ver se ele cederia ou impor um limite e dar um ultimato. Das duas formas, poderia perdê-lo.

Os Três Mosqueteiros, como Sylvia agora os chamava, se encontraram para jantar em um restaurante chinês duas semanas antes do Natal. Os três estavam estressados e cheios de trabalho. Charlie disse que tinha um milhão de coisas para fazer para a fundação antes de partir no barco. Todos os clientes de Adam estavam enlouquecendo, e ele iria para Las Vegas no final de semana para assistir à luta do título da qual um de seus clientes participaria. E Gray simplesmente parecia deprimido.

— Então, como estão os pombinhos? — implicou Charlie quando começaram a jantar. Gray apenas balançou a cabeça. — O que isso quer dizer?

— Quer dizer que eu e Sylvia estamos mal nos falando. Foram duas semanas difíceis desde a Ação de Graças.

— O que aconteceu? — Charlie parecia surpreso. — Vocês dois pareciam bem quando estive lá. — Melhor do que bem. Estavam ótimos.

— Não me envolvo com crianças.

— Sei disso. — Charlie sorriu. — Esse é o departamento de Adam. Meninas de 22 anos. Sylvia é adorável, mas não é mais uma menina.

— Não, ela *tem* filhos. E eu não quero conhecê-los. Eles vão passar o Natal aqui, e eu simplesmente não posso ir lá. Não consigo. Isso me deixa louco. Sempre que estou cercado por famílias, fico nervoso. Fico neurótico, deprimido. Não quero conhecer os filhos dela. Eu amo a Sylvia, não os filhos dela.

— Ah, merda. E o que ela está dizendo disso? — Charlie parecia preocupado.

— Não muita coisa. Está furiosa. Acho que está magoada. Ela não disse isso, mas tenho a impressão de que se eu não voltar atrás, tudo vai estar terminado entre nós, e eu não vou voltar atrás. Preciso me respeitar. Tenho limitações. Tenho questões, cresci na Família Addams do LSD. Minha irmã é uma monja budista. Meu irmão é um índio Navajo que não vejo há milhões de anos, nem quero. E meus pais eram casos perdidos. Sou alérgico a famílias.

— Até à dela? — testou Charlie.

— Até à dela — confirmou Gray. — Eles vão para Vermont depois do Natal — disse ele, como se fossem viajar em um foguete para outro planeta. — Para esquiar.

Do jeito que falava, a cadeira elétrica parecia mais atraente.

— Pode ser divertido.

— Para mim, não. Eles não devem ser tão legais quanto ela acha. E mesmo se forem, tenho os meus próprios problemas. Não quero me envolver com a família de Sylvia, só com ela.

Mas ele mesmo sabia que se continuasse inflexível, estragaria tudo. Gray sabia que não tinha escolha, e Charlie ficou com pena dos dois. Sabia o quanto devia estar sendo difícil para ela. Tinha orgulho dos filhos e estava apaixonada por Gray.

— Vou ficar torcendo para vocês resolverem isso — disse Charlie, gentilmente. — Seria uma pena se não conseguissem. — Gray estava tão mais feliz desde o começo do relacionamento. E, então, Charlie contou a Gray e Adam sobre ele e Carole. — Segui o seu conselho — disse ele, com orgulho, e acrescentou: — Espero que siga o meu e ceda um pouco. Acho que vai se arrepender mais tarde se não fizer isso.

— Tenho certeza que sim — disse Gray, parecendo resignado. Estava totalmente preparado para o preço que teria de pagar por sua decisão, e para perdê-la se fosse preciso, em vez de conhecer e se envolver com os filhos dela.

— Também tenho novidades — disse Adam, tímido, enquanto os outros dois olhavam para ele. — Lembra da Maggie, do show da Vana? — Ele lembrou Charlie, que assentiu. — Ela acabou de se mudar para a minha casa.

Ele parecia meio orgulhoso, meio constrangido, enquanto os outros dois o encaravam.

— Ela *o quê*? — perguntou Charlie. Lembrava-se da aparência dela naquela noite e de ter sentido pena da menina. Ela parecera uma garota legal e uma alma perdida. — *Você*? O Sr. Nunca Vou Me Comprometer De Novo, que preza tanto a liberdade e suas milhares de mulheres? Como *isso* foi acontecer? — Ela não lhe parecera uma aproveitadora, mas quem sabe? Fizera alguma coisa para virá-lo de cabeça para baixo, fosse lá o que fosse.

— Ela está se preparando para entrar na faculdade de direito com aulas noturnas, e eu achei que poderia ajudá-la com seus trabalhos. — Tentou soar casual, e os outros dois soltaram gargalhadas, vaiaram e zombaram.

— A quem você está querendo enganar?

— Tudo bem, também bem... Eu realmente gosto dela... amo... O que eu sei? Começamos a sair e quando me dei conta, não queria perdê-la de vista. Ainda não disse a ela, mas vou levá-la a Las Vegas neste final de semana. Ela nunca foi para lá. — Nunca tinha ido a lugar nenhum, e os planos dele eram de mudar isso logo.

— Já contou a ela sobre a viagem de barco? — perguntou Charlie.

No dia 26 de dezembro, Adam iria para Saint Barts para encontrar Charlie no *Blue Moon*, como fazia todo ano depois de passar o Natal com os filhos.

Adam balançou a cabeça, tentando parecer despreocupado.

— Pensei em contar para ela depois deste final de semana. — Ele esperava que estivesse tão feliz com Las Vegas que não faria nenhum escândalo por causa do barco. — Não posso mudar tudo. Fazemos essa viagem há dez anos. Você já contou a Carole?

— Não, mas vou contar. Não suporto os feriados de fim de ano — disse Charlie com firmeza.

— Eu não suporto filhos — afirmou Gray, com tanta firmeza quanto o amigo.

— Quer ir para Saint Barts conosco? — sugeriu Charlie. — Se você não vai passar os feriados com Sylvia, poderia ir.

— Não suporto o Caribe também — disse ele, constrangido, e então riu de si mesmo. — Meu Deus, nós três juntos temos bagagem suficiente para abrir uma companhia aérea.

Mas não se chega aonde eles chegaram na vida e se atravessa a longa e difícil estrada que eles atravessaram, sem se pagar um preço. Todos tinham pago suas cotas.

— Eu não suporto casamento — acrescentou Adam com um sorriso.

— Quero que me diga isso na mesma época do ano que vem — disse Charlie, rindo dele. — Merda, você era a última pessoa do mundo que eu esperaria saber que estava morando com uma mulher. E o malabarismo que você fazia com tanta facilidade para sair com várias ao mesmo tempo?

Estava curioso. Adam nunca se relacionava com menos do que quatro mulheres ao mesmo tempo, às vezes cinco, e, em uma semana boa, até seis. Uma vez, até sete.

— Desisto delas por Maggie. — Ele parecia envergonhado. — Não queria que ela fizesse o mesmo comigo. Achei que ela estivesse fazendo. Acabei descobrindo que ela estava estudando. Achei que tivesse saindo com outro cara. Para ser honesto, quase enlouqueci. E, então, percebi que estava apaixonado por ela. Gosto de morar com ela.

— Eu só estou ficando na casa de Sylvia — informou Gray. — Ainda não estou morando lá.

Ele parecia orgulhoso por não ter cedido ainda.

— Isso só quer dizer que as suas roupas estão espalhadas por toda a cidade e que você nunca tem os sapatos certos no apartamento certo — traduziu Adam. — E você não vai continuar nem "ficando" na casa dela se não conhecer os filhos. Pelo menos, esse é o meu palpite. Acho que isso é importante para ela. Seria para mim também. Eu teria um ataque se a mulher na minha vida não quisesse conhecer os meus filhos. Seria um balde de água fria.

Gray compreendia, mas ainda assim balançou a cabeça.

— Seus filhos já conheceram Maggie? — perguntou Charlie, interessado.

— Ainda não. Mas logo vão conhecer. Provavelmente antes das festas de fim de ano. A propósito, não suporto mais a minha mãe também. Ou, pelo menos, não consegui suportar no Dia de Ação de Graças. Fui para a casa dos meus pais, estava lá sentado escutando as mesmas críticas de sempre. Simplesmente me levantei e saí antes do almoço. Achei que minha mãe fosse surtar se eu fizesse isso, mas não surtou. Na verdade, sempre que ligo, ela tem sido bem educada desde então.

— O que o seu pai disse? — perguntou Gray.

— Ele estava cochilando.

O resto do jantar foi tranquilo. Conversaram sobre política, negócios, investimentos e arte. Gray faria uma exposição em abril, mas já tinham sido vendidos três quadros dele que estavam pendurados na galeria. Sylvia fizera um gesto maravilhoso ao abrir essa porta para ele, e ele era grato por isso, mas não o suficiente para conhecer seus filhos. Algumas coisas simplesmente não eram para ele. E Adam e Charlie falaram do quanto estavam animados com as duas semanas que passariam no *Blue Moon*. Mais uma vez, convidaram Gray para ir junto, mas ele não aceitou. Disse que tinha muito trabalho para se preparar para a exposição.

Como de costume, foram os últimos a sair do restaurante e tinham bebido bastante. Nenhum deles bebia descontroladamente sozinho, mas quando se juntavam, perdiam a linha.

Gray voltou para seu estúdio naquela noite. Maggie estava dormindo quando Adam chegou, e Charlie foi para casa, sorrindo para si mesmo ao pensar nas semanas que passaria no barco. Partiria quatro dias antes do feriado. Era a forma perfeita de fingir que o Natal não existia.

Capítulo 21

NA MANHÃ SEGUINTE, Adam contou a Maggie sobre o final de semana em Las Vegas, e ela ficou encantada. Estaria de folga de qualquer maneira e tinha um trabalho do curso, mas disse que levaria os livros e estudaria sempre que Adam estivesse ocupado. Jogou os braços em volta do pescoço dele e não podia acreditar na sua sorte. Viajariam no jatinho dele.

E, então, ela olhou para ele com uma expressão de pânico.

— O que eu vou usar?

Agora que estava morando com ele, não tinha mais acesso às roupas de suas colegas, apesar de elas não terem mesmo alguma coisa apropriada. Adam já tinha pensado nisso; jogou o cartão de crédito em cima dela.

— Vá às compras — disse ele de forma generosa.

Ela ficou olhando para o cartão por um minuto e então o devolveu.

— Não posso fazer isso — respondeu, triste. — Posso ser pobre, mas não estou à venda. — Sabia que outras mulheres tinham feito isso com ele antes dela, e independente do que acontecesse, sabia que nunca faria o mesmo. Ganharia o próprio dinheiro um dia. E, enquanto isso, dava um jeito com o que tinha: o salário e as gorjetas no Pier 92. — Obrigada, amor. Vou dar um jeito.

Ele sabia que sim, mas seu coração ficava apertado. A vida dela era tão mais difícil que a dele, e sempre tinha sido. Queria ajudá-la mais do que já estava fazendo, porém, ela nunca permitia. Mas a respeitava por isso. Era um tipo de mulher completamente diferente das outras que conhecera.

Partiriam para Las Vegas na sexta-feira à tarde, e ela estava tão animada que mal conseguia esperar. Maggie o abraçou e agradeceu. Adam amava fazer coisas assim para ela. Queria mostrar tudo a ela e tornar a viagem especial. Queria compensar por todas as dificuldades que ela já passara, e ela era sempre grata a ele e sempre reconhecia o devido valor. Na semana seguinte, depois da viagem a Las Vegas, ele disse que queria que ela comemorasse o Chanukah com ele e seus filhos. Disse para a mãe que não iriam para a casa dela. Os tempos finalmente tinham mudado.

Quando Charlie pegou Carole para o baile de debutantes, ela já estava pronta esperando por ele. Ficou sem fôlego quando a viu caminhando na sua direção. Estava usando um vestido cor-de-rosa de cetim com sandálias prateadas de salto alto, o cabelo estava elegantemente preso em coque fofo. Pegara emprestado com a mãe um casaco de pele de marta branco. Comprara o vestido na Bergdorf's, não ia lá havia anos. Estava usando brincos de diamante e um bracelete também de diamante que fora de sua avó, e carregava uma pequena bolsa prateada e longas luvas brancas.

Por um longo momento, Charlie apenas ficou parado ali, fitando-a. Estava vestindo um fraque. Eles formaram um casal espetacular. Carole parecia uma mistura de Gracie Kelly e Uma Thurman, com um quê de Michelle Pfeiffer. E Charlie estava entre Gary Cooper e Cary Grant.

As pessoas viravam a cabeça para fitá-los quando entraram no salão de baile do Waldorf-Astoria, Carole parecia uma rainha. Era uma diferença brutal da mulher que ele conhecera de jeans e tênis no centro, ou com o rosto verde e de peruca no Halloween. Mas o melhor de tudo era que ele amava as três versões dela. Era bom sair com ela em público e vê-la toda arrumada.

Passaram pela fila de recepção e cumprimentaram todas as debutantes, e Carole contou a ele, baixinho, sobre o seu próprio baile ali. Disse que estava morrendo de medo, mas que, no final, se divertira.

— Aposto que estava linda — disse ele, admirando-a. — Mas aposto que está ainda mais linda agora. Você está deslumbrante hoje — disse ele, sendo sincero, e girou com ela pela pista de dança lentamente.

Ele dançava muito bem, assim como ela. Tudo que tinham aprendido no início de suas vidas se mostrava em momentos como este, bailes do colégio, bailes de debutantes, festas glamurosas das quais Carole fugira e que tentava esquecer. Mas, esta noite, estava de volta ao seu velho mundo, apenas para uma rápida visita. Charlie sabia que não conseguiria convencê-la a fazer coisas assim sempre, e não se importava. Ele mesmo já estava se cansando desses eventos. Só gostava de ter a opção de ir a um ou outro de vez em quando.

Um pouco antes do jantar, encontraram os pais dela. Carole os mostrou a ele, e juntos se aproximaram educadamente do lugar em que eles estavam sentados. Era a mesa onde ficavam as melhores famílias de Nova York, e o pai se levantou assim que os viu. Era um homem alto, distinto e se parecia muito com Carole. Estendeu a mão para Charlie quando Carole os apresentou, seu rosto parecia esculpido em gelo. Charlie o conhecera muitos anos antes, mas duvidava que ele se lembrasse.

— Eu conhecia seu pai — disse Arthur Van Horn, sombriamente. — Frequentamos Andover na mesma época. Fiquei muito triste quando soube o que tinha acontecido. Uma perda trágica.

Esse era um assunto doloroso para Charlie, e Carole tentou mudar o rumo da conversa. Seu pai sempre dava um jeito de falar algo errado, ele simplesmente era assim. Ela também o apresentou à mãe, que ficou sentada em um silêncio glacial, apertou a mão dele, assentiu e se virou. E isso foi tudo. Carole e Charlie voltaram para sua mesa, depois dançaram mais.

— Bem, isso foi um pouco assustador — admitiu Charlie, enquanto Carole ria. A recepção tinha sido típica de seus pais, não tinha nada a ver com ele.

— Para eles, aquilo foi caloroso. — Eles eram caricaturas da classe social privilegiada da qual faziam parte. — Acho que minha mãe nunca me abraçou nem beijou. Ela sempre entrava no berçário, como se referia, como se estivesse indo visitar animais no zoológico, e tinha medo de ser atacada se ficasse ali por muito tempo, então não ficava. Eu nunca a via por mais de cinco minutos. Se um dia eu tiver filhos, vou deitar no chão com eles, me sujar e abraçá-los e beijá-los até que comecem a gritar.

— Minha mãe era assim, da forma como você disse que gostaria de ser com os seus filhos.

Isso tornou tudo ainda mais difícil para ele quando ela morreu. Ela sempre dizia o quanto o amava, assim como Ellen. Seu pai foi seu mentor e melhor amigo até morrer. Seu herói. Era muita coisa para perder. Seu mundo inteiro, na verdade. Lembrava-se de seu pai como um homem encantador que se parecia com Clark Gable e amava iates. Foi provavelmente por isso que Charlie comprara um em homenagem a ele quando eles morreram. Queria ter barcos que seu pai aprovaria, e comentou com Carole como era estranho perceber que essas particularidades nos perseguem a vida toda.

— Acho que nunca deixamos de querer agradar os nossos pais — disse ele enquanto se sentavam para o jantar.

A noite foi divertida para ambos, as meninas estavam lindas e proporcionaram momentos ternos e alegres. Primeiro, elas dançaram com seus pais, segurando buquês e usando vestidos brancos elaborados. Era quase como um casamento e, em outras épocas, já fora um precursor deste. As debutantes eram apresentadas à sociedade com a finalidade de encontrarem um marido. Agora, as meninas apenas se divertiam e, no final, trocavam seus vestidos por minissaias e iam para boates com as amigas.

— Tecnicamente, eu não aprovo — admitiu Carole —, e sou contra tudo que representa. Mas, na verdade, não tem muito significado, não machuca ninguém. Não é politicamente correto, mas as meninas parecem se divertir. Então, por que não? — Ele ficou aliviado por ela encarar a cerimônia daquela maneira e a fitou de novo satisfeito, enquanto seguiam para a casa dela na limusine que ele tinha alugado para a ocasião. A noite tinha sido magnífica, e ambos curtiram. — Obrigada por me levar. — Ela sorriu, e ele se inclinou para beijá-la. Charlie achava que ela era a mulher mais bonita que já vira, e tinha orgulho de estar com ela, embora tivesse ficado um pouco horrorizado com seus pais. Não conseguia imaginar crianças sendo criadas por pessoas como eles. Ficava surpreso de ela ser normal e grato por não ser como os pais. Carole era carinhosa, generosa, compassiva, gentil, enquanto eles eram formais. Ela estava sorrindo para ele quando se aproximaram de sua casa. — Mal posso esperar para passar o Natal com você. — Ela sorriu. — Adoro as festas de fim de ano. Acho que vou comprar a minha árvore amanhã e decorá-la. — Ele a fitou, então, como se tivesse sido estapeado, e houve um momento de constrangimento entre eles. Charlie sabia que precisava dizer algo agora. Se não dissesse, seria um mentiroso. Precisava contar a verdade, da mesma forma que dissera a ela, quando voltaram, que esperava que ela fizesse.

A voz dele saiu muito triste e suave quando disse:

— Não vou estar aqui.

— Amanhã?

Ela pareceu surpresa, e ele, decepcionado.

— Não. No Natal — disse ele, com cuidado. — Odeio festas de fim de ano, tudo nelas. Não suporto mais o Natal. É muito difícil para mim. Todo ano passo o Natal no barco. E fico lá por três semanas.

Houve um longo silêncio entre eles; ela apenas o fitava, como se achasse difícil de acreditar.

— Quando você vai? — perguntou, como se ele tivesse acertado um tijolo na sua cabeça.

Ele quase esperava ver sangue escorrendo por trás da orelha dela. Fez com que se sentisse mal. Odiava decepcioná-la. Mas havia algumas concessões que não podia fazer por ninguém, e esta era uma delas.

— Na semana que vem.

Ele parecia triste, mas determinado.

— Antes do Natal?

Ele assentiu.

— Vou para Saint Barts com Adam. É uma tradição. Fazemos isso todo ano.

Disse isso como se fosse uma desculpa, mas ambos sabiam que, aos olhos dela, não era.

— Ele não passa o Natal com os filhos?

A voz dela mostrava sua reprovação, era um ato que lhe parecia muito egoísta.

— Ele só vai no dia seguinte. Sempre vou uma semana antes.

— Por que não vai junto com ele, no dia seguinte? Aí, poderíamos passar o Natal juntos.

Para ela, parecia um acordo razoável, mas Charlie balançou a cabeça.

— Não posso. Eu me conheço. Simplesmente não consigo. Quero sair daqui antes que todos fiquem sentimentais, e eu também. Natal é para quem tem família e filhos. Eu não tenho nem um nem outro.

— Você tem a mim — disse ela com tristeza.

Em certos aspectos, sabia que ainda era cedo para esperar isso dele, mas estavam em um relacionamento e se amavam, e o Natal era importante para ela. Isso deveria ter um significado. Mas, aparentemente, para Charlie, não. Ou talvez significasse muito.

— Podemos fazer alguma coisa legal quando eu voltar — disse ele como consolação, mas ela estava olhando pela janela, pensando.

— Depois não poderei me ausentar. Eu não estava pensando em fazer nada espetacular. — Ela virou-se para fitá-lo. — Só queria estar com você. Depois, terei de trabalhar. Não posso simplesmente dar as costas para as crianças sem nenhuma razão específica quando você voltar, só porque não quer passar o Natal comigo.

— Não quero evitar você — explicou ele, parecendo infeliz. — Odeio tudo relacionado a Natal. Foi feito para pessoas se sentiram tristes e abandonadas. Mesmo as crianças nunca recebem o que querem. As pessoas discutem, as crianças brigam. Papai

Noel é uma mentira que contamos para elas para, mais tarde, decepcioná-las, contando a verdade, quando achamos que já têm idade suficiente para entender. Detesto tudo e não quero participar.

— Talvez o amor sempre tenha a ver com decepção — disse ela olhando diretamente para ele.

— Eu estava esperando que você levasse isso na boa — disse ele, parecendo tenso, quando paravam em frente à casa dela.

— Eu estava esperando que você estivesse aqui. — A perspectiva de passar o Natal sozinha com seus pais a deprimia ainda mais, por razões óbvias. Estava planejando passar a maior parte do feriado no centro e o resto com ele. Só isso.

Ele a ajudou a sair do carro e a acompanhou até a porta. Jogara um balde de água fria na noite ao fazer o seu anúncio e ficou com medo até de beijá-la. Embora não tivesse dito com todas as letras, para ela era como se ele tivesse quebrando um acordo. Era o que ele temia. Mas também sabia que era o tipo de concessão que não podia fazer por ela, e não faria.

— Ligo para você amanhã — disse ele, gentilmente, enquanto a acompanhava até a porta. Não pediu para ficar, nem ela o convidou. Estava triste demais com o que acabara de escutar. Aparentemente, não era o relacionamento que ela achava que era. Não se fossem passar o Natal separados. E o ano-novo, já que ele passaria três semanas fora. Teria mais um ano-novo solitário pela frente.

— Boa-noite — disse ela baixinho, dando um beijo no rosto dele, e no momento seguinte ele foi embora.

Ela ficou na janela olhando a limusine se afastar.

Enquanto seguia para a sua casa, as palavras de Carole ecoavam no ouvido de Charlie: "*Talvez o amor sempre tenha a ver com decepção.*" Era uma afirmação e tanto, e era provável que ele merecesse. Mas, desta vez, ambos estavam decepcionados. Ele esperava que ela compreendesse o quanto isso era doloroso para ele. Ela não compreendeu. Ela esperava que ficassem juntos. E ele não podia fazer isso. Nem por ela, por maior que fosse o preço que tivesse que pagar.

Capítulo 22

O FINAL DE SEMANA em Las Vegas foi fabuloso, e Maggie amou tudo — os shows, as lojas, as luzes, os jogos, as pessoas e até a luta pelo título. Adam acabou comprando um vestido e um casaco curto de pele para ela, que os usou para assistir à luta. Ela ganhara 500 dólares nas máquinas caça-níqueis, depois de investir 50 dólares do próprio bolso, e ficou animadíssima. No voo de volta para Nova York no jatinho dele, ela se sentia uma princesa, e Adam sorria satisfeito.

— Fico feliz que você tenha se divertido.

Ele adorava mimá-la, estar com ela e exibi-la. Ficara simplesmente linda com o vestido novo e o casaco de pele.

— Eu curti muito mesmo — confirmou ela, e agradeceu de novo.

Estavam prestes a pousar no JFK quando, sem nenhuma razão especial, ela levantou o assunto do réveillon e disse que seria divertido passar em Las Vegas. Tinha amado a cidade. Ela se encaixava perfeitamente no mundo dele e não ficava reclamando como sua mãe.

— É, talvez um dia — disse ele, sendo vago.

— Que tal este ano? — perguntou ela, parecendo excitada. Sabia que ele ia lá com frequência e que tinha um jatinho, então podiam ir a qualquer lugar que quisessem, o que, para ela, era um conceito totalmente novo. Maggie se sentia como um pássaro com asas gigantes.

— Não posso — disse ele olhando pela janela e, então, como Charlie, soube que precisava contar. Mais cedo ou mais tarde, teria de falar, e a hora era agora. — Todo ano, viajo com Charlie no dia seguinte ao Natal.

— Você quer dizer uma viagem só para homens? Para caçar ou alguma coisa do tipo? — Ela pareceu decepcionada.

— É, mais ou menos isso.

Por ele, as coisas ficariam assim por enquanto, mas por ela, não.

— Para onde vocês vão?

— Para Saint Barts, no barco de Charlie.

Maggie o fitou furiosa.

— Para o *Caribe*? Em um *iate*? Está brincando?

— Não, não estou brincando. Ele odeia essa época de festas. Vai para lá uma semana antes de mim. E eu vou depois de passar o Natal com meus filhos. Faço isso todos os anos.

— E transa com toda piranha do Caribe?

— Antes, sim. Agora, não. Tenho você.

Ele disse com calma, não queria brigar com ela. Nem estava disposto a mudar seus planos. Suas viagens com Charlie eram uma tradição que significavam muito para ele.

— E não vai me convidar para ir com vocês? — perguntou ela, como se estivesse prestes a arremessar alguma coisa em cima dele. Mas, felizmente para Adam, não havia nada adequado à mão.

— Maggie, não posso. É uma viagem no barco de Charlie, e ele vai estar sozinho. É uma viagem só para os rapazes.

— Até parece. Sei o que vocês rapazes fazem quando estão sozinhos. Exatamente o que fazia até me conhecer.

— Charlie não é assim. É muito decente. E ele também tem namorada.

— Ela vai? — perguntou Maggie, desconfiada, e Adam balançou a cabeça em resposta.

— Não, não vai. Só nós dois.

— Por quanto tempo?

— Duas semanas. — Ele recuou ao ver a expressão dela.

— *Duas semanas?* Você acha que eu simplesmente vou ficar sentada esperando enquanto você viaja por aí pegando mulheres durante *duas semanas*? Se está achando isso, é maluco.

— Não me ameace — disse ele, parecendo furioso. — Sei que você está chateada, mas não posso evitar. Não posso decepcionar Charlie. E também não posso simplesmente perguntar se posso levar você, seria estranho para ele; além disso, ele espera que eu vá sozinho.

— Ótimo, então tenha um excelente réveillon beijando seu amigo. Talvez seja isso. Ele é gay?

— Pelo amor de Deus! Somos amigos. Viajamos juntos duas vezes por ano. Sinto muito se uma delas é no ano-novo, mas não sabia que ia te conhecer. Desculpe.

— E no ano que vem será diferente?

— Talvez. Não sei. Não vou fazer promessas para cumprir daqui a um ano. Vamos ver aonde as coisas vão dar.

Ele tentou parecer mais calmo do que realmente estava. Só de escutar o que ela falava, Adam estava ficando com dor de cabeça. Bem forte.

— Vou lhe dizer aonde isso vai dar: em lugar nenhum, se você acha que vai me dispensar nos feriados para viajar com seus amigos. Se não quer passar as festas comigo, tudo bem, mas então pegue o seu maldito livro de regras sobre relacionamentos e o enfie você sabe onde. Porque pessoas que estão em relacionamentos passam as festas juntas, principalmente o réveillon.

— Obrigado pela informação. — A esta altura, ele já estava segurando a cabeça, e ela o ignorava. Estava furiosa. — Olhe, nós acabamos de passar um final de semana maravilhoso em Las Vegas, não vamos estragar. Quero que você conheça meus filhos na semana que vem. Eu amo você. Quero que isso dê certo. Só vou passar duas semanas fora. Não pode relaxar e ser boazinha?

— Pessoas boazinhas só se ferram. E você não *tem* que ir. Você *quer* ir. O que a namorada de Charlie está achando disso?

— Não faço ideia — disse ele, amargamente.

— Aposto que ela também não está gostando nem um pouco.

A batalha sobre não passar o réveillon juntos se prolongou entre eles durante a semana toda. Maggie, porém, conseguiu deixá-la de lado no tempo em que passou com os filhos de Adam no final de semana seguinte. Após os primeiros passos exploratórios, os dois decidiram que a amavam, e ela ficou louca por eles. Adam ficou felicíssimo. Os quatro patinaram juntos, Maggie levou Amanda para comprar o presente de Natal do pai. Eles explicaram a ela tudo sobre Chanukah. Ela, por sua vez, ensinou Amanda a se maquiar, assou biscoitos com Jacob e lhe deu algumas dicas sobre garotas. Eles a consideram a melhor coisa da vida depois de pão de forma, era jovem o suficiente para se divertir com eles mas tinha idade o suficiente para que a respeitassem. Adam esperara alguma resistência, mas não houve nenhuma. Quando Amanda e Jacob foram embora, os três já eram melhores amigos. E, então, a guerra continuou. O cessar-fogo só durou o final de semana.

Charlie jantou com Carole duas vezes depois do baile de debutantes e percebeu que o clima entre eles estava glacial. No primeiro encontro, ela não disse nada, mas no segundo, perguntou se ele tinha mudado seus planos. Ele balançou a cabeça.

— Carole, eu não posso.

Ela assentiu e não disse nada. Ele queria passar a última noite com ela, mas não teve coragem de pedir, então voltou para casa sozinho. Tinha a clara impressão de que se passasse o Natal fora, o romance deles acabaria quando voltasse. Ela não conseguia entender por que ele estava fazendo isso, já que passaria a primeira semana sozinho, exatamente o período do Natal. Na opinião dela, não havia nenhuma razão para ele ir antes do dia 26, quando poderia ir junto com Adam. Ele parou de tentar explicar e decidiu lidar com a situação quando voltasse. Se ela ainda estivesse falando com ele quando isso acontecesse.

Adam ligou para o escritório dele na véspera da viagem. Charlie estava atolado tentando terminar todo o trabalho em cima de sua mesa. Adam disse que sua situação era tão ruim quanto.

— Todos os meus clientes sofrem um colapso nesta época do ano. Se o casamento já estava indo mal, eles decidem se separar. Se as amantes andavam mal-humoradas, eles as engravidam. Se os filhos são loucos, conseguem acabar na prisão. Se uma cantora odeia um contrato, resolve rasgá-lo. E metade dos meus atletas ficam bêbados durante as festas de fim de ano, saem e estupram alguém. É muito divertido. Eu realmente amo esta época do ano. — Adam parecia mais do que estressado.

— Eu também. — Charlie riu. Apesar da reação de Carole à sua viagem, ele continuava firme. — Imagino que apesar de tudo que você acabou de descrever, a viagem ainda esteja de pé. Você vai, não vai?

Era sempre bom confirmar. E, para sua surpresa, houve uma pausa. Tinha sido uma pergunta retórica, mas ele percebeu alguma coisa na voz de Adam.

— Estou passando um inferno com a Maggie — admitiu ele. — Ela acha que vamos viajar pelo Caribe com nossos pintos para fora pegando todas as mulheres que aparecerem na nossa frente. Não está nem um pouco satisfeita. — Charlie riu da descrição dele, e então respondeu:

— Carole não falou com essas palavras, mas está muito chateada. Ela achou que fôssemos passar as festas juntos, e eu disse que não suporto Natal. Esperava que ela entendesse, mas não entendeu. Acho que isso pode ser um ponto final para ela.

Entretanto, ele não estava disposto a ser forçado a ficar em casa. Se ela não podia viver com isso, então estava acabado. Ele queria ser aceito pelo que era, com defeitos e qualidades. E um de seus defeitos era a fobia das festas de final de ano desde a morte de seus pais, e mais ainda depois da de Ellen.

— Que pena — disse Adam, triste. — Acho que Maggie pensa da mesma forma. É uma pena elas simplesmente não entenderem, mas essas festas de fim de ano são muito importantes para algumas pessoas. Parece que existe alguma ligação entre mulheres e essas festas, que se você não fizer tudo direitinho, elas o dispensam.

— Parece que sim — disse Charlie.

Parecia irritado, mas também estava triste por causa de Carole. Algo se perdera entre eles desde que contara para ela. E ele planejava passar três semanas viajando, o que era um tempo longo demais para deixá-la triste. Principalmente porque tinham acabado de reatar. Não precisavam de outro obstáculo no caminho, já haviam superado um. Charlie estava quase certo de que o relacionamento não sobreviveria a outro. Odiava pensar em perdê-la. Mas temia que isso fosse acontecer. Porém, não o suficiente para ficar. Sua fobia era tão forte quanto a necessidade de ficar com ela.

— E para complicar ainda mais as coisas, os meus filhos conheceram Maggie no último final de semana e ficaram loucos por ela. Para falar a verdade, Charlie, odeio deixá-la chateada comigo.

Mais do que isso, ele odiava magoá-la, e isso a magoaria. Muito.

— O que você está dizendo? Que não vai? — Charlie estava chocado.

— Não sei. Talvez os tempos tenham mudado. Para nós dois. Pelo menos para mim.

Não sabia qual era o grau de compromisso de Charlie com Carole a esta altura. Era difícil dizer. Desconfiava que nem Charlie sabia ao certo. Ele e Maggie estavam morando juntos, com a intenção de continuarem assim.

— Deixe-me pensar a respeito. Ligo para você depois.

— Ligue para meu celular. Vou passar a tarde fora em reuniões. Acredite ou não, deixando toda a brincadeira de lado, eu realmente tenho de pagar a fiança para um dos meus clientes sair da prisão.

— Boa sorte! Ligo para você mais tarde — disse Charlie e desligou.

Já eram quase 5 da tarde quando Charlie falou com Adam de novo, e ambos pareciam tensos. Adam tivera uma tarde infernal, fazendo malabarismo para contornar seu cliente e a imprensa. Charlie estava tentando se livrar de todas as pendências desta época de final de ano. Mas, além disso, estava preocupado com Carole. Tinha pensado bastante sobre o que Adam tinha dito. Os tempos tinham mudado. E se quisesse mais da vida do que tinha até agora, precisava mudar também. Sentia-se como se estivesse prestes a pular em um abismo. Mas tinha esperanças que o fundo não fosse de cimento. Mas ainda não sabia.

— Tudo bem — disse Charlie, como se fosse sugerir que ambos pulassem de um avião sem paraquedas. — Vamos fazer isso.

— Fazer o quê? — Adam pareceu confuso, e tinha muito barulho na delegacia, onde ainda estava tentando afastar a imprensa. Parecia o viveiro de um zoológico.

— Por que não leva Maggie para o barco? Eu gosto dela. Você a ama. Ela ama você. Vai ser divertido. Que inferno. O seu relacionamento pode não sobreviver se você não levá-la. — Não queria ser responsável por isso. Podia perceber que Adam estava contra a parede, e talvez até quisesse levá-la. — Se você quiser levá-la, pode. Você decide. Vou convidar Carole também.

— Charlie, você é meu herói. — Adam não queria pedir, mas sua vontade era levá-la. — Você é um gentleman. Vou falar com ela hoje à noite. E você?

— Eu provavelmente estou louco e não tenho certeza se já chegamos a esse ponto, nenhum de nós. Mas também vou convidar Carole. Eu preferia que ela me deixasse fazer isso sozinho. Mas se não consegue e não vai deixar, acho que eu vou sair perdendo. Talvez mais do que imagino.

Tinham investido muito no relacionamento: honestidade, verdade, coragem, amor, esperança, e não estava disposto a perder tudo. Ainda não. E não passar as festas de fim de ano com ela poderia forçá-lo a isso, gostando ou não.

— Merda — disse Adam, rindo. — O que está acontecendo com a gente?

— Tenho medo até de pensar — disse Charlie, cansado.

— É, eu também. Assusta mesmo, irmão. Mas você é um homem e tanto por estar fazendo isso. Pelo menos, não vamos precisar nos preocupar em conseguir mulheres para levar para cama nem depender da ajuda das nativas.

— Acho melhor você não dizer isso para Maggie. — Charlie riu.

— Tá brincando? Quando você vai?

— Amanhã de manhã.

— Faça uma boa viagem; nos vemos no dia 26. *Nós* encontraremos você no dia 26. A propósito, posso dar uma carona para Carole no meu jatinho, se ela quiser. Dê a ela o meu número e diga para me ligar.

— Pode deixar. Obrigado — disse Charlie.

— Não, obrigado a *você*.

Eles desligaram, e Charlie ficou sentado olhando para o nada durante um minuto. Adam estava certo. Os tempos tinham mudado.

Charlie saiu do escritório às 17h30, pegou um táxi para o centro e chegou lá às 18 horas, quando Carole estava fechando sua sala. Ela ficou surpresa ao vê-lo e imaginou se algo tinha dado errado. Muitas coisas estavam dando errado ultimamente. Natal. Ano-novo. A viagem de três semanas dele. Fora um balde de água fria nos seus planos. Ele nem vira a árvore de Natal dela.

— Oi, Charlie. O que houve? — Ela parecia cansada. Tinha sido um dia longo.

— Vim me despedir — disse ele ao entrar.

— Quando você vai?

— Amanhã.

Ela assentiu. O que mais poderia dizer? Carole sabia que estaria terminado quando ele voltasse. Pelo menos para ela. Ela estava tão firme na sua posição sobre isso quanto ele ficara a respeito de ela ter mentido sobre quem era. Na opinião dela, se você está em um relacionamento, passa as festas de final de ano juntos. Ele não via desse jeito. Para ele, as festas nem existiam. E talvez nem ela. Ela precisava de alguém emocionalmente disponível, não alguém que não se permitia sentir porque poderia sofrer. A vida trazia sofrimento, mas precisava ser vivida. Juntos, na opinião dela.

— Tenha uma boa viagem — disse ela, enquanto colocava um arquivo gordo em uma gaveta.

— Você também — disse ele, calmamente.

— Eu também o quê?

Ela não entendeu. Estava cansada demais para acompanhar os joguinhos dele.

— Tenha uma boa viagem também.

— Não vou a lugar nenhum. — Ela se endireitou e olhou bem para ele.

— Vai sim, ou, pelo menos, eu espero que sim... espero que vá... — Ele gaguejou enquanto ela o fitava. — Se estiver disposta, eu adoraria que você fosse para o barco com Adam e Maggie no dia 26. Ele vai nesse dia. E vai levá-la. Combinamos isso hoje.

— E você quer que eu vá também? — Ela parecia chocada ao sorrir para ele. — Está falando sério?

— Estou sim. — Talvez até mais do que ele gostaria. — Eu adoraria se você fosse, Carole. Você vai? — perguntou ele, fitando-a. — Espero que consiga fugir por uns dias.

— Vou tentar. E espero que você saiba que eu não estava tentando me infiltrar na sua viagem. Só queria que você estivesse aqui no Natal e fosse com ele no dia 26.

— Eu sei. Não posso fazer isso. Pelo menos não por enquanto. Talvez um dia. Mas se você conseguir ir, podemos passar duas semanas lá.

Para ela, a ideia parecia fantástica, e agora, até para ele. Era uma ideia genial. Estava feliz por Adam ter ligado.

— Acho que não vou poder ficar mais do que uma semana. Vou ver.

— O que você puder — disse ele, e a beijou.

Ela o fitou por um longo momento antes de beijá-lo. Depois, pegaram um táxi para a casa dela e passaram juntos a noite anterior à viagem dele. Ele até viu a árvore dela.

Quando Adam chegou em casa naquela noite, entregou um cartão de crédito para Maggie. Ela estava sentada à mesa sobre seus livros de direito e não levantou o olhar quando ele entrou. Ele jogou o cartão de crédito em cima da mesa.

— Para que isso? — perguntou ela, sem levantar o olhar.

Ainda estava furiosa com ele por causa da viagem. O final de semana com os filhos dele fora apenas uma trégua na guerra. Agora, a guerra fria tinha se instaurado de novo.

— Você precisa fazer umas compras — disse ele, ao tirar a gravata e jogá-la em cima de uma cadeira.

— Para quê? Não uso seus cartões de crédito. Você sabe disso.

Ela o jogou de volta para ele, que pegou e ficou segurando.

— Vai precisar usar desta vez. — Ele o colocou ao lado dela de novo.

— Por quê?

— Porque você precisa de um monte de coisas. Você sabe, biquínis, cangas, sandálias, coisas de mulher, sei lá. Você que sabe.

— Eu que sei o quê? — Ela ainda não tinha entendido.

— Você que sabe do que vai precisar para a viagem.

— Que viagem? Para onde nós vamos?

Ela se perguntou se ele a levaria para Las Vegas de novo como prêmio de consolação.

— Vamos para o barco de Charlie em St. Barts. — Ele disse como se estivesse lembrando a ela, e Maggie o encarou.

— Não, *você* vai para o barco de Charlie em St. Barts. *Eu* não vou. Lembra?

— Ele me ligou hoje e convidou você também — disse ele, gentilmente, e ela o fitou e baixou a caneta.

— Tá falando sério?

— Estou. E ele também. Eu disse que não queria magoá-la e acho que ele também não queria magoar Carole. Também vai convidá-la.

— Ai, meu Deus! Ai, meu Deus! AI, MEU DEUS!

Ela o beijou e começou a correr gritando pela sala, depois se jogou nos braços de Adam, enquanto ele ria.

— Isso resolve o problema? — Ele podia ver que sim.

— Tá brincando? Ai, meu Deus! Vou viajar em um iate com você pelo Caribe! — Então, ela se virou para ele com um olhar de gratidão. — Adam, eu amo você. Eu continuaria amando de qualquer forma, mas estava magoada.

— Eu sei — disse ele, beijando-a de novo.

— Eu amo você mesmo — disse ela, se agarrando a ele. — Espero que saiba disso.

— Eu sei, amor... Eu também... — E então beijou-a.

No dia 26 de dezembro, estariam a caminho do Caribe.

Capítulo 23

A BRIGA ENTRE SYLVIA e Gray, sobre ele conhecer os filhos dela, continuou até perto do Natal. Agora, ele estava ficando no estúdio quase todas as noites, e ela não estava pressionando para que ele ficasse em seu apartamento. Estava furiosa. Compreendia que ele tinha "questões", mas, na opinião dela, estava levando isso longe demais. Não estava nem tentando lidar com elas. Gilbert chegaria em dois dias. E Emily, no dia seguinte. Gray estava com a cabeça feita. Não ia conhecê-los.

— Se você está tão aborrecido com isso, então procure um terapeuta — gritara Sylvia para ele durante a última briga. Estavam discutindo praticamente todos os dias. Era um assunto controverso para ambos. — De que adianta ler todos aqueles livros de autoajuda se você não está disposto a se ajudar?

— Eu *estou* me ajudando. Estou respeitando meus limites, e você deveria fazer o mesmo — disse ele, com tristeza. — Conheço meus limites. Famílias me assustam.

— Você nem conhece a minha.

— E eu não quero! — gritara ele, e saíra.

Sylvia estava muito deprimida por causa do que acontecera e da posição que Gray assumira. Já fazia quase um mês e já causara estragos no relacionamento. Toda a alegria que tinham compartilhado ao se conhecer tinha quase desaparecido. E quando Gilbert chegou dois dias antes do Natal, ela já não via Gray há dois dias. Tentou explicar para o filho quando este perguntou, mas parecia maluco até para ela. Como dissera para Gray, pessoas da idade deles deviam ser mais resolvidas, mas aparentemente ele não era e não estava fazendo nenhum esforço para controlar suas neuroses. Na verdade, estava fazendo uma festa com elas. Como um porco no chiqueiro.

A única vantagem disso tudo, para ele, foi que estava tão deprimido que pintava ainda mais. Não parava de pintar há semanas e terminara dois quadros desde o Dia de Ação de Graças, o que era rápido para os padrões dele. Seu marchand estava muito satisfeito. Os novos quadros eram maravilhosos. Sempre dizia que trabalhava melhor quando estava infeliz. E estava provando isso. Ficava triste sem ela. Não conseguia dormir. Então, pintava. Constantemente. Dia e noite.

Certa noite, estava absorto em seu trabalho, depois da mais recente briga, quando o interfone tocou. Achou que era Sylvia que viera tentar convencê-lo de novo de seu ponto de vista, e sem perguntar quem era, apertou o botão para que ela subisse. Deixou a porta do apartamento aberta e se preparou para mais um assalto enquanto fitava a tela e franzia a testa. Estava quase se transformando em uma luta entre eles. Ela implorava para que conhecesse seus filhos. Ele dizia não. Então ela explodia. Ele também. Tornara-se um ciclo vicioso. Ela se recusava a aceitar, e ele, a ceder.

Gray escutou a porta abrir e levantou o olhar, esperando vê-la, mas encontrou um jovem fantasmagórico fitando-o.

— Desculpe... A porta estava aberta... Não quis interromper. Você é Gray Hawk, não é?

— Sou sim. — Gray parecia surpreso. Quem quer que fosse o jovem, parecia doente. Seu cabelo era ralo e curto, seu rosto parecia o de um cadáver e seus olhos estavam fundos. A pele tinha cor de concreto. Parecia estar com câncer ou alguma doença tão grave quanto. Gray não fazia ideia do que ele estava fazendo ali ou de quem era. — Quem é você?

Queria perguntar o que estava fazendo em seu apartamento, mas como deixara a porta aberta, a culpa de haver um estranho ali era sua.

O homem hesitou por um momento e continuou onde estava.

— Sou Boy — disse baixinho como se não tivesse força para falar mais alto.

— Boy? — disse Gray, como se não estivesse entendendo. Levou um momento para registrar e, então, parecia ter levado um tiro. Ficou quase tão pálido quanto o rapaz, enquanto continuava congelado no lugar. — Boy? Meu Deus. — De vez em quando pensava nele, mas não o via há muitos anos. Era o bebê Navajo que seus pais adotaram 25 anos antes e deram o nome de Boy. Gray se aproximou lentamente dele, depois, ficou parado na sua frente com lágrimas rolando pelo rosto. Nunca tinham sido íntimos. Havia uma diferença de 25 anos entre eles, mas ele era um espectro de um pedaço da história de Gray que o assombrara a vida toda, e ainda assombrava. Era a origem de sua briga atual com Sylvia. Por um momento, imaginou se não era alucinação. Boy parecia um fantasma do passado. Gray passou os braços em volta dos ombros do rapaz e ficou ali, abraçado a ele enquanto os dois choravam. Choravam pelo que podia ter sido, pelo que tinha sido e por toda a insanidade que tinham vivido separadamente mas no mesmo lugar e pelas mesmas razões. — O que está fazendo aqui? — finalmente conseguiu desengasgar. Gray nunca nem tentara vê-lo e provavelmente nunca tentaria se ele não estivesse ali na sua frente.

— Eu queria ver você — disse ele, simplesmente. — Estou doente.

Gray podia perceber isso. O corpo inteiro dele estava transparente, como se estivesse desaparecendo e cheio de luz.

— Que tipo de doença? — perguntou Gray, triste. O simples fato de vê-lo trouxe tudo de volta.

— Tenho Aids. Estou morrendo.

Gray não perguntou como ele pegara a doença. Não era da sua conta.

— Sinto muito — disse ele, sendo sincero. Seu coração se afundou enquanto um fitava o outro. — Você mora aqui? Em Nova York? Como me encontrou?

— Procurei na lista telefônica, seu nome está lá. Eu moro em Los Angeles. — Não perdeu tempo contando a Gray sobre sua vida. — Eu só queria vê-lo... uma vez... Foi por isso que vim aqui. Vou voltar amanhã.

— No Natal? — Parecia um dia triste para se viajar.

— Estou em tratamento. Preciso voltar. Sei que isso parece estúpido, mas eu queria dizer adeus.

A tragédia pior era que nunca tinham dito oi. Da última vez que vira Boy, ele era uma criança. E depois, uma única vez, no enterro dos pais. Gray nunca mais o vira, nem tivera vontade de vê-lo. Passara a vida inteira fechando a porta de seu passado, e agora este homem colocou o pé para impedir que a porta se fechasse, abrindo-a mais, com seus olhos profundos.

— Você está bem? Precisa de alguma coisa?

Talvez precisasse de dinheiro. Gray não tinha muito. Mas o jovem balançou a cabeça.

— Não. Estou bem.

— Está com fome?

Gray sentia que precisava fazer alguma coisa por ele, então perguntou se ele queria sair.

— Seria legal. Estou hospedado em um hotel aqui perto. Talvez possamos sair para comer um sanduíche ou alguma outra coisa.

Gray foi pegar seu casaco, e poucos minutos depois, estavam do lado de fora, caminhando para uma delicatéssen ali perto. Comprou para Boy um sanduíche de pastrami e uma Coca-Cola. Foi tudo que ele quis. Gray tomou uma xícara de café e comeu uma rosca e, lentamente, os dois começaram a conversar sobre o passado, da forma como cada um o conhecia. Para Boy, tinha sido diferente, seus pais já estavam mais velhos quando o adotaram, não ficavam se mudando o tempo todo, mas continuavam tão malucos quanto antes. Após a morte deles, Boy voltou a morar na reserva indígena, depois, foi para Albuquerque e, finalmente, Los Angeles. Contou, por livre e espontânea vontade, que aos 16 anos trabalhou como garoto de programa. Sua vida fora um pesadelo. E nada que os pais tinham feito antes ajudou. Gray ficou surpreso por Boy ainda estar vivo. Ao olhar para ele, era difícil entender, e as memórias voltavam em enxurradas. Eles mal se conheciam, mas choraram um pelo outro de mãos dadas. Boy encarou a ponta dos dedos dele e fitou fundo em seus olhos.

— Eu não sei por que, simplesmente queria vê-lo. Acho que queria saber que alguma pessoa deste mundo vai se lembrar de mim quando eu me for.

— Eu sempre me lembrei, apesar de você ser apenas um garotinho da última vez que o vi. — Ele era apenas um nome para

Gray, e agora era um rosto, uma alma, um coração, mais uma pessoa para perder e chorar por ela. Não procurara esse momento, mas acontecera mesmo assim, como um presente. Este homem viajara 5 mil quilômetros para vê-lo e se despedir. — Vou me lembrar de você — disse Gray suavemente, gravando-o em sua memória enquanto o fitava, e, ao fazer isso, soube que algum dia iria pintá-lo. Disse isso a Boy.

— Eu gostaria — disse ele a Gray. — Assim as pessoas poderão me ver para sempre. Não tenho medo de morrer — acrescentou. — Não quero, mas acho que vai ser bom. Você acredita no paraíso?

— Não sei em que acredito — disse Gray, com honestidade. — Talvez em nada. Talvez em Deus. Mas, para mim, Ele não tem uma forma definida.

— Eu acredito no paraíso, e em encontrar as pessoas de novo.

— Espero que não. — Gray riu. — Tem muita gente que conheci que não quero reencontrar, como nossos pais. — Se é que era possível chamá-los assim.

— Você é feliz? — perguntou Boy.

Tudo nele era surreal, etéreo e transparente. O simples fato de estar ali com ele era como estar em um sonho. Não sabia como responder à pergunta de Boy. Era feliz, até pouco tempo. Estava infeliz há um mês, por causa de toda a briga com Sylvia. Contou a Boy.

— Por que está com medo de conhecê-los?

— E se eles não gostarem de mim? E se eu não gostar deles? Aí, Sylvia vai me odiar. E se nós nos gostarmos, nos tornarmos amigos e, depois, eu e ela terminarmos? Então, nunca mais os verei, ou os verei e não a verei. E se eles forem dois merdinhas mimados e criarem problemas para nós? É tudo tão complicado, não preciso dessa dor de cabeça.

— O que você teria sem essa dor de cabeça? Como seria a sua vida sem ela? Você vai perdê-la se não conhecer seus filhos. Ela os ama. E parece que ela também ama você.

— Eu também a amo. Mas não amo os filhos dela e não quero amá-los.

— Você me ama? — perguntou Boy, então, e Gray, de repente, se lembrou de *O Pequeno Príncipe*, de Saint-Exupéry, que morre no final do livro. E, sem saber por que, respondeu; foi honesto, como se fossem amigos e irmãos há anos:

— Amo sim. Eu não o amava até esta noite. Não o conhecia. Não queria conhecê-lo — disse ele, sendo honesto. — Eu tinha medo. Mas agora eu amo. — Durante todos esses anos, não quis conhecê-lo nem, ao menos, vê-lo. Tivera medo do sofrimento de gostar dele e de ter uma família. Para Gray, famílias só traziam sofrimento e decepção. Mas Boy não o estava decepcionando, viera ver Gray como um gesto de puro amor. Era um presente de amor que nunca ninguém de sua família lhe dera. Era tão doloroso quanto lindo, de uma forma que só o amor podia ser.

— Por que você me ama? Porque estou morrendo? — Os olhos de Boy eram assombrosos enquanto fitavam os de Gray.

— Não, porque você é a minha família — disse Gray com a voz engasgada e lágrimas escorrendo pelo rosto. As comportas de seu coração estavam totalmente abertas. — Você foi tudo que me restou. — Sentiu-se bem ao falar isso. Os dois homens se deram as mãos.

— Logo eu não estarei mais aqui — disse Boy, de forma consciente. — E, então, ela será tudo que lhe restará. E os filhos dela. Eles são tudo que você tem. E a mim. — Não era muito, e Gray sabia disso. Não tinha muito o que exibir depois de cinquenta anos no planeta. Por mais loucos que fossem, seus pais conseguiram mais. Adotaram três filhos, fazendo uma bagunça em suas vidas, mas, pelo menos, tentaram, fazendo o melhor que suas habilidades limitadas permitiam. Tinham um ao outro. E todas as pessoas que tocaram em suas perambulações pelo mundo. Até mesmos os quadros de Gray, e a agonia que o inspirara a pintá-los, de alguma forma, eram fruto das duas pessoas que adotaram ele e Boy. Eles fizeram muita coisa. Mais do que Gray já pensara ou admitira. Agora via isso. Seus pais eram loucos e limitados, mas, pelo menos, tentaram. E Boy também tentou. O suficiente para vir até aqui vê-lo. Em comparação, Gray sentia que tinha feito muito menos por sua vida emocional, até conhecer Sylvia, e agora estava limitando isso também e fazendo-a sofrer porque estava com medo. Aterrorizado, na verdade.

— Eu amo você, Boy — sussurrou Gray, enquanto estavam sentados um de frente para o outro de mãos dadas.

Não se importava com quem os visse ou o que iam pensar. De repente, não estava mais com medo de tudo que o aterrorizara por tanto tempo. Boy era um último símbolo vivo da família da qual Gray fugiu durante anos.

— Eu também amo você — disse Boy.

Ele parecia exausto e com frio quando, finalmente, se levantaram. Estava tremendo, e Gray deu a ele seu casaco. Era o melhor que tinha. Ele o pegara ao sair, mas agora parecia um gesto adequado por seu irmão que estava morrendo e que mal conhecia. Desejava ter ido vê-lo antes, mas não o fizera. Nunca lhe ocorreu, ou na verdade ocorreu, mas fugira da ideia. Agora percebia que tinha fugido de muita coisa, e tudo para evitar a vida e sofrimentos. Sua família se transformara no símbolo de tudo de que tinha medo. Lentamente, Boy estava livrando-o desse medo.

— Por que não fica na minha casa esta noite? — convidou Gray. — Posso dormir no sofá.

— Posso ficar no hotel — disse Boy, mas Gray não queria que ele ficasse lá.

Foram pegar as coisas dele e voltaram para o apartamento de Gray. Boy disse que teria que sair por volta das 9 da manhã para pegar seu voo.

— Pode deixar que eu vou acordá-lo — prometeu Gray enquanto o colocava na cama e lhe dava um beijo na testa. Era quase como se Boy fosse seu filho. Boy agradeceu e, antes de Gray fechar a porta, já pegara no sono.

Gray passou a noite pintando. Fez vários rascunhos dele, dúzias, para que não se esquecesse de cada detalhe de seu rosto, e determinou a base para um quadro. Sentia como se fosse uma corrida contra a morte. Naquela noite, não dormiu, acordou Boy às 8 horas e lhe preparou ovos mexidos. Boy comeu metade e bebeu um pouco de suco, depois disse que precisava ir. Pegaria um táxi para o aeroporto, mas Gray disse que iria com ele. Boy apenas sorriu, e eles saíram. Precisava chegar lá às 10 para pegar o voo das 11 horas.

Ficaram perto um do outro enquanto Boy fazia o check-in até anunciarem o voo. Por um momento, Boy pareceu em pânico, então Gray o puxou para seus braços e o abraçou enquanto os dois choravam. Eram lágrimas não apenas pelo presente mas pelo passado perdido e por todas as oportunidades que tinham deixado passar, que tentaram recuperar em uma única noite. Ambos tinham sido bem-sucedidos.

— Vai dar tudo certo — disse Gray, mas ambos sabiam que não daria, a não ser que as teorias de Boy sobre o Paraíso estivessem certas. — Eu amo você, Boy. Ligue para mim.

— Pode deixar.

Mas Gray sabia que talvez não ligasse. Este poderia ser seu último momento, seu último toque. E agora que Gray abrira seu coração para ele, doeria muito. Muito mesmo. Mas, desta vez, era uma dor pura. A espada pura e afiada da perda. Era como decepar cirurgicamente um membro do corpo, em vez de tê-lo arrancado.

— Eu amo você! — gritou Gray enquanto Boy embarcava.

Disse várias vezes para que Boy pudesse escutar, e quando chegou à porta do avião, Boy se virou e sorriu. Acenou e, então, se foi. O Pequeno Príncipe se fora, enquanto Gray ficou ali parado olhando para o lugar que ele estava, e chorou.

Gray andou pelo aeroporto por muito tempo. Precisava pensar e recuperar seu fôlego. Só conseguia pensar agora em Boy e nas coisas que ele dissera. E se ele nunca tivesse existido, e se Gray não o tivesse visto de novo? Se não tivesse viajado tantos quilômetros para visitá-lo? Era como se ele fosse um mensageiro de Deus.

Já era meio-dia quando Gray finalmente ligou para Sylvia do seu celular. Não falava com ela havia dois dias. E não dormira a noite toda.

— Estou no aeroporto — disse ele, rouco.

— Eu também. — Ela pareceu surpresa. — Onde você está? — Ele disse para ela em que terminal estava, e ela disse que estava no internacional, esperando Emily. Era véspera de Natal. — Alguma coisa errada? — Sim. Não. Antes, havia. Agora, estava bem. Não, não estava bem. Nunca estivera bem, mas pelo menos agora estava. Pela primeira vez na vida, sentia-se inteiro. — O que está fazendo aqui no aeroporto?

De repente, ela ficou preocupada de ele estar indo viajar para algum lugar. Algo entre eles tinha se quebrado totalmente.

— Eu vim trazer meu irmão.

— Seu irmão? Você não tem irmão. — E, então, ela se lembrou, mas lhe pareceu loucura, o que realmente era.

— Boy. Falaremos sobre isso depois. Onde você está? — Ela disse de novo, e ele desligou.

Ela o viu caminhando pelo terminal na sua direção e percebeu que ele parecia acabado. Estava usando jeans, uma suéter velha e um casaco que já devia ter sido jogado fora muito tempo antes. Boy partira usando seu casaco bom. Gray quis que ele ficasse com o casaco. Gray parecia um louco, ou um artista, e parecia que não penteava o cabelo há dias. E então, de repente, ele a abraçou, e ambos começaram a chorar, e ele disse que a amava. Ainda estavam abraçados quando Emily passou pela alfândega e abriu um enorme sorriso assim que viu a mãe.

Sylvia apresentou-os, e Gray pareceu nervoso, mas apertou a mão dela e sorriu com cautela. Perguntou como tinha sido o voo e carregou sua mala. Andaram pelo aeroporto com os braços de Gray envolvendo os ombros de Sylvia, e Emily de mãos dadas com a mãe. Voltaram para o apartamento, onde Gray conheceu Gilbert, e Sylvia preparou o almoço para todos. Naquela noite, Gray ajudou-a a preparar o jantar e, na cama, contou a ela sobre Boy. Conversaram durante horas, e, na manhã seguinte, todos trocaram presentes. Ele não tinha comprado nada para ela, mas Sylvia não se importou. Seus filhos acharam-no excêntrico mas legal. E, para sua própria surpresa, gostou deles. Boy estava certo.

Na noite de Natal, Gray recebeu uma ligação. Boy tinha morrido. O amigo que telefonou disse que mandaria para Gray o diário dele e algumas poucas coisas. Na manhã seguinte, Sylvia e os filhos foram para Vermont. Gray foi junto. Em uma tarde, ao pôr do sol, saiu andando pela neve e ficou olhando para as montanhas. Podia sentir a presença de Boy e escutar a sua voz. Então, devagar, voltou para a casa onde Sylvia estava esperando. Estava na varanda, observando-o e sorrindo. Naquela noite, enquanto estava do lado de fora com ela, olhou para o céu, viu as estrelas, pensou em Boy e no Pequeno Príncipe.

— Ele está lá em cima em algum lugar — disse Gray, triste. Ela assentiu. Abraçaram-se e caminharam juntos de volta para casa.

Capítulo 24

Carole, Maggie e Adam viajaram para o Caribe no jatinho de Adam. Era a primeira vez que viam Carole, e foi um pouco estranho no começo, mas quando aterrissaram em St. Barts, Carole e Maggie já eram melhores amigas. Eram tão diferentes quanto duas mulheres podem ser. Mas, enquanto Adam dormia, Carole contou a ela sobre o centro e as crianças de lá, e Maggie contou sobre sua infância, sobre o tempo que passara em um lar adotivo, sobre as aulas preparatórias para o curso de direito, sobre seu emprego e sobre a sorte que tinha por estar com Adam. Carole já a adorava muito antes de saírem do avião. Era verdadeira e honesta, boa e inteligente. Era impossível não gostar dela, e Maggie sentiu o mesmo em relação a Carole. Até cochicharam de forma conspiratória sobre o quanto tinham ficado furiosas quando Adam e Charlie disseram que viajariam sozinhos e como estavam felizes por isso não ter acontecido.

— Eu fiquei *muito* brava.

— Eu também... a verdade, fiquei mais magoada. Charlie disse que não suporta o Natal. Isso é muito triste.

Elas conversaram sobre a família que ele perdeu e a amizade dos três. Maggie estava feliz por finalmente terem se conhecido. Sabia que eles tinham terminado recentemente, mas não comentou com Carole. Depois contou sobre o dia de Natal que passaram com os filhos de Adam. Tinha sido maravilhoso. Eles iriam levá-los para esquiar em janeiro em um final de semana prolongado. Quando Adam acordou, pouco antes de aterrissarem, elas já tinham conversado sobre tudo.

— O que você duas andaram tramando? — perguntou ele, bocejando.

— Nada — respondeu Maggie com um sorriso culpado, depois disse que esperava não ficar mareada.

Nunca tinha estado em um barco. Carole já. Em muitos, embora a maioria fosse veleiros. Maggie estava impressionada por Carole ter o pé no chão, já que Adam lhe contara quem ela era. Ele ficou impressionado com a beleza de Carole, sua educação e gentileza. Ela era normal. Desta vez, Charlie acertara. Adam só esperava que ele não estragasse tudo, ou se acovardasse. Seria bom fazer uma viagem a quatro para variar. Era uma mudança e tanto em suas vidas.

Gray ligara para ele pouco antes de saírem. Estava indo para Vermont e disse que conhecera os filhos de Sylvia. Tudo estava bem. Adam não fazia ideia de como isso tinha acontecido, mas Gray disse que lhe contaria em um almoço quando voltassem.

Charlie, já bronzeado, estava esperando por eles no aeroporto com dois membros da tripulação e o capitão. Parecia feliz e relaxado e ficou encantado ao ver Carole. Quando chegaram ao barco, Maggie não pôde acreditar no que estava vendo. Andava de uma ponta a outra, olhando tudo, conversando com a tripulação, fazendo perguntas, e disse que se sentia uma Cinderela quando viu a cabine em que ficariam. Comentou que seria como uma lua de mel, e Adam lhe lançou um olhar reprovador.

— Pode relaxar — implicou ela. — Não quero me casar. Só quero ficar aqui neste barco para sempre. Talvez eu devesse me casar com Charlie — disse ela, em tom de brincadeira.

— Ele é muito velho — disse Adam, ao puxá-la para a cama.

Só voltaram para o deque muitas horas depois, e, quando voltaram, Charlie e Carole estavam relaxando. Carole parecia totalmente à vontade. Trouxera as roupas perfeitas: jeans brancos, shorts, saias curtas e blusas de algodão, tinha até sapatos apropriados para andar no deque, o que Maggie percebeu e ficou impressionada. Esta trouxera muitas roupas chiques, além de biquínis e shorts, mas Carole garantiu que ela estava ótima. Era tão jovem e bonita, com um corpo tão perfeito, que poderia usar sacos de lixos que ficaria linda. Seu estilo era completamente diferente do de Carole, mas, ao seu modo, era exótica e sensual, e seu visual ficou bem menos extravagante desde que começou a namorar Adam. As roupas que trouxera não eram caras, mas pagara com o próprio dinheiro.

Depois de nadarem um pouco, todos foram para suas cabines trocar de roupa para o jantar e foram tomar um drinque no deque da popa como sempre faziam. Adam tomou tequila, Charlie, um martíni, as duas mulheres, vinho. Partiriam para St. Kitts no dia seguinte, mas só depois que as meninas fizessem compras no porto, como Charlie prometeu. Naquela noite, saíram para dançar. Todos voltaram exaustos e felizes e dormiram até tarde no dia seguinte.

Tomaram café da manhã juntos, e enquanto Charlie e Adam praticavam windsurfe, Carole e Maggie foram fazer compras. Maggie não comprou muita coisa, Carole comprou cangas na

Hermès para usar durante a viagem. Ofereceu emprestar algumas para Maggie. Quando deixaram o porto naquela noite, os quatro tinham a sensação de que viajavam juntos a vida inteira. A única mancha negra no passeio foi que Maggie ficou mareada na viagem para St. Kitts, e Charlie a colocou deitada do deque. Ela ainda estava um pouco verde quando ancoraram fora do porto. Mas, na hora do jantar, já estava bem, e todos assistiram ao pôr do sol juntos. Dia após dia, tudo estava perfeito, e a única reclamação que tinham era que a viagem estava passando rápido demais. Como sempre. Quando perceberam, já era o último dia, a última noite, o último mergulho, a última dança. Passaram a última noite no barco, e Charlie implicou com Maggie por ter ficado mareada, mas ela estava bem melhor nos últimos dois dias. Charlie ensinara Carole a windsurfar, ela era forte o suficiente para o esporte, Maggie não. Todos odiaram ver a viagem chegar ao fim.

Carole só conseguira tirar uma semana, e Adam e Maggie também precisavam voltar. Os clientes dele estavam reclamando, e Maggie precisava voltar ao trabalho. Todos precisavam, exceto Charlie, que continuaria no barco. Ele estava quieto nos últimos dois dias. Carole percebera mas só comentou na última noite, depois que Maggie e Adam foram para a cama.

— Você está bem? — perguntou ela, calmamente, enquanto estavam sentados no deque sob a luz do luar e ele fumava um charuto.

Estavam ancorados naquela noite, não em um porto. Charlie preferia, e era muito mais tranquilo ficar na água do que no cais. Carole também preferia. Passara uma semana maravilhosa com ele e com os outros.

— Estou bem — disse ele, olhando para a água, senhor de seus domínios.

Agora ela podia entender por que ele amava ficar no barco. Tudo no *Blue Moon* era perfeito, das cabines à comida, e a tripulação impecavelmente treinada. Era uma rotina fácil de se adaptar e parecia a quilômetros de distância do mundo real e de seus problemas. Era uma vida em que se era paparicado o tempo todo.

— Passei uma semana maravilhosa — disse ela, com um sorriso preguiçoso.

Era a semana mais relaxante que tinha em anos, e amara estar com ele. Ainda mais do que esperava. Ele era a companhia perfeita, o amante perfeito, o amigo perfeito. Ele a fitou através da fumaça do charuto, com um olhar estranho, o que a deixou preocupada de novo. Era como se houvesse alguma coisa em sua mente.

— Fico feliz que tenha gostado do barco — disse ele com uma expressão pensativa.

— Quem não gostaria?

— Algumas pessoas não gostam. Pobrezinha da Maggie, ficou tão mareada...

— Agora ela já estava acostumada.

Carole defendeu sua nova amiga. Queria muito vê-la de novo e sabia que veria. Maggie queria ir ao centro para conhecer o trabalho. Disse que queria ser advogada de crianças quando se formasse em Direito, muitos anos depois.

— Você é uma boa marinheira — comentou Charlie. — E uma boa windsurfista.

Ela aprendera rapidamente e também fora fazer mergulho livre com ele várias vezes, e com Adam usando o equipamento completo. Todos tinham aproveitado ao máximo os confortos e prazeres do barco.

— Quando eu era criança, adorava velejar — disse ela, parecendo melancólica: odiava ter que deixá-lo no dia seguinte. Fora tão bom dividir a cabine com Charlie, acordar ao lado dele de manhã e se aninhar a ele durante a noite. Sentiria falta de tudo isso quando voltasse para casa. Para ela, tinha sido uma das maiores vantagens da vida conjugal. Detestava dormir sozinha, e nos bons tempos, curtira a constante companhia do casamento. Charlie parecia também ter gostado de dormir com ela e não demonstrou se importar com a intrusa em sua cabine. — Quando você vai voltar? — perguntou Carole, sorrindo. Achava que ele ficaria mais uma semana.

— Não sei — respondeu ele, vago.

Parecia preocupado, então olhou para Carole. Vinha pensando sobre os dois a semana toda. Ela era perfeita em alguns aspectos: tinha a descendência certa, o passado certo, era inteligente e divertida, graciosa, atenciosa, legal com seus amigos e fazia ele rir. Adorava fazer amor com ela; na verdade, não havia nada nela de que não gostasse, e isso o deixava morrendo de medo. O mais aterrorizante nela era não ter o defeito fatal. Sempre havia um que ele podia usar como desculpa para uma fuga. Estava preocupado de, no fim, não querer se casar. Aí, todos sairiam magoados, como sempre. Finalmente, encontrara uma mulher que não queria magoar e pela qual não queria sofrer. Parecia não haver como evitar se ficassem ainda mais íntimos. Não sabia o que fazer.

— Tem alguma coisa preocupando você — disse Carole, gentilmente, querendo saber o que era.

Ele hesitou por um longo momento, depois assentiu. Sempre era honesto com ela.

— Tenho pensado muito sobre nós dois.

A forma como ele falou soava como um mau presságio, e ela ficou com medo no momento em que viu a expressão dele. Parecia torturado.

— Sobre o quê?

Mais uma vez, ele sorriu através da fumaça do charuto. Não queria causar uma preocupação desnecessária, mas estava inquieto.

— Fico me perguntando o que duas pessoas com fobia de relacionamento como nós estão fazendo juntas. Um de nós pode sair ferido.

— Não se formos cuidadosos com as feridas e cicatrizes do outro.

E ela sempre era. Já sabia o que o chateava. Às vezes, ele simplesmente precisava de espaço. Passara a vida toda sozinho. Em alguns momentos, percebia que ele queria ficar sozinho e saía da cabine, ou o deixava fazer o que bem entendesse no deque. Tentava ser sensível às necessidades dele.

— E se eu nunca quiser me casar? — perguntou ele honestamente.

Não tinha certeza se queria. Talvez fosse tarde demais. Tinha quase 47 anos, não sabia se ainda conseguiria se adaptar a isso. Depois de uma vida inteira em busca da mulher perfeita, agora que parecia tê-la encontrado, perguntava-se se era o homem certo. Talvez não. Estava chegando a essa conclusão.

— Já fui casada — disse ela, com calma. — E não foi tão bom. — Ela deu um sorriso triste.

— Você vai querer ter filhos um dia.

— Talvez sim. Talvez não. Trabalho com crianças. Às vezes acho que já é o suficiente. Quando me divorciei, disse para mim mesma que nunca mais iria me casar de novo. Não estou pressionando você para me casar, Charlie. Estou feliz com as coisas como estão.

— Não deveria. Você precisa de mais — disse ele, se sentindo culpado. Não sabia se era o homem para dar isso para ela, e se não fosse, sentia que devia a ela a oportunidade de seguir seu caminho. Vinha pensando muito nisso. Na fuga perfeita. De um jeito ou de outro, no fim, sempre acabava assim.

— Por que você não deixa que eu decida do que preciso? Se eu tiver algum problema, vou dizer. Por enquanto, não tenho.

— E depois? Nós nos magoamos? É perigoso deixar as coisas correrem soltas.

— O que você está dizendo, Charlie? — Ao ouvi-lo, ficou morrendo de medo. A cada hora que passava, estava ficando mais apaixonada por ele, ainda mais depois dessa semana vivendo juntos. Isso poderia facilmente se tornar um hábito. E estava entrando em pânico com o que ele estava dizendo. Parecia que estava prestes a desistir.

— Não sei — disse ele enquanto colocava o charuto no cinzeiro. — Não sei o que estou dizendo. Vamos para a cama.

E quando chegaram lá, fizeram amor e dormiram sem discutir mais o assunto.

A manhã seguinte chegou logo. Precisavam acordar às 6 horas, e Charlie estava dormindo profundamente quando Carole levantou da cama. Ela tomou um banho e já estava vestida quando ele acordou. Por um longo momento, ele ficou deitado na cama, olhando para ela. E neste terrível momento, ela teve a sensação de que era a última vez que o veria. Não tinha feito nada de errado na viagem, não fora pegajosa demais nem cobrara nada. Simplesmente deixara a vida seguir seu curso. Mas o olhar de medo dele era inconfundível, além da culpa e do arrependimento. Sinais ameaçadores.

Charlie levantou para vê-los partir. Vestiu shorts e camiseta e ficou no deque vendo-os descer no tênder que os levaria até o porto. Ele iria para Anguilha naquele dia, depois que fossem embora. Beijou Carole antes de ela entrar no tênder e olhou dentro de seus olhos. Ela ficou com a impressão de que ele estava dizendo mais do que apenas "até logo". Não pressionara sobre quando ele voltaria para casa. Achou melhor não e estava certa. Tinha a sensação de que ele estava se equilibrando na beirada de um abismo.

Ele bateu no ombro de Adam e lhe deu um abraço, depois beijou Maggie no rosto. Ela se desculpou por ter ficado mareada. Eles agradeceram e acenaram conforme se afastavam.

Carole virou-se para observá-lo ao passo que o tênder ganhava velocidade. Enquanto ele acenava do deque, ela estava com uma sensação terrível de que não o veria de novo. Colocou os óculos escuros enquanto se dirigiam para o porto para que ninguém visse que estava chorando.

Capítulo 25

A ROTINA DE ADAM E MAGGIE seguiu em marcha rápida quando voltaram para casa. Ele tinha três novos clientes e seus filhos disseram que queriam vê-lo mais, principalmente agora que conheciam Maggie, e seu pai sofreu um infarto. A vida é assim. Ficou uma semana no hospital, e sua mãe lhe telefonava dez vezes por dia. Por que não ia visitá-los mais? Não se importava com o pai? Qual era seu problema? Seu irmão ia lá todo dia. Mostrando toda a sua irritação, Adam disse que o irmão morava a apenas quatro quarteirões de lá.

Maggie estava tão enlouquecida quanto ele. Estava estudando para as provas finais, tinha dois trabalhos para fazer e estava trabalhando como uma condenada no Pier 92. Adam disse a ela que precisava conseguir um emprego melhor. Mas as gorjetas eram ótimas. Ela passou as duas primeiras semanas depois que voltaram gripada.

Ainda estava com a gripe, que não conseguia curar, quando voltou a trabalhar. Não podia perder mais dias ou seria demitida. Ainda estava trabalhando uma tarde quando Adam chegou em casa e encontrou um bilhete dizendo que a faxineira tinha se demitido. O apartamento estava uma bagunça. Sabia o quanto Maggie estava cansada, então decidiu levar o lixo para fora e lavar a louça antes de ela voltar. Esvaziou as cestinhas de lixo do banheiro, jogando tudo em um grande saco plástico, e, quando já ia dar um nó, algo chamou sua atenção. Era um palito azul. Já vira isso antes, mas já fazia algum tempo. Um bom tempo. Parou o que estava fazendo e, cuidadosamente, conseguiu pegá-lo, e fitou sem acreditar. Ficou sentado no vaso, olhando o objeto antes de jogá-lo fora de novo e amarrar o saco, mas, ao fazer isso, estava furioso. Parecia um furacão quando Maggie voltou para casa. Ela foi direto para a cama, dizendo que se sentia péssima.

— Aposto que sim — disse ele, prendendo a respiração. Limpara o apartamento inteiro e estava passando o aspirador de pó quando ela chegou em casa.

— O que você está fazendo? — perguntou ela, enquanto ele andava pela sala.

— A empregada pediu demissão.

— Não precisa fazer isso. Eu faço.

— Mesmo? Quando? — Estava furioso com ela.

— Mais tarde. Acabei de chegar em casa. Pelo amor de Deus, Adam, por que você está correndo de um lado para o outro como se fosse um foguete desgovernado?

— Estou limpando a casa! — berrou, rangendo os dentes.

— Por quê? — E então, de repente, ele se virou para ela mostrando toda a fúria em sua expressão.

— Porque se eu não limpar, sou capaz de matar alguém, e não quero que essa pessoa seja você.

— Por que você está tão irritado? — Ela tinha tido um dia péssimo no trabalho e estava enjoada.

— Estou irritado com você. É isso.

— O que foi que eu fiz? Não disse para a empregada ir embora.

— Quando você ia me contar que está grávida? Por que estava guardando essa novidade? Pelo amor de Deus, Maggie, encontrei seu teste de gravidez no lixo, e deu *positivo*. — Estava fora de si de tanta raiva. — Quando isso aconteceu?

— Acho que no Yom Kippur — disse ela, calmamente.

Depois disso, tinham sido cuidadosos. Foi a única vez que não foram. Desde então, sem saber, vinham trancando a porta do estábulo depois de o cavalo já ter fugido, ou entrado, ou alguma coisa assim.

— Ótimo — disse ele, jogando o aspirador no chão. — No Yom Kippur. Minha mãe estava certa. Eu deveria ter ido para a sinagoga e nunca ter ligado para você. — Jogou-se em uma cadeira enquanto ela começava a chorar.

— Isso é horrível.

— Você estar grávida e não me contar é ainda mais horrível. Pelo amor de Deus, quando ia me contar?

— Descobri hoje de manhã. Não queria que você ficasse assim. Ia contar hoje à noite.

E, então, ele olhou para ela e se tocou do que ela acabara de dizer.

— Yom Kippur? Você está *brincando*? Isso foi em setembro. Já estamos em janeiro. Você não quer dizer Chanukah? — Ela não era judia, obviamente estava confundindo os feriados.

— Não, Yom Kippur. Foi no primeiro fim de semana que fiquei aqui. Foi a única vez que não nos prevenimos.

— Maravilha. Você não percebeu que não ficou menstruada nos últimos três meses?

— Achei que estivesse nervosa. Sempre fui desregulada. Já cheguei a ficar seis meses sem menstruar.

— E estava grávida?

— Não. Esta é a primeira vez que fico grávida.

— Ótimo. A primeira. A gente não precisava dessa dor de cabeça, Maggie. E quando uma mulher faz um aborto, ela fica chorosa e deprimida pelos seis meses seguintes. — Ele já passara por isso antes, muitas vezes. Então, olhou para ela de forma sombria, com uma expressão desconfiada. — Este é um golpe para que eu me case com você? Porque não vai funcionar.

Ela deu um pulo da cama e ficou de pé, encarando-o.

— Não estou dando nenhum golpe para que se case comigo! Nunca pedi que se casasse e não vou fazer isso agora. Fiquei grávida. A culpa é sua também, não só minha.

— Como você pôde não saber que estava grávida durante três *meses*? — Era inacreditável. — Você nem pode mais fazer um aborto a esta altura. Pelo menos, não facilmente, porque depois dos três meses a coisa fica mais séria.

— Bem, então vou ter que lidar com isso. E eu não estava tentando me casar com você!

— Bom! Porque eu não vou me casar! — gritou ele, e, com isso, ela correu para o banheiro e bateu a porta na cara dele.

Ficou lá por duas horas e, quando saiu, Adam estava na cama, vendo TV, e não disse uma palavra. Nenhum dos dois jantou. Ela vomitara no banheiro enquanto estava lá, chorando sozinha.

— Foi por isso que você ficou mareada no barco? — perguntou ele sem olhar para ela.

— Talvez. Cheguei a pensar nisso, e quando passei mal depois que voltamos, achei que pudesse ser. Foi por isso que fiz o teste.

— Pelo menos você não esperou completar seis meses. Quero que vá a um médico — disse ele, finalmente olhando para ela.

Maggie estava com uma aparência péssima. Ele podia ver que ela estivera chorando, seus olhos estavam vermelhos e seu rosto, pálido. — Você tem um médico?

— Uma garota do trabalho me deu uma indicação — murmurou ela, fungando.

— Não quero que você vá a nenhum carniceiro. Vou conseguir alguém amanhã.

— E depois? — perguntou ela, parecendo assustada.

— Vamos ver o que ele vai dizer.

— E se for tarde demais para um aborto?

— Aí vamos ter que conversar. Talvez, nesse caso, eu tenha que matar você. — Ele estava apenas brincando, já tinha se acalmado um pouco, mas ela se desfez em lágrimas de novo. — Ora, Maggie... por favor... eu não vou matar você. Só estou chateado.

— Eu também — disse ela, soluçando. — É meu bebê também. — Ele resmungou, então, e escorregou na cama.

— Ainda não é um bebê, Maggie. Por favor. É uma gravidez, por enquanto é só isso. — Nem quis dizer a palavra "feto", muito menos "bebê".

— E aonde você acha que isso vai dar? — disse ela, assoando o nariz em um lenço de papel.

— Eu sei aonde isso vai dar. É por isso que estou chateado. Agora, durma um pouco. Conversaremos sobre isso de manhã — disse ele, enquanto desligava a TV e apagava a luz do seu lado da cama.

Era cedo, mas ele queria dormir. Precisava da fuga. Essa era a última coisa de que precisava. Isso acontecia com seus clientes, não com ele.

— Adam? — chamou ela, baixinho, na hora em que ele fechou os olhos.

— O quê?

— Você me odeia?

— Claro que não. Eu amo você. Só estou chateado. Essa não foi uma boa ideia.

— O que não foi uma boa ideia?

— Ficar grávida.

— Eu sei, me desculpe. Quer que eu vá embora?

Nessa hora, ele olhou para Maggie e sentiu pena dela. Isso seria difícil para ela também, principalmente depois dos três meses. Adam sabia que havia médicos que faziam, mas era muito mais sério do que quando era feito bem no início.

— Não, não quero que vá embora. Só quero resolver isso o mais rápido possível. — Ela assentiu.

— Você realmente acha que eu vou ficar péssima por seis meses?

Parecia preocupada. Era assustador para ela também. Mais do que para ele. Ele odiava a inconveniência, ela teria de lidar com isso de qualquer forma. Seria um trauma para Maggie.

— Espero que não — respondeu Adam. — Agora vá dormir.

Ela virou de um lado para o outro a noite toda, e quando ele acordou de manhã, estava no banheiro e ele pôde escutar que estava passando mal. Ficou do lado de fora da porta do banheiro, tremendo. Parecia ruim.

— Merda — disse ele, e foi tomar banho e fazer a barba. Ela saiu dez minutos depois. A porta do banheiro dele estava aberta para que pudesse ver quando ela saísse. Maggie estava pálida. — Você está bem?

— Estou. Ótima.

Ele preparou chá com torradas para ela depois que se vestiu, disse que ligaria do escritório e a beijou antes de sair. Então, um pensamento terrível lhe ocorreu no caminho para o trabalho. Maggie era católica. E se ela se recusasse a fazer um aborto? Aí, sim, a situação ficaria confusa. O que diria para seus filhos? E para seus pais? Não suportava nem pensar. Fez as ligações necessárias assim que chegou ao escritório e ligou para ela no trabalho ao meio-dia. Deu os nomes de dois médicos, no caso de um não poder atendê-la, e disse para ela tentar ir a um deles assim que pudesse. Ela ligou para os dois, usou o nome dele como ele dissera para fazer, e conseguiu uma consulta para a tarde do dia seguinte. Adam se ofereceu para ir junto, mas ela disse que podia enfrentar isso sozinha. Pelo menos estava sendo decente. Mas eles mal se falaram naquela noite. Ambos estavam estressados.

Na noite seguinte, depois da consulta, ela estava em casa quando ele chegou. Era seu dia de folga e estava fazendo dever de casa quando ele entrou.

— Como foi?

— Foi bem. — Ela não o olhou.

— Como assim? O que ele disse?

— Disse que é um pouco tarde, mas que podem dizer que a minha saúde mental está correndo perigo se eu tentar suicídio ou algo parecido.

— Então, quando você vai fazer?

Ele parecia aliviado. Houve uma longa pausa enquanto ela levantou o olhar para fitá-lo com seus enormes olhos no rosto pálido. Ela não parecia bem.

— Não vou fazer.

Levou um longo momento para ele compreender, e ficou fitando-a.

— O que você disse?

— Que não vou fazer um aborto — respondeu, com cuidado, e ele pôde ver pela expressão dela que estava falando sério.

— O que você vai fazer, então? Entregará para adoção?

Isso era muito mais complicado e precisava de muito mais explicação, mas ele também estava disposto a fazer isso, se ela preferisse. Afinal, ela era católica.

— Vou ter o bebê. E vou ficar com ele. Eu amo você. E amo nosso bebê. Eu o vi na ultrassonografia. Estava se mexendo. Estava chupando o dedo. Estou com três meses e meio de gravidez. Dezesseis semanas, como dizem, e não vou entregar para adoção.

— Ai, meu Deus — disse ele, deixando-se cair na cadeira mais próxima. — Isso é loucura. Você vai ficar com o bebê? Eu não vou me casar com você. Sabe disso, não sabe? Se é isso que acha que vai acontecer, está maluca. Nunca vou me casar de novo, com você nem com ninguém, com ou sem bebê.

— Eu não me casaria com você de qualquer forma — disse ela, endireitando-se na cadeira. — Não preciso que se case comigo. Posso me virar sozinha.

Sempre tinha feito isso. Embora estivesse aterrorizada agora, não queria admitir isso para ele. Passara a tarde inteira pensando em como o sustentaria. Estava determinada a não pedir nada a Adam. Tinha de fazer isso sozinha. Mesmo se precisasse largar seu emprego, desistir da faculdade e viver de auxílio-desemprego. Não queria nada dele.

— O que os meus filhos vão pensar? — disse ele com uma expressão de pânico. — Como vamos explicar isso a eles?

— Não sei. Devíamos ter pensado isso no Yom Kippur.

— Pelo amor de Deus, naquele dia tudo que eu conseguia pensar era em como odiava a minha mãe. Não estava pensando em ter um filho.

— Talvez estivesse escrito — disse ela, tentando ser filosófica, mas Adam não queria escutar.

— Isso não estava escrito. Aconteceu porque nós dois fomos descuidados.

— Talvez. Mas eu amo você, e mesmo se você me deixar agora, vou ter o bebê.

Ela colocara isso na cabeça e não estava disposta a mudar de ideia. A ultrassonografia era a culpada. Ela não mataria o filho deles.

— Não quero um filho, Maggie — disse, tentando trazê-la de volta à razão.

— Também não tenho certeza se eu quero, mas não temos escolha. Ou melhor, eu não tenho escolha.

Ela parecia calma e infeliz. Era uma decisão e tanto para ambos.

— Vou para Las Vegas neste final de semana — disse ele, soando triste. — Conversaremos sobre isso quando eu voltar. Vamos dar um tempo até lá. Vamos pensar mais e talvez você mude de ideia.

— Não vou mudar. — Ela era uma leoa defendendo sua cria.

— Não seja tão teimosa.

— Não seja tão mau. — Ela olhou para ele, triste.

— Eu não sou mau. Só estou tentando levar isso na boa, mas você não está facilitando as coisas. É maldade ter um filho que ninguém quer. Eu simplesmente não estou preparado para ter um filho, Maggie. Não quero me casar de novo. Não quero um filho. Sou muito velho.

— Você só é mau. Prefere matar o bebê — disse ela, começando a chorar, e ele também teve vontade de fazer o mesmo.

— Não sou mau! — gritou ele quando ela correu para o banheiro de novo, mais para se esconder do que para vomitar.

O resto da semana não foi melhor. Não falaram sobre o assunto, que pendia entre eles como uma bomba nuclear pronta para explodir. Ele ficou aliviado ao partir para Las Vegas na quinta-feira. Precisava sair. Ficou lá até domingo de noite. Ele estava esperando quando ela chegou do trabalho na segunda-feira. Estava sentado em uma poltrona com um olhar de resignação.

— Como foi seu final de semana? — perguntou ela, mas não se aproximou para beijá-lo. Passara o final de semana inteiro chateada, e perguntou-se o tempo inteiro se ele a estaria traindo porque também estava chateado. Não saíra do apartamento e chorara até dormir todas as noites, pensando que ele a odiava e que provavelmente a deixaria, e que ela ficaria sozinha para ter o filho deles e que nunca mais o veria.

— Foi bom. Pensei muito.

O coração dela quase parou enquanto esperava ele dizer que ela teria que sair do apartamento. Tornara-se um constrangimento para Adam.

— Acho que devemos nos casar. Podemos ir para Las Vegas no próximo final de semana . Eu vou ter que ir de qualquer jeito mesmo. Vamos nos casar sem avisar ninguém e pronto.

Ela o fitou, sem acreditar.

— O que você quer dizer com "e pronto"? Depois eu vou embora, mas o filho será legítimo? — Pensara em milhares de cenários terríveis e em nenhum bom. Ele pensara e chegara a uma conclusão.

— Não, depois estaremos casados, temos o bebê e vivemos a nossa vida. Juntos. Com o bebê. OK? Agora está feliz? — Ele também não parecia feliz, mas estava tentando fazer a coisa certa. — Além disso, eu amo você.

— Além disso, eu também te amo, mas não vou me casar com você. — Maggie parecia calma e determinada.

— Não vai? Por que não? — Ele parecia surpreso. — Achei que fosse isso que você queria.

— Eu nunca disse isso. Disse que ia ter o bebê, não que queria me casar — respondeu com firmeza enquanto ele a fitava.

— Você não quer se casar?

— Não. Não quero.

— Mas e o bebê? Por que não quer se casar?

— Não quero forçá-lo a se casar comigo, Adam. E não quero me casar "sem falar com ninguém". Quando eu me casar, quero contar para todo mundo. E quero me casar com alguém que queira se casar comigo, e não com alguém que apenas *tenha* que se casar. Muito obrigada, mas a minha resposta é não.

— Por favor, diga que você está brincando — disse ele, afundando a cabeça nas mãos.

— Não estou brincando. Não estou lhe pedindo dinheiro e não vou me casar com você. Vou me virar sozinha.

— Você vai me deixar? — Ele pareceu verdadeiramente horrorizado com a ideia.

— Claro que não. Eu amo você. Por que o deixaria?

— Porque você disse que eu era mau na semana passada.

— Você seria mau se quisesse matar nosso filho. Mas não está sendo mau ao me pedir em casamento. Obrigada por isso. Mas eu simplesmente não quero, e nem você.

— Eu quero sim! — gritou ele. — Eu amo você. Eu quero me casar com você! Agora você aceita? — Ele parecia desesperado, e ela parecia mais calma a cada minuto. Ela já tomara a sua decisão, ele podia ver isso também. — Você é a mulher mais teimosa que eu já conheci. — Ela sorriu, e ele soltou uma gargalhada. — Isso não foi um elogio. Pelo amor de Deus, Maggie. — Ele se aproximou, abraçou-a e beijou-a pela primeira vez em uma semana. — Eu amo você. Por favor, case comigo. Vamos simplesmente nos casar, ter nosso filho e tentar fazer o melhor.

— Se tivéssemos feito as coisas certas, teríamos nos casado primeiro para depois eu ficar grávida. Mas, se fosse assim, você nunca se casaria comigo, então por que fazer agora?

— Por que você vai ter um filho — ele quase gritou.

— Bem, supere isso. Eu não vou me casar.

— Merda — disse ele, e foi se servir de uma dose de tequila, que tomou em um único gole.

— Você não pode beber. Estamos grávidos — disse ela, formalmente, e ele lhe lançou um olhar malvado.

— Muito engraçado. Talvez eu vire alcoólatra antes que isso termine.

— Não faça isso — disse ela, calmamente. — Vai dar tudo certo, Adam. Vamos resolver tudo. E você não vai precisar se casar comigo. Nunca.

— E se eu quiser me casar com você algum dia? — Ele parecia preocupado.

— Aí a gente se casa. Mas você não quer neste momento. Eu sei disso, você sabe. E um dia nosso filho saberia.

— Não vou contar a ele.

— Talvez conte. — As pessoas agem assim às vezes. *Fui obrigado a me casar com a sua mãe...* Ela não queria isso para seu filho. E não queria tirar vantagem dele, mesmo se Adam estivesse disposto a fazer a coisa certa.

— Por que você precisa ser tão honrada? Qualquer outra mulher que conheci sempre queria que eu pagasse as contas delas, que eu casasse com elas, que lhe conseguisse empregos e que fizesse mais um milhão de outras coisas. Você não quer nada de mim.

— É verdade. Só o seu filho. Nosso filho — disse ela, orgulhosa.

— Eles conseguiram ver o que era? — perguntou, de repente interessado. Não queria este filho, mas já que iam ter, seria legal saber o sexo.

— Vou voltar daqui a duas semanas para fazer outra ultrassonografia. Aí eles vão poder dizer.

— Posso ir?

— Você quer?

— Talvez. Vamos ver.

Ele passara o final de semana inteiro pensando que ia se casar com ela e agora estava quase decepcionado já que não ia. Tudo na vida deles agora estava estranho.

— O que você vai dizer para a sua mãe? — perguntou Maggie, durante o jantar daquela noite, e ele balançou a cabeça.

— Só Deus sabe. Pelo menos, ela terá alguma coisa para realmente reclamar. Acho que vou falar com ela que eu a engravidei no nosso primeiro encontro e que você é Católica, aí ela não vai querer que eu me case com você.

— Que encantador. — Ele se debruçou sobre a mesa, beijou-a e sorriu.

— Maggie O'Malley, você é louca por ter um filho meu e não querer se casar comigo. Mas eu te amo. Que inferno! Espere até eu contar para Charlie e Gray! — Ela sorriu para ele, que deu uma gargalhada enquanto terminavam de jantar e comentavam como a vida às vezes era maluca. A deles certamente era, mas ambos pareciam felizes naquela noite enquanto lavavam os pratos e iam para cama. Isso não era o que queriam ou o que tinham planejado, mas fariam o melhor que pudessem, custasse o que custasse.

Capítulo 26

CHARLIE NÃO LIGOU para Carole depois que ela o deixara no barco em St. Barts. Ela mandou um fax agradecendo, mas achou que seria estranho ligar depois do que ele dissera na noite anterior à sua partida. Ela não fazia ideia das conclusões a que ele estava chegando, a única certeza absoluta que tinha era de que ele precisava de espaço. Deu a ele uma brecha enorme. Era só o que podia fazer. Estava ficando com mais medo a cada dia. Passaram-se duas semanas completas até que ele telefonasse. Ela estava sentada em seu escritório quando o telefone tocou. Ele disse que tinha voltado. Mas parecia estranho. Perguntou se poderiam sair para almoçar no dia seguinte.

— Seria maravilhoso — disse ela, tentando soar despreocupada, mas não estava enganando nem a si própria.

Ele parecia terrível e profundamente chateado. Seu tom de voz era frio, como se estivesse tratando de negócios, e depois de ter aceitado almoçar com ele, ela se perguntou se deveria cancelar. Sabia o que estava por vir. Charlie não a convidara para jantar fora nem disse que queria vê-la naquela noite. Queria almoçar com ela no dia seguinte. Distância. Espaço. Isso só podia ter um significado. Ele sairia com ela para ser educado e dizer que estava tudo terminado. Era como se estivesse escrito em um muro com letras enormes e claras. Agora, Carole só podia esperar.

Nem se incomodou em se maquiar na manhã seguinte. Não havia por quê. Ele não ligava mesmo. Se a amasse e quisesse ficar com ela, teria ligado do barco nas últimas duas semanas, ou teria saído com ela para jantar na noite anterior. Não tinha feito nem uma coisa nem outra. Podia até amá-la, mas não queria ficar com ela. Agora, ela só precisava passar pelo sofrimento de escutar o que ele tinha a dizer. Na hora em que ele chegou ao centro, já estava arrasada.

— Oi — disse ele, parado, um pouco sem jeito, na porta da sala dela. — Como você está? Parece ótima.

Mas era ele quem estava ótimo, usando um terno cinza com a pele bem bronzeada. Depois de passar a noite acordada pensando nele e no que iria acontecer, ela se sentia uma merda.

— Aonde quer almoçar?

Ela queria acabar com tudo logo e se arrependeu de não ter ligado para cancelar Era óbvio que ele achava que precisava fazer isso pessoalmente. Não precisava. Poderia tê-la dispensado pelo telefone.

— Você realmente quer comer? — perguntou ela, desencorajada. — Não prefere só conversar aqui?

Mas ele sabia tão bem quanto ela que teriam muitas interrupções. Crianças entravam, além de conselheiros e voluntários. O mundo inteiro entrava na sala dela. Era o eixo da roda.

— Vamos sair. — Ele estava sendo dolorosamente educado e parecia tenso. Ela pegou seu casaco e o seguiu para fora do prédio. — Mo's ou Sally's? — perguntou ele.

Ela não se importava. Não conseguiria comer nada mesmo.

— O que preferir.

Ele escolheu o Mo's pois era mais perto, e eles caminharam a quadra em silêncio. Mo acenou para ela quando eles entraram e Carole tentou sorrir. Seu rosto parecia feito de madeira, seus pés pesavam como cimento, e havia um tijolo no lugar de seu estômago. Mal podia esperar para acabar logo com isso, voltar para seu escritório e chorar em paz.

Eles se sentaram a uma mesa no canto e ambos pediram saladas. Parecia que ele também não estava com fome.

— Como foi o resto da viagem? — perguntou ela, por educação, e então os dois passaram a meia hora seguinte remexendo suas saladas e comendo pouco.

Ela se sentia como se estivesse a caminho da guilhotina.

— Desculpe se eu a deixei triste antes de ir embora do barco. Pensei muito sobre nós dois depois que você partiu — disse ele. Ela assentiu, esperando que acontecesse. Queria que ele despejasse tudo, mas ficou apenas ali, sentada, olhando para o nada, fingindo escutar. Não queria escutar o que ele ia dizer. Só precisava ficar ali sentada e aguentar. — Existe um monte razões para isso dar certo. E um monte, para não dar. — Carole assentiu, querendo gritar. — Nós viemos do mesmo mundo. Temos muitos interesses iguais. Ambos temos uma forte inclinação para a filantropia. Você também odeia o meu estilo de vida. Quer uma vida mais simples — ele sorriu para ela —, embora sua casa não seja nem um pouco mais simples do que a minha. Acho que você gosta do meu barco e é uma ótima marinheira. Não estamos atrás do dinheiro do outro. Ambos estudamos em Princeton.

Ele continuou até ela achar que ia morrer e, finalmente, ela olhou para ele querendo acabar com essa agonia para os dois. Já se arrastara por tempo suficiente.

— Diga logo, Charlie. Eu aguento. Sou uma mulher adulta. Divorciada. Acabe logo com isso, pelo amor de Deus. — Ele pareceu chocado.

— O que você acha que vou dizer?

— Que está acabado. Não precisa embrulhar para presente. Nem precisava ter me trazido para almoçar. Na verdade, eu preferia que não tivesse. Você poderia ter falado pelo telefone ou ter mandado um e-mail dizendo "Acabou", "Foda-se". Qualquer coisa. Consigo entender as indiretas. Você está fazendo insinuações há três semanas. Então, se vai terminar comigo, faça isso logo.

Foi um alívio colocar tudo para fora. Ele a estava fitando de forma estranha, como se não soubesse o que dizer agora. Ela já tinha dito tudo por ele.

— Está tudo acabado para você?

Ele parecia profundamente infeliz enquanto esperava, e ela hesitou, mas decidiu falar a verdade. Não tinha mais nada a perder.

— Não, para mim não está acabado — respondeu ela. — Eu amo você. Gosto de você. Curto estar com você. Acho que é um homem maravilhoso. Eu me divirto com você. Gosto de conversar com você. Gosto de compartilhar meu trabalho com você. Amei ficar no seu barco com você. Gosto dos seus amigos. Gosto até do cheiro dos seus charutos. Amo dormir com você. Mas é assim que *eu* me sinto. Aparentemente, não é como você se sente. Se for isso, tudo bem. Não vou ficar aqui tentando convencê-lo de algo que não quer.

Ele ficou sentado ali, fitando-a por um longo tempo. Estava olhando bem nos olhos dela, e então, sorriu.

— Foi isso que você achou? Que eu vim aqui hoje para lhe dizer que estava tudo acabado?

— Foi. O que mais eu poderia pensar? Antes de eu sair do barco, você me disse um monte de baboseiras sobre estar preocupado com o nosso relacionamento. Aí, eu venho embora e não recebo nenhuma notícia sua por duas semanas. Você me ligou ontem, parecendo um executivo e me convidou para almoçar, não para jantar. Então, acho que preparou bem o campo. Vamos lá, Charlie. Se vai fazer, faça logo.

Ela nem estava mais com medo. Podia lidar com isso. Sobrevivera a traumas piores. Vinha se lembrando disso o dia todo.

— Essa foi a mesma conclusão a que cheguei no barco. Se vai fazer, faça logo. Pare de enrolar. Pare de esperar que tudo dê errado. Esqueça o defeito fatal, pare de se preocupar com sofrimento ou com a possibilidade de a pessoa que você ama morrer, te dar o fora ou descobrir que ela não era o que eu pensava. Se vai fazer, faça logo. E se as coisas estiverem confusas, nós acertamos depois. Juntos. Carole, quer se casar comigo?

Ele estava fitando-a diretamente nos olhos, e ela ficou de boca aberta enquanto o fitava.

— O quê? — Ela parecia surpresa.

— Quer se casar comigo? — Ele estava sorrindo; lágrimas enchiam os olhos dela.

— Você está me pedindo em casamento no Mo's? Aqui? Agora? Por quê?

— Porque eu amo você. Talvez isso seja tudo que importa no final. O resto é superficial.

— Quero dizer, por que você me pediu aqui no Mo's? Por que não me levou para jantar ou me encontrou ontem à noite, sei lá? Como você pode me dizer algo assim aqui? — Ela estava rindo e chorando ao mesmo tempo, e ele segurou sua mão.

— Ontem à noite, eu precisei sair com meus advogados, assuntos da fundação, para fechar o ano fiscal. Não podia me encontrar com você. E não queria esperar até hoje à noite. Mas esqueça isso. Você aceita?

Ela ficou sentada olhando para ele por um longo momento com um enorme sorriso no rosto. Ele era um pouco louco. Um louco legal. Mas louco. Ele a deixara totalmente amedrontada e a convencera de que estava tudo acabado. E, ao invés disso, ele queria se casar com ela. Isso era uma doideira. Ela se debruçou na mesa e o beijou.

— Você quase me causou uma úlcera. E, sim, eu quero me casar com você. Adoraria. Quando? — Ela foi direto ao assunto e estava sorrindo de orelha a orelha.

— Que tal junho? Poderíamos passar a lua de mel no barco. Ou em qualquer outra época que você quiser. Eu estava com tanto medo. Medo de você dizer não.

— Claro que não. Junho está ótimo.

Ela ainda não conseguia acreditar que ele a tinha pedido em casamento. Era como um sonho, para os dois.

— Você não vai ter muito tempo para planejar o casamento — disse ele, desculpando-se, mas agora que tinha se decidido, não queria esperar muito tempo. Estava na hora.

— Eu dou um jeito — disse ela, enquanto ele pagava a conta.

E voltaram caminhando lentamente para o centro. Ela jamais imaginou que tudo se resolveria desta forma.

— Eu amo você — disse Charlie ao beijá-la na frente do centro.

As pessoas passavam e sorriam para eles. Tygue passou, voltando do almoço, e implicou:

— Tendo um bom dia? — perguntou ele ao abrir a porta.

— Ótimo — disse Carole, sorrindo. Então beijou de novo seu futuro marido antes de ele ir embora. Missão cumprida.

Capítulo 27

O RELACIONAMENTO DE Maggie e Adam entrou em uma tranquila rotina. Decidiram não contar nada aos filhos dele até a barriga começar a aparecer, o que seria dali a uns dois meses. E só contariam à mãe dele depois que os filhos soubessem. Adam queria dar a eles a honra de saber primeiro. Ainda seria difícil explicar. E tinha certeza de que Rachel teria muito o que falar.

Ele estava ocupado com seus clientes, mas conseguiu dar um jeito de ir à ultrassonografia com ela duas semanas depois. O bebê estava saudável, parecia bem e era um menino. Quando o viram se mexer de um lado para o outro, Adam e Maggie choraram. Ela estava com quatro meses de gravidez.

Adam precisava ir a Las Vegas na semana seguinte e perguntou se ela queria ir junto. Por coincidência, ela tinha dois dias de folga, o que se encaixou perfeitamente. Ele andava com um humor surpreendentemente bom, levando em consideração toda a tensão da sua vida, e estava levando na boa o bebê. Maggie estava dormindo muito e passava mal quase todos os dias, mas tentava não reclamar. Era por uma boa causa.

Na noite em que viajaram para Las Vegas, ela estava se sentindo um pouco melhor. Um dos artistas mais famosos de Adam ia fazer dois shows lá. Mas ele disse que só poderia ficar por duas noites, e Maggie precisava voltar ao trabalho de qualquer forma.

Voaram para Las Vegas no jatinho dele e ficaram hospedados no Bellagio, que ela amou. E para delírio dela, Adam disse que o hotel tinha reservado a suíte presidencial para os dois, que tinha sala de jantar, de reuniões e a maior cama que ela já vira. Tinha uma sala de estar com um piano enorme, e eles chegaram lá cedo o suficiente para terem tempo de ficar um pouco na cama antes do jantar. O show a que tinham vindo assistir não começaria antes da meia-noite, e pouco antes de descerem para jantar, Adam disse que precisava resolver alguns negócios no quarto. Disse que usaria a sala de reuniões e fechou a porta. Dois homens usando terno chegaram, e como Adam lhe pedira, ela os acompanhou até a sala. Quando abriu a porta para que eles entrassem, havia um enorme buquê de rosas vermelhas em cima da mesa e uma garrafa de champanhe Cristal gelando em um balde, enquanto Adam sorria para ela.

— Entre, Maggie.

Ele acenou para que ela e os dois homens, que também estavam sorrindo, entrassem.

— O que está fazendo? — Alguma coisa estranha estava acontecendo, e ela não sabia o que era. Todo mundo parecia saber, menos ela. — O que está acontecendo aqui?

Ela olhou em volta desconfiada. Estava vestida para jantar, com um vestido cor-de-rosa e sapatos de salto alto. Adam lhe dissera para usar uma roupa bonita. Tudo estava ficando apertado nela, mas a barriga ainda não aparecia. Seu corpo continuava tão bonito quanto antes, apenas mais cheio, e a parte de cima do vestido estava muito justa.

— Vamos nos casar, é isso que está acontecendo — disse Adam. — Não estou pedindo. Estou informando. E se você me causar algum problema, Maggie O'Malley, não vou deixar que saia deste quarto até que aceite.

— Você está brincando? — perguntou ela, sorrindo. Estava chocada.

— Nunca falei tão sério em toda a minha vida — disse ele enquanto se colocava ao lado dela, cheio de orgulho. — Você não vai ter este filho sem mim. Este é o juiz Rosenstein, e o assistente dele, Walter. Eles vão realizar a cerimônia, Walter vai ser a nossa testemunha.

— Nós vamos nos casar? — Ela o fitou com lágrimas nos olhos.

— Vamos sim.

— A sua mãe sabe?

— Vai saber amanhã. Quero contar às crianças primeiro.

Ele já tinha pensado e em como contornar todas as objeções dela. Ela sempre quis se casar com ele, mas não porque ele achava que devia. Agora, ele tirara a decisão das mãos dela, e ficou óbvio que ele também queria.

O juiz realizou a cerimônia, e Maggie chorou quando respondeu. Adam colocou no dedo dela uma aliança fina de ouro que comprara na Tiffany na véspera. Comprara uma para si também. E Walter assinou a certidão de casamento como testemunha. Às 8 horas daquela noite, tudo estava resolvido. Ele a beijou quando ficaram sozinhos na suíte. Ela só tomou um gole de champanhe já que não devia beber.

— Eu amo você, Sra. Weiss — disse ele, sorrindo. — Eu teria casado com você mais cedo ou mais da tarde, mesmo se não estivesse grávida. Isso só acelerou as coisas.

— Teria?

— Teria sim — disse ele, com firmeza. Ela ainda estava em estado de choque.

Jantaram no Picasso's e foram para o show da meia-noite. Ela olhou para sua aliança um milhão de vezes. Adorava ver a dele também.

Ele estava começando a dormir naquela noite, depois de terem feito amor, quando ela o cutucou no ombro. Ele se mexeu ainda sonolento.

— Hã?... Eu amo você... — murmurou Adam.

— Eu também amo você... só estava pensando em uma coisa.

— ...Agora não... estou cansado... amanhã...

— Acho que eu devia me converter ao judaísmo. Eu quero.

Ela estava bem acordada. Ele estava quase dormindo, mas conseguiu assentir.

— ...A gente fala sobre isso amanhã... Amo você... Boa noite.

E, então, pegou no sono. Maggie ficou deitada acordada ao lado dele, pensando em tudo que tinha acontecido. Tinha sido a noite mais maravilhosa de sua vida.

Capítulo 28

NO DIA SEGUINTE, quando Adam ligou para a mãe dele, poderia ter escutado o que ela falou de Las Vegas.

— *O'Malley?* Ela é *católica*? Você está querendo me matar? Você é um sociopata! Seu pai vai ter outro infarto!

Ela colocou todas as objeções possíveis e o acusou de tudo que podia.

— Ela está planejando se converter.

A mãe mal parou de gritar para escutar o que ele estava dizendo. Vociferou que ele era uma total e completa desgraça.

— Você foi ficar com ela no Dia de Ação de Graças? — acusou a mãe, e desta vez ele riu. Não permitiria que ela lhe causasse mais dores de cabeça. Agora tinha Maggie, sua mulher, sua aliada, sua amiga.

— Por acaso, sim. A melhor decisão que eu já tomei na vida.

— Você está louco. Com tantas mulheres judias de boa família no mundo, você se casa com uma católica. Acho que devo agradecer por você não ter se casado com algumas dessas cantoras negras que representa. Poderia ser pior.

Pelo comentário que ela tinha acabado de fazer e pelo desrespeito a Maggie, ele decidiu contar que *era* pior. Ela merecia. E merecia há 42 anos.

— E, mãe, antes que eu esqueça: vamos ter um filho em junho.

— Ai, meu *Deus*! — Desta vez, todo o estado de Nebraska conseguiu escutar os gritos dela.

— Só achei que você ia gostar de saber das novidades. Liguei logo.

— Não tenho nem coragem de contar para seu pai, Adam. Isso vai matá-lo.

— Duvido — disse Adam, com calma. — Mas se contar a ele, lembre-se de acordá-lo primeiro. Ligo para você em um outro dia, mãe. — E, com isso, ele desligou.

— O que ela disse? — perguntou Maggie, parecendo preocupada enquanto voltava para o quarto.

Tinham acabado de chegar a Nova York. Ele tinha ligado para os filhos antes de ligar para a mãe, e eles aceitaram bem. Disseram que gostavam muito de Maggie e estavam felizes por ele.

— Ela ficou emocionada — disse Adam com um enorme sorriso de vitória. — Eu disse a ela que você ia se converter.

— Que bom.

Os três casais se encontraram para jantar no Le Cirque uma semana depois. Charlie convidara e dera uma dica. Disse que tinha uma novidade importante para contar.

Todos chegaram na hora marcada e se sentaram a uma mesa bem localizada. As três mulheres estavam lindas, e todos estavam de bom humor. Pediram drinques e conversaram por alguns minutos, e, então, Charlie contou que ele e Carole estavam noivos e que se casariam em junho. Todos ficaram felizes. E, então, Adam olhou para Maggie com um sorriso conspiratório.

— O que vocês dois estão escondendo? — Charlie percebera a troca de olhares.

— Nós nos casamos na semana passada — disse Adam, sorrindo para a esposa. — E vamos ter um filho em junho. — Todos suspiraram na mesa.

— Vocês roubaram a nossa cena! — disse Charlie, e riu. Estava feliz por eles. Na mesma hora, Carole e Maggie conversaram sobre a data que o bebê deveria nascer. O casamento estava marcado para duas semanas antes, então Maggie disse que estaria bem. Gorda, mas bem.

— E a nossa viagem em agosto no *Blue Moon*? — perguntou Gray, parecendo preocupado, e todos riram.

— Para nós, está de pé — disse Charlie, olhando para o grupo, enquanto os outros assentiam.

— Podemos levar o bebê? — perguntou Maggie, com cuidado.

— Leve o bebê e uma babá — disse Charlie. — Acho que todo mundo está confirmado. E, Sylvia, espero que você também vá.

Todos concordaram que seria um grupo animado de seis, junto com suas mulheres; diferente de antes, mas uma turma alegre de qualquer forma.

— Ah, a propósito — disse Gray, sorrindo feliz. — Eu me mudei para o apartamento de Sylvia na semana passada. Agora eu *estou* morando com ela, não apenas ficando. Tenho um armário, uma chave, meu nome está na caixa de correio e posso atender ao telefone.

— Eu me lembro bem dessas regras. — Maggie riu. — Vocês já passaram as festas juntos? Não é um *relacionamento* até que isso aconteça. — Ela olhou para Adam e ele fez uma careta.

— Acabamos de passar — respondeu Gray.

Contou que tinha ido a Vermont com Sylvia e os filhos e que passara o Natal com eles. Ele ficou nervoso uma ou duas vezes, mas correu tudo bem. Emily e Gilbert tinham voltado para a Europa na semana anterior, e ele prometera encontrá-los na Itália antes de ele e Sylvia embarcarem no *Blue Moon*. Acreditara que Charlie a convidaria agora, já que Maggie e Carole tinham passado o Réveillon no barco.

Gray estava trabalhando duro no retrato de Boy e com força total para sua exposição em abril. Queria que o retrato de Boy fosse o quadro mais importante da exposição, mas não estaria à venda. Estava planejando pendurar no loft de Sylvia e o chamaria de retrato de família. Na morte, mais do que em vida, Boy foi seu irmão. Tinham se encontrado na última hora, graças a Boy.

— E vocês dois? — implicou Adam, já que todos os outros estavam se casando. — Quando vão colocar uma aliança no dedo?

— Nunca! — ambos disseram juntos, e todos riram.

— Deviam se casar no próximo verão em Portofino, onde se conheceram — sugeriu Charlie.

— Somos velhos demais para casamento — disse Sylvia de forma convincente. Acabara de completar 50 anos, três dias depois de Gray fazer 51. — E não queremos filhos.

— Era o que eu achava também — disse Adam, envergonhado, sorrindo e olhando apaixonadamente para Maggie. — Nos últimos dias, ela vem se sentindo melhor.

— Não é de se espantar que você tenha ficado mareada no barco — disse Charlie ao se lembrar.

— É, acho que sim — disse Maggie, timidamente. — Na época eu ainda não sabia.

Eles formavam um grupo agradável e brindaram uns aos outros durante toda a noite. Como de costume, os homens beberam muito. E, dada a ocasião, as mulheres não tentaram controlá-los. Tudo estava divertido. Eles beberam uma quantidade impressionante de um bom vinho francês.

Quando se despediram no final da noite, os planos estavam feitos e as datas marcadas. Todos tinham anotado a data do casamento de Charlie e Carole. Maggie dissera quando o bebê devia nascer, e todos combinaram de se encontrar no *Blue Moon* no dia primeiro de agosto, como sempre. A vida era doce. E bons tempos os esperavam.

Capítulo 29

DEPOIS DE MUITA DISCUSSÃO, e apesar do fato de ser o segundo casamento de Carole e o primeiro de Charlie, ela concordou com as vontades dos pais, e eles se casaram na Igreja de St. James. Foi um evento pequeno, elegante e formal. Charlie usou fraque pra se casar. Carole convidou Sylvia para ser a madrinha e Maggie, a dama de honra. Carole usou um vestido simples mas elegante de um tom bem claro de lilás e lírio-do-vale na cabeça. Seu buquê era de orquídeas brancas e cor-de-rosa. Parecia uma rainha ao entrar pela nave da igreja nos braços do pai. Gray e Adam foram os padrinhos de Charlie. Depois da cerimônia, os duzentos convidados foram para a recepção no New York Iate Clube. O casamento foi o mais tradicional possível, exceto pelo bando de crianças do centro que foi com Rygue e vários voluntários para mantê-los sob controle. Gabby e Zorro estavam lá, claro, e Carole contratara um grupo fabuloso de cantores Gospel do Harlem. A banda tocou até as 3 da madrugada.

A própria Carole designara quem se sentaria em qual mesa, e até seus pais pareceram se divertir. Charlie dançou com a Sra.

Van Horn depois de dançar com a noiva, e Carole com o pai. Diferente de muitos casamentos, não havia um exército de parentes indesejáveis lá. Na verdade, além dos pais dela, não havia mais ninguém da família. Estavam cercados de amigos.

Sylvia estava linda com o vestido lilás que ela e Carole escolheram juntas na Barney's. Ela carregou um buquê com lilases e minúsculas rosas brancas. O desafio maior fora encontrar algo para Maggie usar. Finalmente encontraram um vestido em um tom entre os vestidos de Sylvia e Carole. E seu buquê era de rosas da mesma cor. No dia do casamento, o vestido estava tão apertado que ela mal conseguia respirar. O bebê estava enorme, mas ela estava linda mesmo assim. Tinha a juventude e a maternidade ao seu lado, embora parecesse que mal conseguia se mexer.

Carole disse que se divertiu muito no casamento, e, realmente, era o que parecia. Dançou com Charlie, Adam, Gray, Tygue, alguns velhos amigos, mas, a maior parte da noite, com Charlie. Todos concordavam que nunca tinham visto um casal mais feliz na vida. Convidados e noivos comeram, dançaram e riram a noite toda.

A música era tão boa que até os Van Horn não conseguiram ficar longe da pista de dança. Sylvia e Gray dançaram um tango que deixou todos os outros com vergonha. E Adam não conseguia fazer Maggie ficar sentada. Toda vez que ele se virava, ela estava dançando com alguém, claro, a distância de um braço. Para conseguir controlá-la, ele finalmente decidiu ficar com ela na pista de dança. Ela não se sentou em nenhum instante. Estava se divertindo muito. Dançou, dançou e dançou. E quando finalmente sossegou no final da noite, disse a Adam que não sabia dizer o que doía mais: as costas ou os pés.

— Avisei para você não exagerar — censurou ele.

— Estou bem. — Ela sorriu. — O bebê só deve nascer daqui a duas semanas.

— Eu não contaria com isso depois de tudo que você dançou hoje. Não sei como uma mulher com oito meses e meio de gravidez pode parecer sexy, mas você está. — Eles foram uns dos últimos a ir embora.

Carole já tinha jogado o buquê, direto para Sylvia, que deu um suspiro ao pegá-lo. Charlie e Carole passariam a noite na casa dela e, na manhã seguinte, viajariam para embarcar em Monte Carlo. Iriam de barco para Veneza, para uma lua de mel de três semanas. Ela estava nervosa por deixar o centro, mas Tygue concordara em cuidar de tudo enquanto estivesse fora.

Os últimos convidados jogaram pétalas de rosas nos recém-casados enquanto eles entravam no carro e se afastavam, e Adam ajudou Maggie a entrar na limusine que tinha alugado. Ela não conseguia mais entrar e sair da Ferrari.

Ela estava bocejando quando subiram no elevador e, pela primeira vez, dormiu antes de Adam. Estava exausta e parecia uma pequena montanha deitada ao lado dele. Ele beijou o rosto e a barriga dela e apagou as luzes. Aninhar-se nesses dias era um desafio. Ele foi dormir direto, pensando no casamento dos amigos, e estava dormindo profundamente duas horas depois, às 5 da manhã, quando Maggie o cutucou.

— Hummm...? O quê?

— O bebê está nascendo — sussurrou ela, com uma voz que revelava pânico. Ele estava cansado demais para acordar. Como todos os outros no casamento, aproveitara a enxurrada de excelentes vinhos. — Adam... querido... acorde... — Maggie tentou se sentar na cama mas estava tendo muitas contrações. Ela o cutucou de novo com uma das mãos, com a outra, segurava a enorme barriga.

— Shhhh... Estou dormindo... Volte a dormir... — disse ele, e se virou para o outro lado. Ela tentou seguir o conselho dele, mas mal conseguia respirar. Estava ficando assustador e acontecendo rápido demais.

Já era quase 6 horas quando ela não apenas o cutucou como também o sacudiu, e a esta altura já estava ofegando entre as contrações. Nada funcionava. Doía muito.

— Adam... você precisa acordar...

Ela não conseguia sair da cama e tentou movê-lo, mas ele jogou um beijo para ela e continuou dormindo.

Já eram 6h30 quando ela bateu nele e gritou seu nome. Desta vez, ele acordou, assustado.

— O quê? O quê? — Ele levantou a cabeça e deitou-a de volta no travesseiro com a mesma velocidade. — Ai, merda... a minha cabeça... — E, então, ele olhou para ela. Seu rosto estava contorcido de dor. E, com ou sem dor de cabeça, ele acordou. Rápido. — Você está bem?

— Não... não estou... — Ela já estava chorando a esta altura e mal conseguia falar. — Estou tendo o bebê, Adam, e estou com medo.

Quando terminou a frase, começou outra contração. As dores estavam vindo uma atrás da outra e nunca paravam.

— OK, me dê um minuto. Vou levantar. Não tenha medo. Está tudo bem.

Ele sabia que precisava levantar da cama e vestir as calças, mas sua cabeça pesava como cimento.

— Não está nada bem... Estou tendo o bebê... agora!

— Agora? — Ele se sentou na mesma hora e olhou para ela.

— *Agora!* — Ela estava chorando.

— Você não pode ter o bebê agora. Só deveria nascer daqui a duas semanas... Droga, Maggie... Eu disso para você não dançar tanto.

Mas ela não estava mais escutando nada. Olhou para ele com um olhar selvagem, e ele pulou da cama.

— Ligue para a emergência! — disse ela, ofegante entre as contrações.

— Merda... OK... — Ele ligou enquanto a observava. Ela estava começando a fazer força. Explicou a situação para o operador, que disse que mandaria os paramédicos imediatamente e pediu para que ele destrancasse a porta da frente, ficasse com ela e dissesse para soprar, não fazer força.

Adam fez o que mandaram e disse para Maggie soprar, não fazer força, e ela estava gritando com ele durante as contrações. Não havia mais tempo entre uma e outra.

— Maggie... Vamos, querida... sopre! Sopre! Não faça força!...

— Eu não estou fazendo força, é o bebê — disse ela, fazendo uma careta horrível, e então soltou um grito assustador. — Adam! Ele está saindo...

Ele estava segurando as pernas dela e assistindo ao filho deles vir ao mundo quando os paramédicos chegaram. O bebê nascera sozinho, e Maggie deitou sem fôlego sobre os travesseiros enquanto Adam o pegava. Quando olharam para a criança, ambos choraram.

— Bom trabalho! — disse o chefe dos paramédicos, enquanto assumia o comando e outro limpava o bebê e o colocava no colo de Maggie.

Adam estava olhando para os dois maravilhado e não conseguiu impedir o choro. Maggie estava sorrindo e tranquila quando a cobriram, como se nada tivesse acontecido. Então, cortaram o cordão, e o bebê olhou para o pai como se já tivessem se visto em algum outro lugar.

— O jovem já tem um nome? — perguntou o segundo paramédico.

— Charlie Gray Weiss — disse Adam, olhando com adoração para a esposa. — Você é fantástica — sussurrou ele para Maggie, ajoelhando-se no chão, perto da cabeça dela.

— Eu estava com tanto medo — disse ela baixinho.

— E eu estava tão bêbado. — Adam riu. — Por que não me acordou mais cedo?

— Eu tentei! — Ela estava sorrindo e segurando o filho deles.

— Prometo que da próxima vez que você falar comigo enquanto eu estiver dormindo, vou escutar.

A ambulância estava esperando na rua, mas antes de saírem, ligaram para Charlie e Carole. Acordaram-nos para contar que o bebê tinha nascido, e eles ficaram muito felizes com a notícia. Teriam de acordar cedo mesmo para embarcar para Mônaco naquela manhã.

Adam ligou para Amanda e Jacob do hospital, e o médico deu alta para Maggie e para o bebê naquela mesma noite. Ambos estavam bem, e ela queria ir para casa com Adam. Maggie disse que aquele tinha sido o dia mais lindo de sua vida. O bebê era perfeito.

Quando Adam estava pegando no sono naquela noite, com o bebê em seu berço ao lado deles, Maggie o cutucou, ele levou um susto e se sentou na mesma hora, olhando para a esposa.

— O quê? Você está bem? — Mantivera a promessa. Estava bem acordado.

— Estou bem. Só queria dizer que amo você.

— Eu também amo você — disse ele enquanto mergulhava na cama e a puxava para mais perto de si. — Eu amo muito você, Maggie Weiss. — Ele dormiu sorrindo, e ela também.

Capítulo 30

TODOS EMBARCARAM NO *Blue Moon* no dia 1º de agosto, como planejado. Maggie e Adam acataram a sugestão de Charlie e levaram o bebê e a babá. Começaram em Monte Carlo, como sempre, jogaram na primeira noite, seguiram para Saint-Tropez e, quando se cansaram de lá, partiram para Portofino. As mulheres fizeram compras, os homens beberam, todos nadaram, caminharam pela *piazza* à noite e tomaram picolé. Dançaram em boates e, entre as saídas e refeições, Maggie amamentava o bebê. Ele completou dois meses no dia em que saíram, tinham olhos enormes e brilhantes e um corpinho robusto. Era louro como Maggie.

Na manhã seguinte à chegada em Portofino, Sylvia e Gray subiram até a igreja de San Giorgio e, naquela noite, todos jantaram no restaurante em que se conheceram. Eles tinham acabado de chegar de uma viagem com os filhos dela, e, desta vez, Gray ficou mais relaxado. Ele e Emily conversaram sobre técnicas de pintura, e ele e Gilbert tinham realmente se tornado amigos. Sylvia estava certa, Gray admitiu para Charlie: tinha filhos fantásticos.

— Ela estava certa sobre um monte de coisas — confessou ele ao amigo.

Os outros brindaram a eles naquela noite. Fazia um ano que tinham se conhecido.

— Eu ainda acho que vocês dois deviam se casar — disse Adam enquanto abriam outra garrafa de vinho.

Estavam morando juntos oficialmente há sete meses. Sylvia disse que ainda era pouco tempo. Só se conheciam há um ano. Os outros vaiaram e assobiaram, Charlie e Carole namoraram oito meses antes de se casar, e Adam e Maggie, quatro. E tudo parecia bem. Estavam mais felizes que nunca, os quatro.

— Nós não precisamos nos casar — insistiu Sylvia, e Gray riu dela, dizendo que estava parecendo ele quando teve medo de conhecer os filhos dela.

— Não quero estragar uma coisa boa — disse ela, calmamente.

— Não vai estragar — disse Charlie. — E Gray é um homem bom.

— Tenho de esperar pelo menos um ano para pensar nisso — respondeu, feliz.

— Tudo bem — disse Adam. — Estaremos aqui no ano que vem, na mesma época. Vamos ver o que vocês vão fazer, então.

Os outros fizeram mais um brinde a eles.

Capítulo 31

O DIA ESTAVA INCRIVELMENTE quente e o céu, impecavelmente azul. Se parassem de conversar, era possível escutar os insetos e pássaros. Não havia uma nuvem no céu enquanto o grupo subia a colina. Estava quase quente demais para se mover, e ainda eram 11 da manhã.

Uma mulher usando uma saia branca rodada e uma blusa de manga comprida estava carregando um buquê de rosas vermelhas e calçando sandálias vermelhas. Usava um enorme chapéu de palha e vários braceletes turquesa. Além dela, havia um homem com calças brancas e camisa azul, com uma crina de cabelos brancos. E, atrás deles, dois casais, ambas as mulheres esperando bebês.

Os seis entraram na Igreja de San Giorgio, em Portofino. O padre estava esperando por eles. Era o segundo casamento dela, mas não tinha se casado na igreja, e ele nunca tinha se casado.

Os noivos ficaram de pé no altar, parecendo solenes enquanto trocavam seus votos diante do padre, e seus quatro amigos observavam. Quando o padre disse que o noivo podia beijar a noiva, o noivo chorou.

Sylvia e Gray, então, viraram-se para seus amigos. Maggie e Carole estavam grávidas. Charlie e Adam pareciam orgulhosos, não apenas das mulheres com quem tinham se casado, mas de seus dois amigos que finalmente tinham resolvido se casar. Ficaram conversando na igreja por um longo tempo acenderam velas e depois desceram lentamente a colina e pararam na *piazza*. Sylvia e Gray estavam de mãos dadas.

O almoço em comemoração ao casamento deles foi no mesmo restaurante em que se conheceram exatamente dois anos atrás. Tinha se passado um longo tempo e eles tinham enfrentado uma longa jornada, os seis. Tinham ido longe e se dado bem. E eram abençoados por terem se encontrado.

— A Sylvia e Gray e a uma vida de felicidade! — brindou Charlie e, então, olhou para sua esposa. O bebê deles devia nascer em dezembro, o primeiro filho. O segundo de Adam e Maggie estava planejado para outubro, dois anos depois de a vida deles em comum começar.

Os dois últimos anos tinham sido felizes, ocupados e repletos de acontecimentos, para todos eles, com casamentos e filhos. Os outros filhos estavam bem. As carreiras estavam prósperas. Maggie estava na faculdade. O centro de Carole crescera. Assim como seus corações. Todos tinham carregado bagagens pesadas, mas agora não precisavam mais, viajavam mais leves e mais felizes por amarem uns aos outros.

Voltaram para o barco naquela tarde e todos nadaram no mar. À noite jantaram no barco. Sylvia e Gray adoraram compartilhar a lua de mel com os amigos. Para todos, parecia apropriado estarem juntos. E quando deixaram Portofino, seguindo para outros portos, os três solteirões de dois anos antes estavam, finalmente, casados.

Este livro foi composto na tipologia Adobe Garamond Pro, em corpo 11,5/16, e impresso em papel off-set 90g/m² no Sistema Cameron da Divisão Gráfica da Distribuidora Record.